A ESTÁTUA E A BAILARINA

CIP-BRASIL. CATALOGAÇÃO NA PUBLICAÇÃO
SINDICATO NACIONAL DOS EDITORES DE LIVROS, RJ

G131e

Gaiarsa, José Angelo, 1920-2010
  A estátua e a bailarina / J. A. Gaiarsa. - [3. ed.] - São Paulo : Ágora, 2021.
  336 p. ; 21 cm.

  ISBN 978-85-7183-298-5

  1. Psicomotricidade. 2. Postura humana. 3. Psicofisiologia. 4. Psicoterapia. I. Título.

21-73719   CDD: 152.3
                                            CDU: 159.943

Camila Donis Hartmann - Bibliotecária - CRB-7/6472

www.editoraagora.com.br

Compre em lugar de fotocopiar.
Cada real que você dá por um livro recompensa seus autores
e os convida a produzir mais sobre o tema;
incentiva seus editores a encomendar, traduzir e publicar
outras obras sobre o assunto;
e paga aos livreiros por estocar e levar até você livros
para a sua informação e o seu entretenimento.
Cada real que você dá pela fotocópia não autorizada de um livro
financia o crime
e ajuda a matar a produção intelectual de seu país.

J. A. GAIARSA

A ESTÁTUA E A BAILARINA

Editora
ÁGORA

A ESTÁTUA E A BAILARINA
Copyright © 1976, 1995, 2021 by José Angelo Gaiarsa
Direitos desta edição reservados por Summus Editorial

Editora executiva: **Soraia Bini Cury**
Revisão: **Carlos S. Mendes Rosa**
Capa: **Marianne Lépine**
Projeto gráfico e diagramação: **Crayon Editorial**

Editora Ágora
Departamento editorial
Rua Itapicuru, 613 – 7º andar
05006-000 – São Paulo – SP
Fone: (11) 3872-3322
http://www.editoraagora.com.br
e-mail: agora@editoraagora.com.br

Atendimento ao consumidor
Summus Editorial
Fone: (11) 3865-9890

Vendas por atacado
Fone: (11) 3873-8638
e-mail: vendas@summus.com.br

Impresso no Brasil

No ser humano perfeito, o corpo dança ao som da música da voz.

Essa é a correlação entre postura e respiração.

SUMÁRIO

Prefácio — Fernanda Carlos Borges 9

Introdução 17

Perversão e redenção 23

Parte I — De como o movimento se faz gesto, atitude, imagem,
emoção e ideia 29

Parte II — Ação e reação, movimento e postura, ato e atitude 221

GAIARSA NO SÉCULO 21:
A PSICOTERAPIA DO SENTIDO

Nesta, que considero a obra-prima de J. A. Gaiarsa, o autor desenvolve a tese que o coloca entre os teóricos da psicologia e da psicoterapia do século 20 que continuam necessários no século 21. "Pena que ele não é francês" — é o comentário bem-humorado que me vem à mente.

Este prefácio põe em foco o caráter pioneiro da tese publicada por J. A. Gaiarsa nos anos 1970, às margens da universidade, na periferia do Terceiro Mundo chamada Brasil — tese que hoje, quatro décadas depois, está na base do paradigma corpóreo em filosofia e ciências humanas. Gaiarsa foi um precursor tupiniquim.

Nesta obra, o leitor conhecerá os fundamentos de uma psicoterapia corporal da orientação espacial. Psicologia das disposições corporais. Psicanálise da atitude. Ética da resistência. Psicoterapia da queda. Teoria da linguagem em movimento. Filosofia da postura. São muitas as possibilidades para nomear a teoria psicológica e a técnica psicoterapêutica que este livro oferece. Venho chamando de *psicoterapia do sentido*, cuja compreensão não é nada banal.

Em que posição fomos colocados desde que nascemos — na família, nas relações sociais de gênero, classe, raça e nos diversos campos sociais por onde estivemos? Como, dessa posição, respondemos com atitudes que, de algum modo, nos mantêm vinculados àqueles lugares e dinâmicas, singularizando nossos desejos, interesses e destinos? Que disposições corporais formamos e levamos ao longo da nossa vida, atravessando gerações e relações?

Gaiarsa propõe uma psicoterapia verbal e corporal com base nos conceitos de *espaço próprio* e *espaço próximo*, situando a espacialidade no centro dos fenômenos.

Gosto de colocar sua teoria psicológica e psicoterapêutica em diálogo com os seguintes campos teóricos, em plena vitalidade no século 21: 1) a segunda geração das ciências cognitivas; 2) a teoria etnológica de Pierre Bourdieu sobre as disposições corporais, para a qual oferece fundamentos biológicos; 3) o pensamento de António Damásio, pois Gaiarsa apresentou neste livro, publicado originalmente nos anos 1970, uma teoria da mente muito parecida — guardadas as diferenças — com a que foi proposta por Damásio duas décadas depois. São proximidades teóricas que não invalidam o retorno a esta obra, pois não a superam. Ao contrário, estimulam a revisitar *A estátua e a bailarina*, em que Gaiarsa analisa, como nenhum outro, detalhes do sistema sensório-motor na ética relacional do cotidiano, na psicologia e na psicoterapia.

Quando, em minha época de jovem estudante na faculdade de filosofia, li *A estátua e a bailarina* pela primeira vez, nos anos 1980, pensei: isso é filosofia! Mas não foi fácil convencer meus professores disso, embora eu tenha conseguido fazer uma monografia sobre como a teoria de Gaiarsa favorece uma leitura corpórea da filosofia de Heráclito e do taoismo clássico.

Tempos depois, em 1999, foi publicado o livro *Philosophy in the flesh — The embodied mind and its challenge to Western thought*, do linguista George Lakoff e do filósofo Mark Johnson, pesquisadores norte-americanos. Eles propõem o paradigma *embodied* para a filosofia.[1] A familiaridade com relação ao ponto de partida de Gaiarsa era tanta que, para mim, foi um espanto. O valor que encontrei em Gaiarsa estava ali, com tutela internacional indireta para o intelectual marginal da neocolônia. E me passa novamente pela cabeça uma variação do comentário bem-humorado do início deste prefácio: "pena que

---

1. LAKOFF, George; Johnson, Mark. *Philosophy in the flesh — The embodied mind and its challenge to Western thought*. Nova York: Basic Books, 1999.

Gaiarsa não era norte-americano". Em seu livro, há uma filosofia corpórea precursora e familiar — ainda que não idêntica — até no que diz respeito a uma teoria sensório-motora da linguagem.

Tal como esses pesquisadores da segunda geração das ciências cognitivas, Gaiarsa entende que a imaginação e a razão dependem das urgências espaciais do sistema sensório-motor do corpo humano, mas destina as consequências dessa tese à psicologia e à psicoterapia; entende que a estrutura conceitual é abstraída da experiência sensório-motora; o pensamento corresponde a esquemas de imagens que correspondem a esquemas motores. Como fazer disso uma psicologia do jeito, uma análise do sentido e uma teoria da comunicação psicanalítica é o que Gaiarsa desenvolve nestas páginas.

"Não percebendo seu corpo, que numa só atitude compõe toda uma história, você se perde na história" — essa frase de Gaiarsa é a síntese deste livro. Síntese que responde ao que Bourdieu expressou como uma necessidade teórica para compreender melhor como são formadas as disposições corporais: "Eu queria, para conciliar a preocupação de rigor e a pesquisa filosófica, fazer biologia"[2]. Foi isso que Gaiarsa realizou.

Tenho dito que Gaiarsa fez uma psicologia para a sociologia de Bourdieu, e vice-versa. Ambos trabalham com as inscrições no corpo na forma de *habitus*, sistemas de disposições corporais produzidos a partir de uma posição num determinado campo social (Bourdieu) que também é um campo de forças físicas (Gaiarsa).

O *habitus*, estruturado como comportamento nas relações sociais, também implica organização espacial — onde e como posso ou não me colocar na família, na escola, no trabalho e também nas relações de gênero e raça. Os encontros deslocados, trágicos e evolutivos. Posso ou não ir em tal direção? Como estar, como continuar. Não são apenas normativas, são as urgências contínuas da nossa orientação no mundo, na relação com o outro. Orientações espaciais carregadas de subjetividade, tensão, conflitos, rupturas e acordos, em campos

---

2. BOURDIEU, Pierre. *Coisas ditas*. São Paulo: Brasiliense, 2004, p. 21.

de forças reais que afetam a postura do corpo e, nela, a percepção e a ação.

Bourdieu estudou o jogo social entre os hábitos e as estratégias nas disposições corporais: "As coações e as exigências do jogo, ainda que não estejam definidas num código de regras, impõem-se àqueles e somente àqueles que, por terem o sentido do jogo, isto é, o senso da necessidade imanente do jogo, estão preparados para percebê-las e realizá-las".[3] Com Gaiarsa, podemos inserir o *jeito* no jogo ou nas disposições corporais. Jogo e jeito são palavras originadas da mesma raiz latina *jactus*: lançar, arremessar, atirar. De onde vem jato, ejaculação, projeto.

Este livro contribui sobremaneira para a compreensão dos aspectos biológicos e psicológicos sobre como, na relação com o outro, o corpo projeta uma forma de estar no mundo ou se joga no mundo. Jeito, como conceito no contexto desta obra, é o modo como as disposições corporais da postura formam e sustentam um projeto na atitude (geometria-espaço) e um jogo (dinâmica-tempo). Essa teoria também poderia ser chamada de *psicologia do jeito*.

Leia a psicoterapia de *A estátua e a bailarina* tendo em vista o seguinte, acerca do comportamento sociológico: "Adotar certas posições ou certas posturas é, sabe-se desde Pascal, introduzir ou reforçar os sentimentos que elas exprimem. O gesto, segundo o comediante ou o dançarino, reforça o sentimento que reforça o gesto"[4]. Neste livro, Gaiarsa analisa a psicologia disso, uma *psicologia da performance social*, entranhada na biomecânica do corpo humano, especialmente no que diz respeito à produção de *sentido* e à relação — muitas vezes conflituosa — entre significado e sentido. Tenho defendido a ideia de que a psicoterapêutica proposta por Gaiarsa também pode ser chamada de *psicanálise do sentido*. Biomecânica do destino.

Gaiarsa trabalha com o conceito de afeto, definido a partir da origem etimológica do latim *fac*, de onde vem "fazer". Afeto, então,

---

3. *Ibidem*, p. 82.
4. *Ibidem*, p. 220.

A ESTÁTUA E A BAILARINA

refere-se à força ou ao objeto que "nos afeta, isto é, faz algo conosco, e nós o afetamos, fazemos algo com ele", escreve. Os afetos humanos são tão intensos que foi necessário desenvolver uma capacidade para *resistir*. Esta obra também amplia a *tese sobre a resistência* na psicanálise. Para Gaiarsa, resistir é *re-estar*, função primeira do sistema de equilíbrio biomecânico do corpo humano: retomar a estabilidade provocada pelo afeto; não cair.

Resistir para não cair.

Resistir para não se perder.

Resistir neuroticamente é estar impelido a se repetir num mundo complexo de relações pessoais e sociais. No contexto teórico de Gaiarsa, a resistência é a condição primária da postura. Diz ele: "Nós nos reequilibramos continuamente, isto é, nos 'repomos' a todo instante, 're-estamos' a todo momento; 'resistimos' sempre".

Das necessidades de resistência biomecânica (manutenção do equilíbrio habitual que reproduz o passado) e de adaptação (assimilação da novidade, que produz o futuro) advém o sofrimento psicológico como confusão entre manter a forma habitual e fazer outra coisa que desestabiliza o equilíbrio habitual. Impomos o passado ao momento, diz Gaiarsa. É preciso balançar mais com o corpo entre o passado e o futuro. O imperativo da existência humana, em todas as instâncias, é produzir forma para organizar o espaço e o destino como modo de vincular-se.

E, assim, aproximamos a teoria da mente de Gaiarsa publicada no Brasil nos anos 1970 da teoria de Damásio publicada nos Estados Unidos muito depois, nos anos 1990. E a publicação de Damásio, em vez de empurrar este livro para o passado, faz mais puxá-lo para um belíssimo diálogo no início do século 21, com uma colaboração teórica para uma teoria da consciência e uma prática psicoterapêutica. A conversa teórica entre eles gira em torno da cognição em perspectiva, da consciência central e consciência expandida, da teoria do *self* central e biográfico.

Neste prefácio, importa a contribuição de Gaiarsa para a psicoterapia com base no que Damásio chamou de *self* biográfico e sua consciência ampliada: "Embora dependa do mesmo mecanismo fundamental da consciência central — criação de relatos mapeados das relações correntes entre organismos e objetos —, a consciência ampliada adapta o mecanismo não apenas a um único objeto X distinto do *self*, mas a um conjunto consistente de objetos previamente memorizados e concernentes à história do organismo"[5]. Gaiarsa, com foco em psicoterapia num mundo complexo, deu um passo a mais, ao teorizar sobre como a memória da história pessoal e social do corpo o predispõe para reproduzir na percepção e na ação um lugar que já não está mais inteiramente aqui. Reproduzir o mesmo.

A memória biográfica também está na trama dos músculos, na forma e nos esforços mais ou menos estabilizados que resultam em sensação de si mesmo como singularidade e em vetores subjetivos na direção do outro. Os fundamentos e as consequências dessa teoria para uma *clínica psicanalítica do sentido* são abordados nesta obra. E uso a palavra "psicanalítica" sem o menor receio, pois Gaiarsa vai e volta de Freud continuamente, muitas vezes ampliando-o na direção de reforçar algumas ideias e conceitos da teoria original (como a de que o inconsciente é um lugar), outras vezes para se opor, como quando propõe uma teoria sobre a instauração da lei na psique humana numa primeira instância, anterior ao tabu, do que decorre então um superego central inegociável, a lei em si, e um superego expandido, a lei simbolicamente negociável.[6]

Ainda é preciso mencionar outra tese contida neste livro que merece destaque em nossos dias: esquemas motores como formas da cultura transmitidos entre gerações por meio da imitação/incorporação. Visualize isto: esquemas motores como formas reificadas de cultura. Todos sabemos que a aprendizagem de comportamentos passa pela imitação. Daí a máxima popular: "O que vale é o exemplo".

---

5. DAMÁSIO. António. *O mistério da consciência*. São Paulo: Companhia das Letras, 2000, p. 254.

6. Sobre esse assunto, veja BORGES, Fernanda C. *A filosofia do jeito — Um modo brasileiro de pensar com o corpo*. São Paulo: Summus, 2006.

Incorporamos esquemas motores que possibilitam a inclusão social ou inventamos esquemas novos que, com o tempo, são assimilados pela cultura. Por exemplo, um esquema motor mulher que é naturalizado como a verdadeira mulher. Bourdieu mostrou que a evasão escolar na rede pública francesa se devia muito mais à dificuldade dos estudantes periféricos de incorporar a *performance* burguesa no modo de sentar-se, falar, pôr-se, rir etc. (indiretamente treinada e esperada como resultado do processo educacional) do que às dificuldades cognitivas com relação ao conteúdo acadêmico. A definição assim descrita como "esquemas motores reificados como formas da cultura" foi publicada pelo antropólogo Thomas Csordas[7], pesquisador na Universidade da Califórnia, muito depois de Gaiarsa ter explicado e descrito o processo biológico-psicológico-biomecânico de produção e reprodução dos esquemas motores.

Outro exemplo: a situação das novas famílias oriundas de recasamentos nas quais surgiram novos personagens familiares, como a mulher do pai e o marido da mãe. Algumas vezes, o marido do pai e a mulher da mãe. Nesse exemplo, não importa o gênero. Importa que as dificuldades vividas são de posição: "Qual é o meu lugar nesta relação familiar". A experiência ainda está produzindo coletivamente os esquemas motores de posição (lugar), significado (narrativa) e sentido (função) dessas novas relações de parentesco, e a lei corresponderá aos direitos e deveres nas novas organizações familiares. E assim a cultura vai evoluindo nos corpos e nas ideias.

A estética da psicoterapêutica proposta por Gaiarsa passa pela capacidade de imaginar a geometria dinâmica dos encontros entre os corpos nos ambientes, uma topografia da trama do destino. O encontro consigo mesmo passa por mapear onde/como estivemos e continuamos, mesmo quando já houve um deslocamento. Na linguagem que Gaiarsa usa neste livro, a atitude contém um *espaço próprio* que pode dificultar a relação com o *espaço próximo*. Nesse caso, a neurose

---

7. Csordas, Thomas. "Embodiment as a paradigm for anthropology". *Revista Ethos*, v. 18, n. 1, 1990, p. 5-47.

manifesta-se como *confusão mecanoafetiva*, com consequências na ansiedade, na sensação de estar perdido e no medo da decadência. Com este prefácio, busco favorecer a leitura de *A estátua e a bailarina* no século 21. Quando foi publicada originalmente, a obra era inovadora demais para ser assimilada no Brasil. Hoje, sua teoria antes marginal se desloca, se não para *o* centro, certamente para *um* centro.

FERNANDA CARLOS BORGES
Filósofa, analista, doutora em Comunicação e Semiótica pela PUC-SP, pós-doutora em Performatividade do Corpo e Arte da Performance pela Unicamp e pesquisadora, pela Fapesp, na Universidade Aberta de Portugal

INTRODUÇÃO

Até há poucos anos, os movimentos dos seres humanos eram extensamente ignorados por quase todos os estudiosos da psicologia. Parece que eles não percebiam que *expressão* — emocional, intelectual, instintiva, artística — é movimento ou atitude e nada mais. Falava-se demais na expressão, mas não se dizia nada sobre os músculos.

Meio perdidos nesse mar de inconsciência, boiavam dois termos curiosos: *psicomotricidade* e *expressão corporal*. Eu bem gostaria de saber se existe uma motricidade que não seja "psico" e se existe algo psíquico totalmente desvinculado da motricidade. Gostaria também de saber se há alguma expressão que não seja corporal e se há algum corpo que não seja expressivo.

De longa data, os comportamentalistas — e mais recentemente os etologistas — não estudam outra coisa senão os movimentos dos animais, pois todo o comportamento não é outra coisa senão movimento. Mas basta dizer assim para ver que o próprio comportamentalista desdenha o estudo da motricidade, vinculando-a implicitamente a estruturas de estímulo-resposta. Tampouco se diz que toda resposta é, na prática, um movimento. Em fração mínima, poderia ser uma secreção como a da saliva, que foi a coisa mais estudada por Pavlov.

Na verdade, nem comportamentalistas nem etólogos se detiveram em considerar as propriedades inerentes ao aparelho neuromotor. No entanto, é claro e evidente ao menor exame que a resposta do ser vivo é uma estrutura em sentido próprio, notavelmente versátil e complexa, mesmo nas suas manifestações mais simples. É uma estrutura complexa tanto quando se considera o equipamento biológico que a produz como quando se considera a postura, a movimentação e a adequação da resposta à situação. Entre parênteses, diga-se que o termo *situação* é muito melhor do que o termo *estímulo*, pois é claro que os animais não respondem nunca a um estímulo isolado, nem mesmo em laboratório. Ao lado do estímulo sobre o qual influi o cientista, existem sempre vários outros atuando, como a temperatura, a luminosidade etc.

Na área clínica, a influência da psicanálise foi avassaladora, e falar em psicanálise é falar em verbalização e nada mais. É inacreditável que se adote o método, tido como científico, de excluir do campo visual do estudioso o objeto a ser estudado. A rigor, nenhum texto psicanalítico deveria falar em observação, mas apenas em audição... Um dos efeitos negativos mais acentuados da psicanálise sobre o desenvolvimento da psicologia foi precisamente este: a exclusão da observação visual. Essa atitude tão descabida só foi aceita porque estava uma das características mais fundamentais do ser humano: a de ser um tagarela bastante irresponsável. As pessoas confundem demais falar e fazer, confundem demais as palavras e as coisas. Boa parte delas quase sempre se comporta como se viver bem consistisse em falar bem e como se toda a comunicação humana se fizesse exclusivamente por meio da palavra. Seria necessário um embasamento pré-conceitual gigantesco para que uma disciplina dita científica se animasse a propor e defender um método tão incompreensível.

Foi preciso que Reich trouxesse para a psicologia aquela sensatez de há muito esquecida, mas condizente com o que de mais elementar se pode dizer sobre o homem: as coisas humanas começam quase sempre pelos olhos e os olhos são extraordinariamente importantes em todas as coisas humanas. Reich demonstrou com extrema clareza, e a um só tempo, que o misterioso inconsciente freudiano é inteiramente visível e os olhos do terapeuta são uma peça fundamental da terapia.

Com o seu conceito de couraça muscular do caráter, Reich foi um dos primeiros estudiosos a se deter explicitamente na expressão não verbal do ser humano, que hoje é o principal objeto de estudo da psicologia. Resumidamente, tudo aquilo que não é dito pela palavra pode ser encontrado no tom de voz, na expressão do rosto, na forma do gesto ou na atitude do personagem.

Um observador deveras atento consegue ver no outro — ver com os olhos — quase tudo aquilo que o outro está escondendo, conscientemente ou não. Para o observador interessado e contra a convicção popular, ver cara é ver coração... Todos os motivos ditos secretos pela psicanálise aparecem com maior ou menor clareza na forma do sorriso, no jeito de olhar, no gesto da mão, no modo de estar sentado, na posição da cabeça, no corpo inteiro e em cada uma de suas partes.

Reich apenas desenvolveu sistematicamente aquele que é o método mais fundamental para conhecer o outro. Quero dizer que, desde pequenos, todos nós nos baseamos pesadamente na observação do outro para conhecê-lo, para saber o que ele pretende de nós, para levá-lo a agir como pretendemos. Essa observação do outro é tão precoce, natural e instintiva, que se faz difícil tomar consciência plena dela. O maior mérito de Reich foi precisamente esse.

Foi esta também sua maior coragem: a coragem de ver. Sabemos que a história do reizinho nu, que saiu à rua exibindo vaidosamente a própria pele, e de seus súditos, que se encantavam com o inexistente, é o arquétipo de todas as convenções humanas. Torna-se fácil defender a tese de que a socialização consiste em fazer que a criança deixe de ver o que está aí e comece a ver o que não está aí — isto é, que ela pouco a pouco suprima toda a sua experiência não verbal com as coisas (visão, tato, paladar, olfato, audição, contato) e, aos poucos, passe a responder ao mundo — responder e não perceber — o mais possível em função das categorias gramaticais. É sabido que as categorias gramaticais praticamente se confundem com as categorias lógicas, que falar e pensar são praticamente sinônimos para a imensa maioria das pessoas — pensar e falar no lugar de perceber e sentir. Sentir, ainda, nos vários significados de *sensação*, de *sentimento* e de *avaliação imediata da realidade presente*. Imediata quer dizer pré-verbal. Quando somos apresentados a alguém, nossas primeiríssimas impressões são todas elas visuais.

Começar a ver como as coisas são é o primeiro e mais fundamental passo para iniciar a destruição ou a relativização de todas as convenções. Por isso é que *ver* se propõe mais como um problema de coragem do que como um problema de inteligência ou sensibilidade. Meu livro pretende ensinar as pessoas a ver.

Os especialistas que estudam o movimento são os neurologistas, os cinesiologistas, os esportistas, os atores, os fisioterapeutas, os professores de ioga e os bailarinos, cada qual com seu enfoque.

Ainda hoje a maioria dos psicólogos ensaia os primeiros passos nessa área. Nenhum dos especialistas citados serve diretamente ao psicólogo, mas todos eles têm o que nos ensinar.

Como se supõe, pesquisei bastante a bibliografia do movimento, e sempre com um profundo sentimento de insatisfação. As páginas mais inteligentes que li até hoje sobre movimentos animais pertenciam a um autor cujo nome esqueci — grave injustiça! Era um oftalmologista que descrevia a importância da visão nos movimentos, no prefácio de um tratado sobre estrabismo. Depois dele, Charles Scott Sherrington, em seus clássicos estudos sobre reflexos medulares, também sabia do que estava falando. No mais, uma soma inacreditável de detalhes bem descritos e bem explicados, ao lado de uma total incapacidade de integrar esses dados num conjunto coerente. Quem quiser desistir de entender os movimentos humanos, que leia qualquer texto de neurologia descrevendo as funções do extrapiramidal ou mesmo do cerebelo. Quem quiser ficar para sempre confuso em relação ao termo postura, que leia vários textos de fisiologia que descrevem os mecanismos reguladores do tônus postural.

Os cinesiologistas cometem o mesmo pecado, ou sofrem limitações paralelas. Descrevem com precisão mecanismos elementares, mas não conseguem dizer a ninguém como é que nós andamos...

Os estudiosos de esportes e danças sabem um pouco mais, porque estão acostumados a observar o corpo humano em ação. Mas eles se ressentem precisamente da falta de análise, que é precária. Estão acostumados a perceber em conjunto, mas não conseguem desmontar o relógio...

Uma das características do mundo moderno é o interesse que vem surgindo e o esforço que se vem aplicando no sentido de reavaliar o corpo humano e estabelecer sua importância para o ser humano. Note-se que frase mais absurda — no entanto, verdadeira e fiel aos fatos. Nos últimos anos, seguindo um processo de reação em cadeia, têm sido estudadas e desenvolvidas no mundo todo mil teorias e técnicas para compreender e trabalhar com o corpo, para harmonizá-lo nas suas funções, para aprender a extrair dele tudo que ele tem e pode dar.

Cada novo passo nessa direção substitui uma velha e querida função psicológica por uma função visceral ou muscular. Bem podemos dizer que a alma humana está se encarnando, isto é, ganhando carne, chegando ao corpo, confundindo-se com ele.

Mas é preciso reafirmar a complexidade das nossas funções motoras e dizer que a maioria dos técnicos que trabalha com o corpo não sabe bem com o que está mexendo.

É claro que este livro foi escrito para essas pessoas e dentro dessa onda.

Quase tudo que sei sobre o corpo humano aprendi em clínica, observando as pessoas no consultório e trabalhando com o corpo delas de mil diferentes maneiras.

De há muito que o meu consultório é um laboratório para o estudo de movimentos e atitudes humanas.

Por isso, este livro parte sempre daquilo que se vê, daquilo que está aí, de uma pessoa que se põe assim, que gesticula assim, que sorri assim, que fala nesse tom de voz. As descrições são bastante numerosas ao longo do livro e muito pormenorizadas. Antes de mais nada, é preciso que as pessoas aprendam a ver.

Todo subsídio à compreensão do problema, da fisiologia, mecânica, anatomia, cinesiologia e de outras fontes vai sendo integrado à figura humana viva e em movimento. Quer dizer, todos esses dados são recordados já dentro de um contexto significativo, o que, acreditamos, facilita sobremaneira a assimilação e vai ao encontro dos interesses do leitor.

Entre outras coisas, este livro oferece demonstração clara da participação da motricidade em várias formas de psicoterapia, em particular o psicodrama, a Gestalt-terapia, a expressão corporal, o método Feldenkrais, a técnica de Alexander, as várias formas de ioga corporal (e mental também), a utilidade das técnicas de relaxamento e de vários métodos tradicionais do Oriente, que centram o desenvolvimento pessoal em torno de uma atividade física bem determinada, o manejo da espada, do arco, as lutas codificadas.

Em outro contexto, usamos algumas expressões que são, dentro da mecânica, pouco precisas ou pouco usuais. Fizemos isso mais para ser claros do que para ser exatos.

A principal influência que modelou este livro proveio de Reich, da anatomia osteomuscular e da neurofisiologia da motricidade. Mas veio também, e acima de tudo, do inexaurível prazer que sinto vendo gente.

J. A. GAIARSA

PERVERSÃO E REDENÇÃO

Inquieto, ofegante e suspiroso, controlando-me com olhares rápidos e envergonhados, suando nas têmporas, Marcelo faz o prefácio de uma confissão.

— Agora não sei o que o senhor vai pensar de mim. É horrível. Mas eu preciso lhe dizer. Tudo.

O prefácio me surpreende. Marcelo me conhece de várias entrevistas, nas quais nos demos bastante bem, de igual para igual; conhece-me também — e muito mais! — pelo meu livro sobre sexualidade[1], que foi lido por ele e o trouxe até mim. Marcelo é sensível a pessoas e assaz maduro para saber — ou ter percebido — de minha ampla tolerância ante fatos humanos e sexuais. Enfim, Marcelo sabe, tão bem — quase — como eu, que dizer *tudo* significa, via de regra, dizer coisas que quase todos fazem mas ninguém diz que faz...

— Tenho obsessão de ver o corpo humano. Principalmente o que está escondido... De pequeno — a mania vem de longe! — de pequeno, deixava cair coisas debaixo da mesa — durante as refeições — a fim de ir juntá-las e aproveitar para ver as pessoas — por baixo — sabe?

E sua. E bufa. Está indignado consigo mesmo. Por fazer o que faz? Por estar se sentindo obrigado a confessar a alguém? Diante de meu silêncio e de minha face amistosa, ele piora.

— Agora preciso dizer. Não sei do que o senhor vai me chamar. Quando cresci — lá na minha terra — procurava às vezes prostitutas. Era condição essencial que a mulher fosse muito bonita. Eu ficava

---

1. GAIARSA, J. A. *A juventude diante do sexo*. São Paulo: Brasiliense, 1967.

um tempo interminável olhando e admirando a pessoa, de todos os ângulos, com cuidado infindo, com um interesse que não acabava mais... Procurava principalmente os ângulos piores — sabe — de baixo, de trás...

Está de todo absorvido em seu relato. Não se dá conta de minha tranquilidade, e obviamente não é diante de mim nem por mim que se envergonha e se aflige.

— Meu Deus! Como se pode fazer essas coisas! Que juízo o senhor vai fazer de mim! Mas preciso dizer. E vou dizer! Há algum tempo encontrei uma mulher que parece ter tanto gosto como eu — mas ao contrário. Exibe-se com prazer e com grande deleite. Quanto tempo eu quiser. Então fazemos de tudo. Outro dia pedi que ela ficasse em pé e me deitei — olhando para cima, entre suas pernas, para ver bem — lá — sabe?

— Sei. (Sei também — mas não digo — que estou me mostrando benevolamente conivente.) Você chega ao orgasmo desse modo?

— Não. Mas é muito prazenteiro. Muito... Outro dia cheguei a acabar, mas porque fiz mais. É o cúmulo! Acho que é o fim da degradação humana. É demais! Pedi a ela que se pusesse de cócoras — e continuei olhando, fascinado... Pedi que urinasse, ela urinou. Tive um orgasmo...

Agora ele olha firme para mim. Chegou visivelmente ao fim de sua confissão — ou quase. Quer saber de minha reação; talvez lhe importe também meu julgamento. Está um pouco mais tranquilo.

— Como se entende uma coisa dessas, doutor? É possível?

— Talvez seja. Mas é preciso primeiro ser capaz de virar tudo do avesso. Pensar ao contrário, a fim de perceber quanto o pensamento chamado normal é retorcido... Pelo que você disse, seu maior gosto — ou seu fascínio — é ver o corpo feminino ao contrário do que se diz que fica bem ou é certo. Você quer ver a mulher nua, por baixo e meio por trás. É tudo ao contrário do que nos ensinam e do que nos permitem — de pequenos até hoje. Só podemos... só é permitido ver as pessoas de frente e por cima...

— Interessante, mas não estou entendendo bem.

— Perverso é o modo pelo qual o corpo humano é *escondido* por todos — principalmente *aquelas* partes, tão vergonhosas que nem sequer seu nome é pronunciado. São *aquelas* partes. "As vergonhas", dizem os simples. Para nove décimos das pessoas, ver alguém nu de surpresa é levar um susto de bom tamanho. Não sei qual é a perversão pior, se a sua ou a de todos. Além da perversão coletiva que poderíamos chamar de supersticiosa — a nudez como tabu — existe outra que poderemos chamar de metafísica: o horror de ver o todo e a seleção arbitrária das partes; jamais a pessoa inteira. É proibido — ou é perigoso — ser inteiro.

— Não estou entendendo.

— Não é fácil entender; contraria muito nossos hábitos reais. Para subsistir, nossa sociedade — e parece que nesse ponto todas as sociedades se assemelham — procura desenvolver nas pessoas certas virtudes: apego à família, senso de propriedade privada, ambição, tenacidade, dureza consigo mesmo e com o próximo, astúcia. Ao mesmo tempo, procura suprimir nas pessoas certos "defeitos": indolência, amor ao prazer, senso de solidariedade humana, ternura, compaixão e outras virtudes "moles" ou amolecedoras. Do mesmo modo, cada sociedade cobre ou descobre certas partes do corpo humano — de forma assaz característica, pouco sujeita a qualquer espécie de lógica. O exemplo clássico das turcas a cobrir a face e das cretenses a expor os seios evidencia o capricho do mostra-esconde social. Tenho para mim que existe uma correspondência profunda entre a dissociação psicológica e a decomposição da figura do corpo à custa de trajes que mostram ou escondem.

— Muito interessante, doutor, mas não estou me vendo na sua reflexão, nem vejo nela lugar para o meu vício.

— Desde pequenos vemos os nossos semelhantes sempre em parte: parte de pele e parte de roupa. Muitos aceitam a convenção. São os mutilados convictos de que sua mutilação é boa, é certa; de que assim, mutilados, eles são na verdade mais inteiros — mais íntegros — do que todos os demais...

— É...

— Vejo no seu desejo e no seu gosto de ver como quase nunca se vê, além de um brinquedo divertido e de uma molecagem de primeira classe, um anseio fundamental de completar as coisas: de vê-las inteiras, precisamente, a fim de, em seguida, conceber-se inteiro, pois as coisas são nosso espelho. Ver inteiro o mundo e ver-se inteiro são uma coisa só, como são uma só coisa corpo e alma. Ai de quem não conhece o corpo inteiro, o próprio e o alheio; jamais será inteira sua alma. Nosso segredo sobre o corpo e as partes sexuais primeiro desperta e depois suprime em todas as crianças um desejo fundo de ver. Fácil dizer, depois, que tudo que é proibido desperta a curiosidade. Essa é a "explicação" tola (quase sempre enunciada com ares de benévola superioridade) dada a todos os desejos socialmente proibidos. Ninguém fala da inteireza das coisas; se o proibido e o escondido nos interessam, é porque eles estão faltando na figura global. Surgem como vazios tão difíceis de suportar como a falta de um membro; o todo — suprimidas certas partes — funciona tão mal ou simplesmente não funciona, como um motor ao qual faltam peças, ou um quebra-cabeças incompleto. O desespero de que então somos vítimas — ao contemplar o espetáculo incompleto — é o mais genuíno e o mais fundamental dos desesperos humanos. O negativo da perversão não é a neurose, como dizia Freud. O negativo da perversão é o preconceito. Talvez se confundam neurose e preconceito quando se obedece a este com demasiada fidelidade ou excessivo escrúpulo.

— Mas, doutor, não faço mal em fazer como faço? Não é uma coisa abominável?

— Você teve ao menos a coragem de divergir — o que não é pouco. Mas você está no meio do caminho, e se não chegar ao fim será ruim.

— Mas... posso continuar fazendo essas coisas horrorosas?

— As coisas não são horrorosas; horroroso é seu modo de vê-las e se pôr diante delas. Seu fascínio pelo que você considera viciado é a contraparte perfeita do fanatismo do virtuoso. Se você chegar a perceber a grandeza contida na sua ação furtiva, então poderá continuar fazendo assim, com agrado e sem culpa; se não perceber a grandeza, então continuará fazendo assim: com prazer e angústia.

Marcelo é fotógrafo nas horas vagas e um de seus temas favoritos é a fonte.

Sublimação — dirá o psicanalista.

Tolice. Tanto não é sublimação que o paciente faz efetivamente o ato dito "primitivo" ou "infantil": quer ver de verdade a mulher nua, de baixo para cima, e urinando. Sublimou o quê?

Faz além disso excelentes fotografias. Estarão as duas coisas ligadas? Provavelmente sim, mas não como causa e efeito, antes como exercício e realização. Marcelo *aprendeu a ver coisas* vendo a mulher. Que lição melhor e mais humana?

Depois, não são os genitais femininos a fonte concreta da vida? Poderá alguém conceber as origens do que quer que seja se suprime, deforma ou deturpa as próprias origens?

O paciente teme a morte acima de tudo, afligindo-se com qualquer figura, ideia ou palavra que a lembre. É seu sintoma pior, o mais antigo e o mais tenaz.

O paciente está muito próximo de conceber-se com inteireza, e isso é terrível, pois no mesmo ato nos separamos de todos os semelhantes e nos sentimos únicos, isto é, incompreensíveis e inexplicáveis. Porque, ao aceitarmos tudo que percebemos em nós, não cabemos mais nas categorias do nosso mundo. Não pertencemos mais a grupo nenhum — não somos virtuosos nem viciados (mas os dois), nem bons nem maus (mas os dois), nem verdadeiros nem falsos (mas os dois), nem solidários nem contestadores (mas os dois).

É uma agonia. Assim vive o paciente. Agoniado, diz ele; agonizante, digo eu. Quase recém-nascido. Quase completo. Quase inteiro — mas ainda com medo. Talvez não lhe falte ver mais nada; talvez lhe falte apenas juntar tudo que viu, alto e baixo, frente e atrás, esquerda e direita.

Ou vemos o corpo todo ou nossa alma será aleijada.

PARTE I

De como o movimento se faz gesto, atitude, imagem, emoção e ideia

ROTEIRO FORA DE SÉRIE

Este estudo exige muito do leitor porque foge às formas mentais usuais. O modo de exposição acompanha mais o trabalho dos *olhos* do que o pensamento verbal. Ponho-me diante de um fato procurando, ao mesmo tempo, ver a ação dos vários fatores que nele intervêm ou os seus vários sentidos. Nesse ver e descrever fatos combino o que se pode ver de *vários* ângulos — como se fosse uma holografia.

O ORGULHOSO

Tomemos como exemplo a *atitude do orgulhoso*. Logo o vemos "de cabeça levantada", olhando de cima para baixo, ombros postos para cima e para trás, peito inflado, face impassível, coluna vertebral dorsofletida. Isso é o que se vê habitualmente.

Logo mostro para o leitor aquilo que habitualmente não vemos: a metade inferior do orgulhoso pode ser bem menos impressionante: suas pernas duras, a bacia sem mobilidade alguma, nádegas apertadas.

A seguir passo a descrever a mesma figura em termos de equilíbrio do corpo: o orgulhoso está *muito* em pé ou *bem* ereto, com tendência constante a cair *para trás*; sua estabilidade é precária e *avança a custo*. Logo deduzo uma consequência psicológica: todo orgulhoso é conservador, opondo-se ao avanço do que quer que seja.

Aqui o leitor pensará em causa-efeito, mas para mim essa é uma analogia evidente de forma e uma hipótese quanto à dinâmica. Entre a dificuldade física de fazer o corpo avançar e a dificuldade psicológica de evoluir, deve haver uma correlação — que eu não sei qual é, mas há.

A seguir, comparo o orgulhoso a uma pessoa firmemente apoiada em uma parede, de costas para ela; crio uma cena concordante com a atitude, como o faz o sonho. Não explico nada, apenas *integro visualmente* determinada posição da figura humana à situação física e emocional que poderia levar muitas pessoas àquela determinada posição — ou atitude. Pelo fato de parecer apoiado em uma parede, concluo que o orgulhoso está sempre disposto tanto a *recuar* quanto a *procurar apoio*, e vive *com medo de cair*. Dado que ele se apoia em algo *atrás* — algo invisível para o sujeito —, concluo que o orgulhoso não *vê* — isto é, não tem consciência — de sua busca contínua de apoio.

Dada a distribuição dos esforços musculares, posso comparar o orgulhoso a uma pessoa que *desce* um plano inclinado. Todo aquele que desce uma ladeira parece orgulhoso. Como se vê, componho nova cena visual em função da atitude do corpo, e posso logo deduzir, por analogia, que o orgulhoso teme *ser arrastado* e por isso "resiste", isto é, inclina-se para trás. Considerando a *direção do olhar* do orgulhoso — de cima para baixo —, concluímos que visualmente ele se comporta como alguém posto sobre uma elevação. Ele vê todas as coisas "lá embaixo".

Constatemos de momento que as atitudes humanas se fazem compreensíveis desde que nos seja dado encontrar a *cena* ou a *situação* adequada, desde que nos seja possível incluir a figura do sujeito num contexto visual concordante. Isso significa, pouco mais ou menos, que as *atitudes humanas trazem, inerente, a noção de um lugar, quase sempre de um objeto e de uma direção, que as "explica" de modo satisfatório.*

Logo veremos que algo parecido acontece, ainda mais claramente, com as ações humanas. Se dispusermos de um mímico hábil, será fácil imaginar o que ele está fazendo, mesmo que não tenha objeto algum nas mãos e atue num palco vazio. Facilmente o veremos manejando um machado imaginário, martelando, passeando na rua como

Don Juan, desesperado, escrevendo, raivoso, explicando-se diante de um credor etc.

É desse modo que a pessoa humana é vista e descrita nestas páginas: como se ela fosse um mímico ou um mudo a explicar-se por gestos. Não se trata de *interpretação*. É um processo igualmente sutil — mas bem mais verificável — de descrever significativamente uma posição de corpo e encontrar, a seguir, a *correspondência* (quase geométrica) entre a figura da pessoa e a figura da situação.

Muitas vezes, a correspondência não é geométrica, mas dinâmica, podendo ser expressa do seguinte modo: dadas as tensões musculares do corpo em determinado momento, transformemo-las em vetores; a seguir vamos compor um conjunto de vetores *fora* do indivíduo, capaz de manter o primeiro sistema em equilíbrio. Teremos feito assim uma análise de intenções. Intenção quer dizer "em tensão".

Como se imagina, essas duas formas de correspondência se completam de modos muito diferentes. Uma é visual, a outra é proprioceptiva. A essas correspondências devem ser somadas ainda outras, que envolvem todos os *sinais* de coisas, tanto os naturais quanto os convencionais, os individuais e os coletivos — sobretudo as palavras. Mas dessas correspondências sinaléticas cuida toda a psicologia que já está aí e da qual não cuidaremos.

O método não é comum nem fácil. Sempre que o leitor encontrar no texto um trecho obscuro, fica desde já convidado a deter-se uns instantes, a imaginar com clareza a figura que está sendo descrita ou comentada e a cena em que ela está.

A GRANDE SÍNTESE

Toda esta digressão pode ser expressa em termos familiares do seguinte modo: meu ideal, tanto científico como pessoal, é correlacionar significativa ou compreensivelmente os muitos aspectos da personalidade, artificialmente separados pelos diversos especialistas. Corpo, alma, matéria, espírito, sistema nervoso, músculos, pensamentos, sensações, massa, ideia, vísceras, intuição, instintos e princípios estão, no ser humano, funcionando, evoluindo e interagindo continuamente de modo coordenado. Pretendo, quanto me é dado, evidenciar esse trabalho incessante de síntese, cujo retrato mais perfeito está na atitude e no movimento.

OS INSTRUMENTOS

Quando nos propomos a estudar a cinemática do ser humano, muitas vezes se faz necessário adquirir duas aptidões pouco comuns: a de ver em câmera lenta e a de ver gestos como que fotografados segundo a técnica de exposições múltiplas — aquela que faz um gesto parecer estátua hindu, com muitos braços. Os movimentos humanos, regra geral, são rápidos; mais rápidos ainda são os movimentos automáticos que realizamos a fim de apoiar o gesto principal e equilibrar o corpo enquanto o gesto se realiza. Digamos, de outro modo, que, ao fazer um gesto, muitos outros movimentos e variações de tensão ocorrem simultaneamente, sem nos chamar a atenção. Em regra, atemo-nos àquilo que nos parece mais importante, quase sempre a eficácia ou o resultado da ação; o resto nos passa despercebido, quer sejamos agentes, quer observadores. *É preciso — neste livro é assim — ver a pessoa toda, movendo-se devagar e movendo simultaneamente todos ou quase todos os segmentos do corpo.*

Anos atrás, fiquei fascinado por um documentário de Walt Disney sobre o desabrochar de flores filmadas em câmera superlenta. Na tela, o desabrochar durava vinte ou trinta segundos; a flor parecia um balão que se enche ou — se era um cacho — uma cachoeira que se precipita, ou onda que se espraia. Depois folheei, igualmente fascinado, um álbum de fotografias obtidas à custa do *flash* eletrônico, capaz de fixar o que ocorre num milionésimo de segundo. É encantadora a forma de uma gota de leite um instante depois de cair sobre o chão — uma verdadeira coroa real. Igualmente impressionante a flexão de uma hélice de avião quando gira em alta velocidade. Exótico o movimento de um jogador de golfe quando fotografado 30 vezes em um décimo de segundo.

Neste livro, emprego a todo instante "técnicas" visuais comparáveis. O treino me tornou apto, creio. Pudesse este texto ser ilustrado com um filme cinematográfico e ele seria dez vezes mais fácil e vinte vezes mais convincente. É muito rápido em nós o desequilíbrio e o reequilíbrio do corpo. É muito lento em nós o desenvolvimento de novas formas de integração. É necessária certa habilidade no manejo da "câmera" quando se pretende evidenciar as semelhanças e diferenças entre esses dois movimentos globais.

FALANDO DO QUE SE VÊ

Um último reparo deve ser feito quanto às dificuldades do texto. Minhas descrições se referem quase sempre a uma imagem visual: a do corpo humano em certa posição. Refiro-me, alternativamente, ao conjunto de tensões musculares *simultâneas* que o mantém nessa posição, ou às sensações proprioceptivas correspondentes. Ora, sempre que pretendo escrever em palavras uma cena visual ou um fenômeno complexo que ocorre num instante, vejo-me fatalmente obrigado a: 1) escolher "por onde começar" e a sequência em que descreverei os vários elementos; 2) desenvolver num tempo relativamente longo aquilo que ocorreu num instante. *Essas são deformações essenciais e inevitáveis em que incorro sempre que verbalizo um fato complexo ou um fato instantâneo.* Inúmeras polêmicas estéreis foram e são mantidas, em grande parte, devido a isso. Quando várias pessoas assistem a um acidente, por exemplo, as descrições seguintes se mostram bastante divergentes, não tanto quanto aos elementos da ocorrência, mas quanto à ordem em que eles atuaram. *Toda simultaneidade é transformada pela verbalização em uma sequência* que tem, como queria Aristóteles, um "começo", um "meio" e um "fim". Já ao escolher a ordem dos objetos ou fatos, estamos introduzindo no acontecimento original uma estrutura que nos é própria enquanto seres falantes, mas não é própria do fato — pelo menos daqueles fatos e objetos inerentemente mudos.

Neste estudo, muitas vezes descrevo uma posição do corpo partindo de onde o leitor não espera. Em vez de me ater, por exemplo, às mãos da bailarina que representam uma flor desabrochando, vejo primeiro sua perna direita — apoiando-se no solo e duramente enrijecida pelo esforço; ou sua perna esquerda, posta para trás a fim de equilibrar as mãos. *Minhas descrições se mostram por vezes inesperadas (até desagradáveis) pelo fato de eu não estar olhando para onde o leitor está olhando.*

FÍSICA DO GESTO

Passemos agora a uma descrição do nosso aparelho motor em termos de física, a fim de nos familiarizarmos com certos termos e modos de descrever atitudes e ações humanas.

O aparelho motor do ser humano compõe-se de aproximadamente duzentas alavancas ósseas, articuladas de modo semilivre e auxiliadas por cerca de quinhentos músculos, que operam como motores locais.

As alavancas ósseas são praticamente rígidas.

Denominei as articulações de *semilivres* porque sua construção é tal que elas limitam a amplitude dos movimentos e ao mesmo tempo determinam sua direção — muitas vezes. Se todas as nossas articulações fossem do tipo esfera-cheia-dentro-de-esfera-oca (como a coxofemoral), nossa mobilidade seria muito maior, mas qualquer movimento se faria energeticamente bem mais dispendioso e, quanto ao controle, muito mais difícil do que já é.

Nosso corpo, considerado um sólido dotado de movimentos, é notável. De momento, vamos excluir dele toda vida e toda intenção, imaginando-o como um robô.

O CORPO HUMANO NÃO TEM FORMA PRÓPRIA

Deitado, sentado, andando, manipulando coisas, gesticulando, nosso corpo assume as mais diferentes posições e as mais diferentes formas, passando contínua e misteriosamente de uma para outra. O leitor compreenderá melhor minha afirmação se tomar um filme de esportes e recortar todos os quadrinhos que o compõem. Misture a seguir esses quadrinhos e veja quantas são as formas que o corpo assumiu. Qual delas é a "natural" ou a "certa"? Não existe nem uma nem outra, a não ser por convenção. Vejo o fato como muito importante para o moralista.

Observando — em filmes — o *modo de andar* das pessoas de várias nacionalidades, notamos que cada país, ou até cada cidade, adota um estilo próprio, diferente de todos os demais e tão característico quanto o sotaque da fala. A marcha é o mais fundamental dos movimentos humanos. Se ela varia assim, avalie-se quanto variarão os demais movimentos.

Como se faz essa *transformação* contínua? Em parte, pelos movimentos de cada segmento em relação aos demais; em parte, devido a um trabalho que a física não definiu ainda: refiro-me a contração tônica ou contratura muscular, tônus simplesmente ou, ainda, contração tetânica[2]. Devido a essa propriedade dos músculos, cada uma de nossas articulações pode ser funcionalmente anulada em determinado momento para, no momento seguinte, readquirir mobilidade. *Somos sólidos de rigidez variável, tanto na quantidade quanto na extensão e na distribuição.* Somos um guindaste cujos "pés" e "pernas" amolecem sempre que não estão fazendo força. Se estou sobre um pé, só aquela perna se enrijece. No instante seguinte, inverte-se a situação! Nosso robô é muito econômico.

Uma boa experiência pessoal é a seguinte: segure uma vasilha de 4 a 5 litros de capacidade e coloque-a sob uma torneira de água meio aberta. Não apoie o corpo a não ser no chão. Feche os olhos e sinta o que acontece com as tensões musculares enquanto a vasilha vai ficando continuamente mais pesada. Uma vez cheia a vasilha, inverta o processo: esvazie-a. O ideal seria furá-la embaixo. Depois troque de posição e repita várias vezes a ação anterior.

---

2. Termo técnico usado em fisiologia. Não confundir com a doença chamada tétano.

Com essa experiência se demonstra um fato muito importante: fazer mais força é fazer força diferente. Quando se altera o menor de nossos esforços, muda toda a estrutura tensional de que ele faz parte.

O FÍSICO E A CRIANÇA

Para a física, "trabalho" é o deslocamento de uma força ao longo de certa distância. Nossa rigidez é demonstravelmente uma força que consome energia para manter-se constante, mas é também uma força que não se desloca. O trabalho realizado por tais forças musculares é o de *impedir deformações* onde elas seriam importunas. Se agarro um indivíduo agitado e fora de si para tentar imobilizá-lo, sei bem a força que faço. Para o físico, isso não é trabalho... Mas eu compreendo o físico. Dado que o objeto de seu estudo são coisas que se movem sempre da mesma forma (como os astros) ou se movem só quando a gente quer (como as máquinas), não lhe ocorreu considerar o trabalho que dá manter quietas as coisas capazes de se mover por conta própria (uma criança, por exemplo).

Os cinesiologistas o denominam *trabalho interno*. Ele é tão importante que podemos definir o músculo dizendo que o *tecido muscular se caracteriza pela propriedade de apresentar rigidez funcional regionalmente variável a cada momento.* Nosso corpo, atuado pelos músculos, comporta-se como uma substância plástica cuja forma varia continuamente em função do grau, da extensão e da distribuição da rigidez muscular.

O ser humano de plástico é uma imagem feliz quando consideramos só o que os olhos veem. Mas a rigidez muscular, além de ser um adensamento, é também tendência inerente ao adensamento, o qual existe ao modo de um campo de forças. Habitualmente esse campo é complexo, apresentando-se na forma de vários conjuntos de forças. Em cada conjunto, as forças são aproximadamente iguais e paralelas entre si — em correspondência com a estrutura microscópica do músculo —, mas os vários conjuntos se orientam em várias direções do plano e do espaço. Além disso, a força de cada conjunto pode variar bastante de momento a momento, segundo uma sequência cujo ritmo é determinado pelo movimento a ser feito. Considerando o corpo inteiro de uma pessoa que se move, é praticamente impossível prever o efeito da contração *isolada* de um feixe muscular. A contração do músculo caracteriza-se pelo fato de ser sempre e apenas "mediocípeta", isto é, ao contrair-se o músculo, suas duas extremidades tendem a aproximar-se uma da outra. O movimento resultante — se houver movimento — dependerá do conjunto das tensões vigentes naquele momento. Há no aparelho muscular uma contínua concorrência entre as tensões ativas. Esse fato esclarece outro, sobremodo exasperante para mim: nunca sabemos onde *começa* um movimento em nós. Creio que esse problema se entrelace inextricavelmente com o problema da iniciativa e da vontade humana.

Nosso robô tem mais uma habilidade extraordinária. Ele pesa em média 75 quilos, tem mais ou menos 1,75 metro de altura e sua base é um trapézio de 30 cm de lado. Quando em pé, seu centro de gravidade fica a um metro do solo.

Qualquer movimento que ele faz desequilibra-o e grande parte dos movimentos que ele executa pode precipitá-lo ao chão.

No entanto, nosso corpo alia sua inerente instabilidade de forma e movimento a uma notável capacidade de reequilibrar-se e permanecer em pé automaticamente. Essa capacidade se torna ainda mais notável quando consideramos que ele permanece em pé mesmo contra forças consideráveis tendentes a derrubá-lo, como acontece nas lutas; que essa capacidade se estende a grande número de objetos com ele solidarizados, como ocorre quando carregamos uma bandeja, uma criança ou uma pasta; que essa capacidade inclui, ainda, objetos instáveis sobre os quais o corpo se encontra — como uma bicicleta, uma prancha de surfe ou um barco leve.

Poucas pessoas já imaginaram que a maior dificuldade no caminho da construção de um robô é precisamente essa. O fato de esse monstrengo ser tradicionalmente atarracado, pesadão e rígido deve-se a isso precisamente: não podendo emprestar-lhe equilíbrio dinâmico, o inventor reforça desmesuradamente seu peso, ao mesmo tempo que reduz e esquematiza seus movimentos. Nem todos sabem que, para atingir tal finalidade, *existem dois terços de nossa substância nervosa encefálica*. Desde os tempos acadêmicos eu me perguntava se esses dois terços do cérebro podiam não ter importância psicológica. Se gregos e troianos concordam que o "mental" no homem é primariamente cérebro, poderia não ser mental aquilo que ocupa continuamente tão grande fração de cérebro? Analiticamente: estima-se que há no cerebelo 6 bilhões de neurônios. Uma só célula de Purkinje pode receber 200 mil conexões com outras células nervosas[3]. No cérebro propriamente dito — que conta com aproximadamente 12 bilhões de neurônios —, temos as áreas piramidais, as pré-motoras, os grandes núcleos da base, o restante do extrapiramidal, mais todo o sistema vestibular (labirinto) e todos os núcleos motores dos nervos cranianos. Isso é o que nos move e constitui dois terços do encéfalo.

É possível experimentar facilmente esse argumento: se tentamos nos equilibrar sobre uma barra estreita, não conseguimos *ao mesmo tempo* pensar, sentir ou imaginar nada além do ato que estamos executando. Praticamente *todo o cérebro* está ocupado nessa operação.

CÉREBRO INÚTIL

O controle nervoso da motricidade pode ajudar a compreender duas questões obscuras: a reserva funcional do cérebro e suas famosas "áreas silenciosas".

Todo órgão pode trabalhar de cinco a dez vez mais intensamente que em condições usuais. O coração, que bombeia de 4 a 5 litros de sangue por minuto, pode bombear de 20 a 25 litros em condições de exercício pesado. O pulmão vai de 7 a 100 litros por minuto. E o cérebro — será que ele pode funcionar *mais*?

Sim e não. O cérebro tem numerosíssimas funções, sendo, nesse sentido, diferente de todos os demais órgãos. Cada área ou sistema

---

3. ECCLES, John C.; ITO, Masao; SZENTÁGOTHAI, János. *The cerebellum as a neuronal machine*. Nova York: Springer, 1967.

cerebral é, de certo modo, um órgão. É claro que podemos *ouvir* mais (uma voz/uma orquestra), *ver* mais (escuro/muita luz) — e assim por diante, com todos os sistemas sensoriais. É claro também que a *regulação* nervosa das funções viscerais atua mais rápida e fortemente quando o organismo está em sobrecarga.

Não há dúvida, entretanto, de que a maior reserva funcional do cérebro é a de motricidade. A prova da vasilha que se enche é decisiva. Trabalhar *mais* com os músculos é reorganizar, *a cada incremento de força total, todo o sistema de forças atuantes.* As áreas silenciosas explicam-se do mesmo modo. Hoje é moda dizer que "ninguém sabe para que serve metade ou até 90% do cérebro". Aí entram todas as doutrinas esotéricas e parapsicológicas, tentando colocar nesse vazio as funções extrassensoriais. O argumento de base — o vazio funcional — é falso. Considere-se um circo, um campo de esportes e um teatro de dança. Aí se pode ver a incrível amplitude, força e diversidade de movimentos de que é capaz um ser humano *normal.* Confronte-se depois essa riqueza com a pobreza deveras franciscana de 99% das pessoas em matéria de movimento. Quase ninguém vai além de uma a duas dúzias de rotinas de movimento. *Mas quase todos aprendem muito depressa inúmeros movimentos diferentes* — se tentarem. Tal exemplo pode explicar as áreas silenciosas do cérebro, que se confundem com sua reserva funcional.

Essas reflexões servem à patologia das lesões cerebrais. Uma lesão de efeitos imperceptíveis na pessoa rotineira pode, contudo, excluir do trabalho o trapezista ou o atleta.

UNIDADE MOTORA

Consideremos a unidade motora, elemento dinâmico do nosso aparelho motor. Cerca de cem fibras musculares, além do neurônio de cuja atividade depende sua contração, compõem esse vetor elementar. Essa é a definição clássica, devida a Sherrington. O número de fibras que compõem a unidade motora depende da precisão de movimentos da região considerada. Nos músculos oculares, existem em média cinco fibras contráteis para um neurônio, responsáveis por esse deli-cadíssimo movimento que é a direção do olhar e a convergência das duas linhas do olhar para o mesmo ponto. Nos grandes músculos, em que a precisão do movimento é bem menos necessária, o número de fibras contráteis passa a ser de 100 a 150 — até 500 ou mais.

Convém apresentar uma ideia quantitativa a respeito desses tenso-res (termo que me parece adequado e usarei frequentemente).

Contração fásica (em inglês, *twitch*) é a que se obtém com uma excitação única; contração tetânica, ou simplesmente tétano, é a con-tração máxima que se obtém do músculo pela excitação reiterada (de 50 ou mais ciclos por segundo).

Tabela 1 — Tensão de contração de vários músculos e unidades motoras no gato[4]

Músculo	Tensão total de contrações em gramas		Número de unidades motoras	Tensão média da unidade motora em gramas	
	Contração fásica (*twitch*)	Tétano		Contração fásica (*twitch*)	Tétano
Gastrocnêmio medial	2.500	9.080	393	6,4	23,1
Sóleo	580	2.230	233	2,48	9,57
Semitendinoso	1.020	3.310	549	1,8	6,02
Extensor longo dos dedos	710	2.010	247	2,8	8,1
Quadrado femoral	690	2.600	256	2,7	10,2

Vários reparos podem ser feitos a esses números. Definimos a contração fásica da unidade motora como o *menor esforço* de que o

4. ECCLES, John C.; SHERRINGTON, Charles S. "Numbers and contraction-values of in-dividual motor-units examined in some muscles of the limb". *Proceedings of the Royal Society*, v. 106, n. 745, 2. jun. 1930.

aparelho motor é capaz, isoladamente; nos músculos oculares, esse *quantum* de esforço é muito menor — provavelmente uns poucos decigramas. Em outros músculos (como o gastrocnêmio), o *quantum* sobe a 6,4 gramas; no quadríceps, não duvido que esse mínimo alcance 10 ou mais gramas. Em nosso corpo, o esforço também se faz aos saltos, por mínimos que sejam. Um esforço grande, como se sabe, realiza-se à custa da atividade de um número cada vez maior de unidades motoras e não pelo aumento de tensão em cada uma delas.

Vale a pena fazer duas somas nessa tabela. Cinco músculos da perna do gato (certamente menos da metade dos músculos da perna) podem, juntos, desenvolver 19.230 gramas de esforço. Considerando-se a perna toda mais a perna homóloga, concluímos que o trem posterior do gato, cujo peso total não vai muito além de 5 quilos, pode desenvolver cerca de 80 quilos de esforço no *apoio ou* na *resistência*; pode, outrossim, desenvolver (veja a) 5.500 vezes 4, ou seja, 22 mil quilos, como *impulso* ou potência de salto. Note-se aqui também quanto é maior o potencial motor propriamente dito (contração fásica). *É a contração fásica que nos move; a contração tetânica nos mantém em pé e nos permite resistir.* Quando se considera o número de volumes já escritos sobre "resistência" psicológica, não é inspiradora essa constatação?

Outra soma que vale a pena fazer é a da terceira coluna. O número de unidades motoras em menos da metade dos músculos da pata posterior do gato é de 1.678. Se imaginarmos que cada unidade motora funciona como um vetor elementar ou um tensor elementar, já começamos a entrever a dificuldade de combinar a atividade dessas forças quando elas têm de trabalhar simultaneamente — como acontece na maior parte das vezes em que o animal se move.

Segundo Gesell e Amatruda[5], o número de fibras musculares do homem é de 4×10^6. Pode-se considerar uma boa média a presença de cem fibras musculares por unidade motora. Atuando em nosso corpo

---

5. Gesell, Arnold; Amatruda, Catherine S. *L'embryologie du comportement: les débuts de la pensée humaine.* Paris: Presses Universitaires de France, 1952, p. 100.

há 400 mil delas. Nos corpos anteriores da medula, existem cerca de 400 mil neurônios motores.

OS MOTORES DA VONTADE

Segundo os trabalhos fundamentais de Basmajian[6], as contrações de distintas unidades motoras podem ser registradas com o eletromiógrafo. Os potenciais elétricos correspondentes a cada unidade motora mostram-se como uma sucessão de "pontas" muito breves. Cada unidade motora inscreve no oscilógrafo catódico *um traçado particular, que permite reconhecê-la sempre que ela atua*. Os potenciais elétricos também podem se transformar em vibrações sonoras. Ao passarem por amplificadores e alto-falantes, podem ser ouvidos como detonações e estalidos diversos, *igualmente característicos*.

Depois de proceder à colocação e conexão de finíssimos eletrodos em vários músculos do corpo ou em vários lugares de um só músculo, o indivíduo pode "ver", no iconoscópio do oscilógrafo, o retrato do esforço muscular que está fazendo, assim como pode "ouvir" o ruído da sua... intenção (na verdade, do seu esforço intencional dirigido, seletivo).

De regra, os indivíduos necessitam de cinco a dez minutos para se familiarizar com as respostas dos aparelhos às suas várias posições e movimentos. Em seguida, aprendem a prolongar contrações muito fracas, das quais só têm consciência por intermédio da resposta do oscilógrafo ou do alto-falante. Após quinze a trinta minutos, as pessoas conseguem melhorar o controle de contrações que são quase imperceptíveis. A essa altura, e obedecendo a ordens, a maior parte delas aprende a deixar em repouso o músculo na sua totalidade, assim como a retomar a atividade com uma única unidade motora, que é mantida em funcionamento tanto tempo quanto se deseje.

Ao cabo de meia hora pede-se ao indivíduo que cesse a atividade da primeira unidade motora e passe a localizar uma segunda, o que é

---

6. BASMAJIAN, John V.; DE LUCA, Carlo J. *Muscles alive — Their functions revealed by electromyography*. Baltimore: Williams & Wilkins, 1962.

obtido em poucos minutos. Em seguida, mais da metade das pessoas consegue, rapidamente, repetir o processo com uma terceira unidade, sendo que algumas conseguem controlar individualmente até uma quinta ou sexta.

A etapa seguinte consiste em solicitar ao indivíduo que acione, a pedido, as diversas unidades cujo controle ele adquiriu, uma após outra. A quarta parte das pessoas consegue sem dificuldade contrair três unidades motoras alternadamente.

Com os indivíduos mais hábeis, pode-se conseguir a mobilização de determinadas unidades motoras mesmo na ausência de controle óptico e acústico. Convém sublinhar que, nesse caso, o indivíduo *não sabe* que está conseguindo aquilo que lhe foi solicitado. A contração é muito fraca para ser percebida por ele mesmo, mas ele a faz inconscientemente.

A produção de ritmos determinados é mais fácil. A maior parte das pessoas consegue, sem dificuldade, aumentar ou diminuir a frequência de contração de uma unidade bem controlada. Consegue também imitar um galope ou vários toques de tambor.

Essas experiências sugerem fortemente que as ligações do córtex com os neurônios motores devem ser muito seletivas, na medida em que outros neurônios, bastante próximos, mantêm-se em repouso ou, mais objetivamente, recebem um influxo inibidor. A habilidade adquirida segue as leis do aprendizado. Contudo, com treinamento suficiente, o controle torna-se tão rápido que a hipótese de circuitos automáticos específicos se confirma sozinha.

(Traduzimos livremente o parágrafo anterior.)

O que nos importa é esta ideia fundamental, de consequências inimagináveis: mediante um treinamento de poucos minutos conseguimos controlar a excitação de um *neurônio isolado* — ou, o que dá no mesmo, a contração de um pequeno conjunto de fibras musculares.

Aqui se abre caminho para tentar compreender uma porção de fatos na verdade muito familiares, que envolvem habilidades motoras quase mágicas, como as que podem ser vistas em qualquer circo de boa qualidade ou em qualquer campo de esportes.

Ao mesmo tempo, abre-se a possibilidade de reeducarmos nossa motricidade de forma extremamente fina e precisa, com o auxílio da retroalimentação óptica ou acústica. Ioga ocidental.

Também vale a pena ter uma ideia quantitativa da sensibilidade desses tensores musculares. Todos eles, ao mesmo tempo que se contraem, enviam ao sistema nervoso informações precisas sobre o grau e a distribuição das tensões na posição final alcançada, assim como sobre a velocidade do movimento que levou de um ponto a outro.

Segundo Voss, citado por Granit[7], que procedeu a contagens diretas em neonatos humanos, existem 56 sensores no músculo denteado posterior e inferior, que pesa 18,8 gramas. No músculo longuíssimo da cabeça, que pesa 8 gramas, ele contou 507 receptores sensoriais. Esses dois exemplos caracterizam bem a diferença entre os músculos de sensibilidade pobre e os de sensibilidade rica. Entre os mais sensíveis destacam-se, de maneira eminente, os perivertebrais e, em segundo lugar, os músculos da palma das mãos e da planta dos pés.

A fim de comparar músculos, Voss usou o índice definido pelo número de sensores musculares por grama de tecido muscular. No músculo braquiorradial, o índice é de 1,03; nos quadris e na parte superior da coxa, em torno de 5; nos músculos do ombro, é tão baixo quanto 0,6; nos pronadores, supinadores e lumbricais, de 5 a 10.

Cada vez que nos movemos, um número maior ou menor (mas sempre muito grande) dessas unidades dinâmicas atua simultaneamente, ou em sequências precisas, quanto a força, direção, sentido e tempo. É preciso sublinhar que tais forças não são abstrações nem atuam "em massa"; elas são *individualizadas* sob *comando* próprio, anatômica e funcionalmente *isoladas*. Mais do que isso, sua função, como vimos, é extremamente *equívoca* — por isso, a direção do movimento (ou da tensão resultante) depende da posição e da forma do corpo em cada momento, assim como do conjunto de movimentos e tensões em curso.

---

7. GRANIT, Ragnar. *The basis of motor control*. Nova York: Academic Press, 1970, p. 54.

Quero deixar bem explícito esse ponto, porque ele importa demais à psicologia. Em palestras e aulas, sempre que tento explicar fenômenos psicológicos fundando-me na motricidade, ouço a objeção que abomino: "Mas, doutor, o senhor não acha que os fatos íntimos são demasiadamente sutis e complexos para explicá-los por meio dos músculos?" A essa objetante — são centenas ou milhares — dirige-se o comentário supra. Creio que os músculos contêm complexidade suficiente para explicar qualquer outra, existente ou por existir. Aliás, além de ser ignorante, a objeção é tola. De que nos adiantaria dispor de um equipamento de elaboração preciso e delicado se nossa motricidade fosse tosca? Adiantaria pôr um controle remoto em um carrinho de mão?

EXPRESSÃO CORPORAL — EXISTE OUTRA?

Mas não deixemos que a crítica se anteponha ao exame difícil que estamos fazendo. Do que dissemos, podemos deduzir conclusões importantes para a personalidade e a consciência.

Claro que toda realização, toda exteriorização e toda expressão humana dependem essencialmente da motricidade. Pode alguém, pergunto, "tomar consciência" de sua motricidade *toda*? O obscuro "ego", enquanto *ação intencional*, jamais poderá ter as dimensões da motricidade inteira. Entre essas duas realidades existe uma relação numérica que pode ser estabelecida com certo rigor: número das células de Betz (40 mil em cada hemisfério cerebral) para 400 mil unidades motoras — 1/40!

A organização dos nossos tensores em esquemas funcionantes ultrapassa qualquer inteligência conhecida. Uma pessoa iletrada capaz de mover-se "sabe" mais mecânica do que Newton. Vai aqui o problema sempre atual e sempre aberto relativo à "sabedoria" do inconsciente. Os estudos psicanalíticos sobre o ser humano, a partir de Freud, têm alimentado em doutos e leigos a noção de que o inconsciente é um caos alógico, extratemporal e extraespacial, que só faz bem ao psicanalista enquanto lhe proporciona clientes para tratar.

Espero que a minha descrição persuada o leitor de que o inconsciente é, quando menos, o mais fabuloso computador eletrônico dentro do universo conhecido, *origem concreta das noções de movimento, tensão, aceleração, força e sistema de forças*; no limite, *gênese das noções de tempo, espaço, direção, sentido, ordem e lei. Todas essas grandezas e conceitos fazem parte, estrutural e efetivamente, de nosso aparelho motor, estator e equilibrador.*

Como se viu, meus 400 mil tensores podem desenhar, no plano e no espaço, todas as figuras que eu quiser, todas as intenções que eu imaginar — e isso parece fora de dúvida. Podem servir de substrato orgânico a qualquer fantasia, sonho, filosofia ou doutrina existente ou por existir.

A MECÂNICA É UMA PROJEÇÃO DA PROPRIOCEPÇÃO

Todas as ciências ditas exatas são projeções desse sistema no mundo. Em particular, a física e a matemática. Não seria permitido ao ser humano compreender aquelas noções que alinhamos se ele não tivesse o aparelho motor que tem. Tais noções, obscuramente apreendidas pelo ser humano, por sua personalidade ou consciência, levaram-no a procurar e depois a encontrar e compreender, no mundo, o semelhante ou o análogo àquilo que ele experimentava em si. Hoje podemos completar a metade de retorno do ciclo, aplicando de novo ao ser humano aquilo que ele aprendeu no contato com as coisas — sempre mais simples, mais esquemáticas e mais claras do que ele mesmo. *Sob essa luz, toda a mecânica é um ensaio (a seu modo precário) para compreender como funciona em nós aquilo que nos move.*

Várias vezes me exasperei ao ler e ouvir que, a fim de fazer máquinas, é preciso *esquecer* o modo humano de fazer as coisas. E que toda máquina que pretendesse imitar o movimento humano não chegaria a bom êxito. A verdade da afirmação não provém da precariedade da máquina humana, mas de sua excelência. Nosso aparelho motor contém em si *todas* as máquinas existentes e por existir. A dificuldade do inventor está em *isolar*, das mil máquinas possíveis existentes em nós, aquele dispositivo simples e tosco que será o projeto da máquina propriamente dita. Nós nos perdemos em nossa riqueza e depois nos maravilhamos com o que sai de nós, atribuindo à máquina um poder mágico que é nosso. O pasmo diante da própria realização é sinal seguro de projeção psicológica, produzida pelo desprezo de si ou do humano em geral. É para amenizar esse desprezo — ou esse temor — que existe no técnico certa atitude pretensiosa e superior. Ele "sabe" mais do que o corpo!

MOVIMENTO E INTELIGÊNCIA

Ensaiemos analisar as possíveis correlações entre a motricidade e a inteligência. Vamos examinar a contraparte de *sensações internas* correspondentes a muito daquilo que Piaget estudou por meio de situações de prova.

As sensações (muito numerosas) que o aparelho motor produz quase nunca aparecem em forma pura na consciência, a não ser na mais tenra infância. Na medida em que começam a funcionar os telerreceptores (olhos e ouvidos), a criança de algum modo cria sua circunstância e muito depressa perde a noção de que são seus movimentos e posições que "aproximam", "distanciam" ou "mudam a posição" dos objetos. *O movimento é de tal modo central para a personalidade que muito rapidamente ele se confunde com ela.* O ego é logo experimentado como "aquilo que muda o mundo conforme eu pretendo".

Faz parte dos ensinamentos clássicos sobre o desenvolvimento que "os músculos"/"a propriocepção" "ensinam os olhos". A primeira noção de distância é dada à criança pelo esforço que ela faz para se arrastar, para engatinhar ou andar até certo objeto interessante. Com seu primeiro susto, ela tem a primeira noção de desnível, quando uma linha igual a tantas outras mostra-se de repente diferente de todas as outras: um degrau. Assim também, áreas transpassáveis e áreas impenetráveis (paredes) são experimentadas com o corpo inteiro.

Toda a experiência primária que a criança tem no mundo é baseada no tato, na sensação de temperatura e, sobretudo, na sensação de movimento e esforço. É preciso assinalar, porém, que só a musculatura lhe dá a noção de esforço, direção, intensidade variável e, acima de tudo, de conjunto de esforços coordenados para a produção de certo efeito. *Aí temos a primeira experiência dos conceitos de causa e efeito.* No mundo das formas paradas ou vazias, constituídas pelas imagens visuais, assim como no mundo das intensidades variáveis dos sons e ruídos, *só os movimentos produzem transformações ligadas ao personagem*, ligadas à sua "vontade" — como lhe dirão logo mais.

Depois que os movimentos ensinam os olhos, estes assumem o comando do movimento, pela amplitude do campo que captam, pela finura e rapidez com que percebem o cenário. Ainda antes da palavra, o aparelho motor de algum modo já foi "engolido" pelos olhos. Nos sonhos, tudo que é forma que se mantém ou se move (paredes, aviões, pessoas, objetos) sustenta-se pela propriocepção de esforços musculares, na medida em que só eles "se mantêm" (como uma parede) ou "se movem" (como um gato ou um carro).

É por isso que nos sonhos, com certa frequência, aparecem automóveis muito curiosos que a pessoa dirige sem direção (e sem saber dirigir!), freia sem freios ou empurra... com as próprias pernas. Nós somos um automóvel em sentido próprio: *auto-móvel*.

Quando imaginamos, com predomínio de figuras visuais, acontece o mesmo. Tanto a eficácia da imaginação ativa (Jung) como o valor das fantasias para os psicanalistas e os hindus decorrem, em parte importante, disto: *lidar com imagens é lidar com organização de movimentos*. Essa afirmação surge de forma exemplar na terapia pelo desenho, que é um gráfico contínuo da correlação oculomanual — enquanto dessa correlação podem nascer figuras quaisquer e sem fim. Nesse caminho, a técnica e tudo que se faz hoje como terapia pelo movimento constituem uma verdadeira volta às origens, *um esforço de desligar o visual do motor.*

Pode-se aceitar que a *abstração* consiste em captar o elemento proprioceptivo de dada situação. *Explicar* a situação significa saber

COMECEMOS PELO COMEÇO

Vamos nos "pôr diante de uma situação", começando pelo exame dessa afirmação. "Pôr-se diante" quer dizer "vendo" ou "começando a ver" certo número de objetos, inicialmente em uma ordem qualquer. Digamos que nenhum desejo ou temor particular nos move. Explico: "pomo-nos diante" de um quarto da casa nova de um amigo, o qual estamos visitando. Depois de vista a "situação", vamos "pensar" sobre ela — com certo método. Primeiro, pomos em palavras a situação "vista", substituindo cada objeto por uma palavra (já com os inconvenientes, que antes apontamos, para o processo de verbalização em geral). Isso constitui uma "descrição", ou simples "enumeração". Depois tentamos "explicar" o que vimos, ou "analisar" os elementos da situação. Logo percebemos que todas as explicações são geométricas ou dinâmicas. A começar, de novo, pelos termos. "Pôr-se diante" (da situação) é arrumar-se de modo certo, e não de qualquer maneira. Esse modo logo se define: "diante", isto é, "de frente". Veja-se bem que se procura expressar, primeiro, a *posição* do sujeito. "Pôr-se diante" é muito diferente de "pôr-se de lado" ou "pôr-se de costas". Nessa ordem dita "lógica", já aparece a importância da posição em que me ponho diante do objeto, ação primariamente muscular e parâmetro de tudo que possa acontecer depois.

"Situação" vem de *situs*, lugar, sinônimo de *locus*, local. Desses termos se originam "situar" e "localizar", ambos caracterizando a relação espacial dos objetos comigo. Por vezes, a situação é estática, como no exemplo; mais frequentemente, ela ocorre, decorre e acontece. Ocorrer e decorrer são termos de raiz idêntica ao do termo *correr*, a raiz etimológica de *acontecer* provavelmente é "tec", derivada de *tex* — que resultou em "têxtil", "técnica", "tecer", "contexto". São fios que se reúnem em certa ordem, formando um todo. Em *ocorrer*, trata-se de coisas que se movem, "passam"; em *acontecer*, são movimentos coordenados que ligam coisas em um conjunto ou em uma sequência determinada. Para mim, esse último termo em particular leva imediatamente aos milhares de tensores musculares, cada qual funcionando como a agulha de um tear. São forças do mundo ou forças do corpo as que "tecem" o acontecer, diferença na verdade pouco importante. Entre as duas ordens de forças, existem relações deveras estreitas, podendo-se dizer indiferentemente que um grupo governa o outro e vice-versa. A cibernética nasceu aí.

EU SOU TENSÃO E MOVIMENTO

Se o leitor se detiver um instante após essa análise, talvez se dê conta de estar lendo o óbvio ululante. É que a motricidade é tão nossa — tão eu — que torná-la explícita parece um ato de suprema tolice, como afirmar, sem propósito imediato, "eu ando", "eu respiro".

Dissemos há pouco que toda explicação é geométrica ou dinâmica, e logo verificamos a afirmação no modo verbal de colocar o problema. Se procedêssemos à análise da situação, logo perceberíamos que todas as afirmações ou se referem a formas, posição, distância e direção em que se acham os vários objetos relativamente ao sujeito (geometria), ou se referem aos esforços e movimentos que teríamos de fazer se quiséssemos alcançar, manipular, arrastar e afastar os vários objetos enumerados (dinâmica). Esses dois esquemas são o substrato e o pressuposto de qualquer coisa que nos seja dada dizer, pensar, imaginar, conceber, abstrair, julgar ou teorizar em relação à situação.

Espaço e tempo são o... contexto ou as... coordenações que... colocam e dão... sentido a tudo mais.

Vão as reticências para que o leitor se detenha um instante diante da ambiguidade do termo seguinte, ambiguidade decorrente de todos os termos terem um significado dito abstrato ou "intelectual" e outro definitivamente concreto, geométrico ou dinâmico — isto é, muscular.

A mais perfeita representação gráfica do termo "sentido" que eu conheço é o vetor. Das imagens concretas, classicamente a mais bela é a flecha, da qual deriva o vetor. A mais abstrata representação de "sentido", creio que se liga à *sensação* de um tensor muscular ou à resultante — virtual mas atuante — de um conjunto deles. Creio, ademais, *que em ausência dessa sensação não nos é dado pensar um significado.*

Bem examinada, toda explicação mostra-se constituída por um conjunto de sinais verbais, tendentes a nos levar a *perceber* como transita a *força* de um objeto para outro, como ela se divide, reúne, organiza ou se anula ao fazer os objetos mudarem de posição, de distância relativa, de forma. Aquilo que nos permite *compreender* essas fluências e metamorfoses é nosso aparelho motor, pois nele tais coisas se realizam continuamente, como análogas ao que sucede com as forças e formas do mundo. Caso não fosse assim, não poderíamos nos mover nem atuar, muito menos compreender. Bem antes de compreender as coisas de modo verbal, a substância viva já sabia o que *fazer* com elas — como se vê nos animais e nas crianças.

O problema das *resultantes virtuais* da ação conjunta de muitos tensores musculares pode nos levar ao próprio centro do processo de abstração.

Imaginemos um lápis mantido imóvel no ar pelo ligeiro esforço de pinça entre polegar e indicador. Atuam então poucas unidades motoras. É legítimo, já vimos, representá-las por vetores. A resultante desse sistema é nula, pois o conjunto está imóvel. Mas sabemos que a imobilidade se deve a forças ativas, mantidas constantes à custa de um dispêndio contínuo de energia. Decomponhamos então o sistema em dois conjuntos tais que as resultantes respectivas se mostrem iguais quanto a força ou quantidade, colineares e opostas, uma para cada um dos dois dedos. É pouco provável que essas resultantes parciais estejam em correspondência com qualquer estrutura anatomicamente bem definida e isolada — determinado músculo, um osso ou o que seja. Elas provavelmente passam sobre ou através de vários elementos anatômicos, indiferentes tanto à natureza destes quanto à sua função dentro do sistema de forças (uma artéria ou um filete nervoso, por exemplo). O mesmo ocorre com o centro de gravidade de uma ponte em arco. Nesta, o centro de gravidade, ainda que podendo se situar fora da sua substância, continuará governando toda a estática da ponte. A resultante, tanto num caso como no outro, é *virtual*, porque substancialmente não existe, mas é também real, porque *atua*. No nosso caso, de tensão viva, a questão se torna crítica. De uma substância real nascem esforços reais que admitem uma resultante *de todo imperceptível e de todo operante*. Ela não pode existir, nem sequer na forma de sensação, por não estar em correspondência com nenhum lugar ou estrutura determinada, nem no local onde o esforço se realiza, nem no sistema nervoso onde o local está representado. Depois dessa descrição que é totalmente *de fato*, parece fácil compreender que no aparelho motor está contida a possibilidade *demonstrável* de abstração, que nele *acontece* a todo instante.

Será que a consciência de algum modo percebe esse inexistente que atua? Seguramente. Tenho para mim que toda ideia bem compreendida — e não apenas bem dita ou bem repetida — é exatamente a consciência de uma resultante virtual, *pura percepção de uma ação possível ou de uma possibilidade de ação*. Enquanto percepção de uma ação possível, baseada em forças mais ou menos bem conhecidas, a ideia é lógica ou *indutiva*; enquanto percepção de uma possibilidade de ação, baseada sobretudo na apreensão de resultantes de forças mais ou menos conhecidas, a ideia é *intuitiva*. Esta pode levar, aos poucos, à descoberta ou ao isolamento das forças, cuja resultante foi apreendida primeiro. Parece fácil perceber que, no limite, essas duas formas de inteligência se confundem.

AÇÃO E REAÇÃO

Para encerrarmos esta introdução à física do aparelho motor e suas relações com a inteligência, examinemos como opera o princípio de ação e reação.

Se, estando em pé sobre uma plataforma que gira livremente (ou sobre patins), movo rapidamente o braço no plano horizontal, enquanto a mão gira meio metro — ação —, o corpo todo gira uns tantos centímetros em sentido contrário — reação.

Sem uma situação experimental, provavelmente jamais nos daríamos conta do fato.

A má compreensão desses princípios é tão comum que merece atenção; algo que todos estamos experimentando constantemente deveria ser mais fácil de entender, mas não é. Some-se esse argumento aos demais — que vou alinhando — tendentes a demonstrar a inconsciência em que todos vivemos no que se refere ao nosso corpo em geral — e à nossa mecânica em particular.

Assim vivem leigos e especialistas: o físico crê ter abstraído o princípio da observação objetiva do mundo exterior. Não percebe que seu trabalho consistiu em *verificar a validez*, para os objetos inanimados, daquele modo de ser e atuar *que o corpo de há muito elaborara no contato com as coisas.* Não conseguiríamos pensar sobre mecânica se não a tivéssemos inerente em nosso corpo e, por meio dele, em nossa mente. Poderíamos conhecer a luz se não tivéssemos olhos? O aparelho muscular, enquanto sensação, é um *instrumento de conhecimento* praticamente ignorado até hoje.

O homem que salta de um barco pequeno para o cais, e com isso faz o barco afastar-se, constitui mais um bom exemplo do princípio. Este também é mal compreendido. O salto é a ação; o recuo do barco, a reação. Para quase todos, porém, o barco não foi movido pela reação; a pessoa, ao pular, "empurrou" o barco. "Empurrar" é um bom termo para melhorarmos a compreensão do problema. Quando eu empurro mesmo algo — digamos, o tal barco —, seu movimento é a ação propriamente dita. A reação aparece no corpo, no firmar-se melhor e no aumentar o atrito dos pés contra o solo, o que absorve a reação. Em meus termos, direi que ao empurrar o barco o corpo "assumiu uma atitude" ou "tomou posição".

A POSTURA É A REAÇÃO MECÂNICA DO CORPO ÀS PRÓPRIAS AÇÕES

No plano psicológico, ao modo de corolário, podemos afirmar: as atitudes humanas são constituídas em parte pelas reações mecânicas do corpo às próprias ações. Ainda que não pareça, a recíproca também é verdadeira: parte importante das ações humanas acontece — esse é bem o termo — como reação bastante específica a atitudes previamente assumidas ou simplesmente preexistentes.

Se alguém está cronicamente predisposto à briga — posição ou atitude habitual de lutador pronto para o ataque —, reagirá com gestos ou frases hostis ante qualquer estímulo que venha a alterar seu equilíbrio tenso e instável.

Os que conhecem o assunto usam com grande desembaraço as noções de "ação" e "reação"; sabem que os dois termos são relativos e, em toda aplicação prática do princípio, consideram ação e reação como quantidades iguais e de sentido contrário — só isso importa. Dizer *qual* dos dois conjuntos é ação ou reação se faz de todo facultativo para os cálculos numéricos. Daí que nossa recíproca seja menos estranha do que parece.

Ambiguidade idêntica vemos nas descrições clínicas de um tratamento psicanalítico, no qual "impulso" (ação) e "resistência" (reação) trocam de sentido e de posição a cada instante. Freud já dizia, astutamente, que toda transferência (impulso) termina por se fazer resistência.

Isso quer dizer que, *no ser humano, toda ação inibida se faz posição, que é, psicologicamente, uma predisposição.* A ação tolhida não é um puro ser de razão; ela existe concretamente na forma de hipertonias eletivas e configuradas — uma atitude. Por isso, alimenta a reação, mantendo-a. É como um canhão de fortim com seus braços hidráulicos que o elevam no momento do disparo e, ao mesmo tempo, absorvem a reação ao tiro. O indivíduo em transferência/resistência — ambas são simultâneas — está com a arma pronta para disparar. Ação e reação preparadas.

Perceber as ações e reações só no corpo é difícil. Poucos ficam prestando atenção ao corpo enquanto realizam ações sem finalidade. Porém, se nos animamos a fazê-lo, esses princípios podem ser percebidos em *ato* — e a verificação se torna, por vezes, fascinante.

MECÂNICA E NIRVANA

Ação e reação devem ser iguais e contrárias. Este constitui o primeiro princípio de nossa organização em *conjuntos de oposições funcionais*. Somos feitos de conflitos e sem eles não nos moveríamos. Somos compostos de contrários e a cada instante realizamos sua síntese — assim dizia Jung. Se admitirmos — é razoável — que todo movimento e toda atitude têm um "sentido" psicológico, intencional ou não, consciente ou inconsciente, então a mecânica coloca-se na base da personalidade.

De característica mais biológica, o segundo princípio dessa organização em oposições funcionais está implicitamente presente *no equilíbrio de nosso corpo*, em cuja manutenção falhamos se as forças, pesos e massas não se distribuírem de modo perfeitamente... equilibrado. Qualifico-o de biológico porque ele depende da *forma* de nosso corpo, que é viva e se move vivamente, e porque a manutenção desse equilíbrio depende de processos vivos.

Serão necessários outros fundamentos para o problema do contrário e do conflito, tão essencial em psicologia? Não serão esses dois princípios mais claros, mais concretos e sobretudo mais passíveis de investigação objetiva do que quaisquer outros já propostos?

Outras vantagens existem a favor desse modo de ver a questão, as quais perceberemos melhor se primeiro alinharmos algumas das oposições clássicas que integram o ser humano:

- matéria e espírito — filosofia;
- mãe e pai — Freud.
- a "grande mãe" e o "velho sábio"; *anima* e *animus* — Jung;
- instinto e moral — religiões;
- passividade e atividade — variantes psicanalíticas;
- relaxamento e tensão — Schultz;
- feminino e masculino — escolas esotéricas;
- submissão e independência — Adler.
- resistência e impulso — técnica psicanalítica;
- inconsciente e consciência — psicologia dinâmica.

Basta correr os olhos por essa lista e logo tomamos posição implicitamente, sem querer e sem perceber. Logo que um dos termos parece caracterizar algo "bom" ou "certo", o outro passa a significar, *automaticamente*, algo "mau" ou "errado". Tão ruim ou pior do que esse julgamento tácito de valor é a confusão dinâmica daí resultante, de profundas e insuspeitadas consequências intelectuais. Um dos extremos serve para algo, tem sentido e valor. O outro existe porque Deus quer, e só Ele poderia nos explicar por que pôs no mundo esses monstrengos caóticos, cuja única função é perturbar a harmonia cósmica. Quem começa por aí acaba mal.

Os dois extremos são *mecanicamente necessários*. Na verdade, não são dois extremos, mas duas metades.

Pode-se assim demonstrar a impossibilidade de resolver conflitos humanos de modo definitivo; toda síntese a que chegarmos, individual ou coletiva, é inerentemente provisória. As coisas bem ponderadas impressionam, mas não são definitivas. O ser humano se define como humano precisamente por sua capacidade, de todo indeterminada, de resolver problemas, de harmonizar oposições — ou sofrer com elas.

Concretizemos um pouco essas abstrações, ampliando-as.

A reação mecânica do corpo aos próprios movimentos é um dos fatores que moldam a atitude e, em longo prazo, a forma dos animais e dos humanos.

Digamos que eu comece a jogar tênis. O que me importa é o movimento da bola e da raquete; mais exatamente, a relação entre ambos. A raquete, por sua vez, está solidarizada com a mão direita. O corpo todo, inadvertida, automática e inconscientemente, "segue" a mão, compondo-se em função dela.

O ATO DETERMINA A ATITUDE

Se me torno um campeão de tênis, o lado direito de meu tórax fica maior e mais forte que o esquerdo. "A atitude molda a forma."

Se depois eu quiser me dedicar a outro esporte — a natação, digamos —, ter moldado forma e atitude de corpo para o tênis pode vir a atrapalhar consideravelmente as braçadas, que, em vez de serem unilaterais, velozes, fortes e irregulares, são bilaterais, lentas, elásticas e rítmicas.

Se é verdade que o movimento gera a atitude, a recíproca também é verdadeira; uma vez composta, a atitude determina aquele ato, com exclusão de qualquer outro. Determinação recíproca. Dialética. Ao levar um susto, o tenista fará um movimento que lembra uma raquetada — mesmo que o susto se deva a uma buzina e ele esteja na rua.

Exemplifico sempre com esportes porque a maioria das pessoas já os viu muitas vezes. Mas as afirmações valem também para as atitudes e as ações cotidianas. Não só o fumante de cachimbo fica de boca torta, mas também o resmungão crônico, devido a seu eterno ruminar. O funcionário da seção de reclamações compõe uma de duas atitudes típicas: ou se faz um mestre de cerimônias sempre cheio de mesuras, ou um soldado romano sempre atrás de um escudo. E assim se apresenta não só no trabalho como nas reuniões sociais, com os amigos, com um estranho ou com o psicoterapeuta. "O ato determina a atitude"...

Inútil, depois de cinco anos, colocá-lo em posição de chefia. Ele continuará pedindo desculpas ou escudando-se diante dos outros. A atitude se fez forma. Até em seus monólogos interiores o indivíduo vive se escusando.

Consideremos de maneira esquemática as oposições decorrentes de nosso equilíbrio, examinando um caso artificialmente simples.

Se, em pé, estendemos o braço direito horizontalmente para o lado, automaticamente ocorrem em nosso corpo uma ou mais dentre as seguintes coisas:

- Enrijecemos a perna direita, que passa a carregar, mais do que a esquerda, o centro de gravidade do corpo, que foi para a direita. A perna se fez "coluna".
- Retesamos o lado esquerdo do tronco, o que funciona como "tirante". Aliás, tal retesamento se faz de vários modos e não de um só.

- Deslocamos o corpo todo um pouco para a esquerda; ele funciona agora como "contrapeso" — do tipo balança romana.
- Algo semelhante acontece se elevamos também o braço esquerdo (sem mudar a posição do corpo). Equilibrar significa empregar pesos iguais.

Poderíamos imaginar várias soluções mais, mas não há necessidade. Mesmo nesse esquema simplificado, conseguimos ver quantas coisas acontecem em nós sem que as percebamos, quando fazemos um gesto qualquer.

Vamos dar um passeio por entre os vertebrados, a fim de compreender um pouco mais o sistema que nos realiza.

O PEIXE NADA

Com o aparecimento de um esqueleto interno, ao mesmo tempo solidarizador de partes e polarizador do corpo, a vida deixou de pulsar e começou a ondular. O mais característico movimento do peixe, dentro ou fora d'água, é o de "bandeira desfraldada". Em relação inversa, as forças do vento movendo a bandeira e as do peixe movendo-se na água são análogas. Mas o peixe pouco sofre um dos problemas que mais sentimos — o equilíbrio. Ainda que se locomova "em pé", como nós, sobre ele pouco atua a força da gravidade, pois o princípio de Arquimedes a anula. Dir-se-ia que o peixe para em pé por gosto e não por necessidade. Além do mais, imerso em um fluido de densidade praticamente igual à própria, a forma achatada e as nadadeiras bastam para mantê-lo "em pé". Seu movimento de reptação (assimétrico) facilmente o faria "virar de cabeça para baixo" caso ele não dispusesse de superfícies hidrodinâmicas estabilizadoras. Sem nadadeiras, o peixe se "parafusaria" na água, ao invés de "desfraldar-se".

Note-se a impropriedade do nome nadadeiras. Basta observar um peixe em movimento durante alguns instantes para ver que ele não nada... com as nadadeiras. Elas são estabilizadores, não propulsores (salvo as da cauda). Refiro-me ao fato por ser indicativo da inconsciência humana em tudo que se refere ao equilíbrio. As nadadeiras ficaram mal "batizadas" porque o biologista não *via* o problema da estabilização.

Incidentalmente, para que servem as famosas "linhas laterais" dos peixes? Se elas respondem a pressões e vibrações do ambiente, certamente reagem também às pressões que o próprio animal exerce contra a água ao se locomover. Não duvido que, reagindo assim, elas *regulem* a locomoção.

Creio que a propulsão do peixe, à custa de lateroflexões alternantes, originou-se em grande parte da tendência à anulação de momentos[8], uma das raízes físicas da forma viva. Esse princípio subsiste em nós, na alternância de movimentos de pernas e braços durante a marcha e a corrida. Subsiste na própria estrutura do sistema nervoso, nos chamados reflexos de extensão cruzada, que organizam a marcha quadrúpede.

Gostaria muito de saber por que os animais têm um "começo" (cabeça) e um "fim" (cauda); por que têm costas e ventre; por que os mais evoluídos entre eles têm esquerda e direita, com valor funcional desigual. Se eu soubesse, compreenderia por que os "eixos" do espaço são três, por que o mundo da matéria tem três dimensões, por que as coordenadas cartesianas são duas (no plano) e os pontos cardeais, quatro; alternativamente, entenderia por que três cotas localizam

---

8. Momento de uma força em relação a um ponto (ou eixo) é o produto dessa força por sua menor distância ao ponto (ou eixo). Em nosso corpo, cada segmento (antebraço, mão, coxa, cabeça etc.) tem peso e movimentos relativamente independentes. Em cada situação pode-se falar de movimentos das várias partes do corpo em relação a um eixo. Explicitamente, dever-se-ia falar em *momentos de inércia*. Ainda: toda contração muscular é uma força que tende a *acelerar* parte do corpo, podendo ser anulada ou não por uma contração oposta, isto é, de mesmo valor e direção, mas de sentido contrário. Quando duas ou mais contrações musculares se anulam, não há movimento, mas *aumento de rigidez* na articulação interposta aos músculos que se contraíram. A situação ideal para ver e experimentar momentos de inércia é a seguinte: plataforma capaz de girar livremente em torno de um eixo; pessoa sobre ela, fazendo coincidir o eixo longitudinal do corpo (cabeça-pés) com o centro do giro. Qualquer movimento que a pessoa faça produz alguma reação na plataforma.

ou definem um ponto no triedro ortogonal. E muitas coisas mais. Mas ninguém sabe por que os animais têm começo e fim, costas e ventre. Pena.

Os lagartos (falemos dos répteis) tampouco *andam* com as patas. A força principal que propulsiona o animal, notadamente na corrida, é igual à do peixe: está nas lateroflexões inversas alternantes do tronco — modo determinado pela necessidade física de anular momentos. Algo semelhante vemos no mamífero em corrida, com a seguinte diferença: este alterna extensoflexões ou movimentos dorsoventrais.

Já quando apenas andam, tanto o lagarto como a tartaruga se movem à custa de patas, mas ainda aqui intervêm os momentos, determinando o ritmo e a sequência dos passos.

Aliás, creio que o fato de a vida não ter criado a "tripedestação" se deve aos momentos de inércia. Para manter suspensa qualquer massa, bastam três pés — diz o físico. E três são menos do que quatro. Por que a vida, sempre tão econômica, não criou então o trípode? Em parte porque organizar momentos de inércia em torno de três pontos é uma tarefa ingente quando os três se transladam e, ao fazê-lo, produzem a propulsão... que translada. Não há ser vivo móvel com número ímpar de apêndices, isto é, três pernas, cinco braços, sete tentáculos, uma asa. A *divisão e a oposição das próprias forças (tanto quanto possível duas a duas) é o principal fator que fez a imensa maioria dos seres vivos bilateralmente simétricos.* Os momentos de inércia têm tudo que ver com isso. Há animais que *param em pé em três apoios, como certos sáurios pré-históricos e o canguru atual. Mas, ao se locomoverem, passam a quadrúpedes ou bípedes; neste caso, andam aos saltos.*

A SOLUÇÃO PERFEITA

Certos anfíbios (como a rã) e as aves resolveram mui elegantemente o problema dos momentos: contam com movimentos simétricos das patas posteriores — rã na água — ou das duas asas — ave no ar. A reação do corpo a tais movimentos é a propulsão propriamente dita. Mas essa forma de locomoção só é possível num meio fluido. É pena.

Nos quadrúpedes em geral, o equilíbrio torna-se um problema relativamente fácil. A força da estática quadrúpede é impressionante. Uma ocasião me pus a brincar com um cabrito novo, com não mais de 40 cm de altura. A certa altura, agarrei-o pelos chifres e tentei derrubá-lo. A sensação imediata que tive era a de estar tentando mover um tronco enraizado.

DE QUATRO PARA DOIS, EIS A DIFERENÇA

Para os movimentos humanos, importa sobremodo a mudança funcional sofrida pelos membros quando o quadrúpede se fez bípede. No quadrúpede, os membros anteriores repartem a carga do corpo com os posteriores; durante a marcha e a corrida, influem preponderantemente na direção; atuam ainda como freios, tanto na marcha e na corrida quanto nos saltos. O trem posterior dos quadrúpedes governa mais o impulso, regula a energia da propulsão e seu ritmo, o ímpeto e a velocidade da translação.

No ser humano, *todas as junções de carga, propulsão, direção, equilíbrio e frenagem passaram para o trem posterior.* Se considerarmos que em nós os membros anteriores (superiores) gozam de uma mobilidade ímpar relativamente aos outros animais, *concluiremos que pernas e bacia devem ter um valor expressivo, uma versatilidade funcional e uma composição mecânica bem superiores às que habitualmente se reconhecem nelas.* Caso o trem posterior não pudesse se fazer base dinâmica para os volteios do anterior, tudo mais seria inútil. Por isso, creio, foi difícil para a natureza libertar as mãos, que fariam do homem o transformador do mundo.

O EMOCIONAL E O MECÂNICO

Numerosas doutrinas e símbolos afirmam que o centro de energia do corpo humano está na bacia, junto dos órgãos genitais ou confundindo-se com eles. Uma das mais antigas e bem elaboradas é o budismo tântrico, com seus chacras e a serpente Kundalini. Uma das mais modernas é a teoria psicanalítica. Na bacia está o centro de gravidade de nosso corpo, e as doutrinas esotéricas esquecem esse fato.

Sempre que um desejo ou um temor arma nossa musculatura, a armação começa da bacia para baixo — preparando a base da ação e garantindo o equilíbrio. Logo se compõe da bacia para cima, organizando a ação dos braços e da busca, que reside nos movimentos conjugados dos olhos e da cabeça.

Em psicologia, *o efetivo é mais importante que o afetivo*. Se nossa atitude não se compuser assim, não se realizará.

Em psicanálise, não existem objetos propriamente ditos — mesas, paredes, mar, automóvel, prato, cama. Tendo examinado uma pessoa deitada e quase imóvel, ela não sabe onde estão os objetos. Ser objeto — coisa — é nossa primeira realidade, desde que temos massa e nos movemos em um campo gravitacional. Logo ao nascer somos um objeto para nós mesmos e para os que cuidam de nós, nos carregam, lavam, amamentam e arrumam.

Nossas primeiras e mais estáveis relações com o cosmos são estas: de peso (relação com a terra), de respiração (relação com a atmosfera) e de calor. De coisa para coisa, de força para força, de energia para energia. Por isso, quando as coisas começam na bacia, em sonhos, fantasias e recordações, logo todos pensam que é sexo, ou evacuação. Pode ser centro de gravidade — começo de movimento.

O centro de gravidade deve ser mantido continuamente dentro do polígono de sustentação; para isso temos dispositivos neurológicos numerosos e complexos, que atuam como se a bacia fosse o centro do corpo, o que é lógico: de alguma maneira, a bacia representa o centro de todos os nossos movimentos.

Cristo na cruz talvez seja o símbolo criado pelo homem ocidental para representar este fato básico: sempre que um desejo nos anima, logo ele articula um complexo de tensões musculares que são seu instrumento de ação sobre o mundo, de atuação com e contra as coisas que ajudam ou atrapalham o desejo. Logo ao nascer, o ser vivo se vê crucificado pelo inerte, pelo mecânico, pelo peso.

O erro mais fundamental do ser humano é tratar o vivo como se fosse mecânico — fazer gestos de amor como se a pessoa amada fosse uma cadeira ou uma parede, gestos de apelo como se aquele para o qual se apela fosse um galho ao qual nos agarramos.

Há muito tempo se diz que os povos originários e as crianças tratam as coisas inertes como se elas fossem vivas. É o animismo. Nunca se disse o mais evidente e o que mais faz sofrer a todos: as pessoas se tratam como se fossem coisas. Ser objeto, expressão tão na moda hoje, é isso. Objeto concreto, convém acrescentar. Cadeira, mesa, automóvel.

O VIVO E O MECÂNICO

Na coisificação do vivo, o mais fundamental é a constância da relação.

Como uma cadeira foi feita para sentar, nunca fazemos com ela nada mais do que isso. Tratar alguém como objeto é utilizá-lo(a) sempre do mesmo jeito, e essa constância é o que se espera das pessoas emocionalmente maduras: que se possa confiar nelas e contar com elas. Se não é assim, então é imaturidade, neurose... Ao "sentar" no imaturo, posso levar um tombo!

O estruturalismo mostra esse fato gigantesco em termos de conceituação filosófica. Tudo que constitui a estrutura tem a forma da estrutura e reproduz sua forma. Nada mais constante do que os costumes sociais. Nada mais objetivo. Nada mais objeto. Quanto mais constante, mais sagrado. Quanto mais coisa, mais adorado. Na raiz do ser humano estão seu peso e as forças que o transportam.

O pedestal do homem é seu trem posterior, que se apoia sobre a terra. Mas a terra não é apenas seu apoio estático; é também seu apoio dinâmico. Sem o atrito entre as plantas dos pés e o solo, não faríamos um décimo do que fazemos, ou faríamos tudo de modo diferente. Não teríamos a forma que temos.

Todo momento de inércia que o corpo não consegue anular à custa de outros quantitativamente iguais e contrários, ele o anula estaticamente, com um acréscimo de força — compressão — nas áreas de contato entre os pés e a terra. É preciso aumentar essa força, senão escorregamos.

Se, estando em pé, ponho um braço bem para trás no plano horizontal do ombro e depois giro velozmente esse braço para a frente, o momento de inércia se anula (através da coluna) por um reforço instantâneo da compressão do pé oposto sobre o solo. A outra perna quase sai do chão nesse instante; um impulso motor igualmente imediato tende a levá-la para a frente, ajudando assim a anular a força viva do giro do braço.

Vemos aí, bem esquematicamente, que a terra não apenas nos sustenta sobre sua superfície como também se entrelaça inextricavelmente com nossas ações. A terra é parte integrante de nossos atos. A terra "está" no corpo.

"E Deus tomou do barro da terra e com ele fez Adão." A terra é a referência constante do corpo — equilíbrio; é a reguladora permanente da quantidade de movimento do corpo, absorvendo todo esforço que, sem ela, nos precipitaria no vazio — nos poria "no ar", literalmente.

Enquanto nos carrega, a terra é "mãe"; enquanto regula e compensa nossos desmandos cinéticos, é "pai".

Tudo isso é automático. E será inconsciente? Não é. Temos a propriocepção, que retrata em todos e em cada instante os esforços, voluntários e involuntários, conscientes e inconscientes, que estão ocorrendo em nós.

A PROPRIOCEPÇÃO TRANSFORMA A MECÂNICA DO CORPO EM SENSAÇÃO E, NESSE ATO, TORNA AS FORÇAS MUSCULARES FORÇAS DA CONSCIÊNCIA — OU DO INCONSCIENTE.

Por isso o receptor de sensações e regulador de movimentos (o ego) está ligado à terra — pelas pernas.

Talvez seja a hora de ensaiarmos uma primeira síntese de nossos achados.

A ESTÁTUA E A BAILARINA

Como condição para todas as demais, a função básica de nosso aparelho estatolocomotor é a de nos garantir a capacidade de *oposição* e *resistência* ante três ordens de força: o peso — oposição à terra; os momentos — oposição a si mesmo; as acelerações.

O homem se opõe à gravidade. Em função desse fator ubíquo e permanente, nunca é exato dizer que o homem simplesmente *se põe* — *exceto no relaxamento total, no sono profundo e no estado de coma.* Sempre que se põe, o homem necessariamente se opõe à gravidade. Psicologicamente, podemos dizer que o homem posto — simplesmente existente — está sempre em uma atitude cujo sentido último é antigeocêntrico.

O HOMEM ESTÁ SEMPRE ATIVAMENTE POSTO SOBRE A TERRA
E DINAMICAMENTE OPOSTO A ELA. É UM ATO SÓ, NÃO DOIS.

Esta seria uma das expressões de um conflito permanente do homem: a terra é seu fundamento e contra a terra ele luta sempre. "Mãe boa" que o sustenta, "mãe má" que o atrai para o abismo. *Todo movimento humano ao mesmo tempo se opõe e compõe com a gravidade.* Nossos gestos e posições contam com essa força que nos custa esforço mas garante a eficácia. Em um piso escorregadio, a atenuação de nossa relação com a terra rouba nove décimos de nossa eficácia. *Essas afirmações são constatações de fato e também sugestões e insinuações filosóficas, poéticas e religiosas.* O mais profundo anseio da humanidade é subir — antigeocêntrico; quando esse impulso é frustrado, converte-se imediatamente no seu oposto: decadência — geocêntrico. A variante mais próxima de subir é "estar por cima" — poder, orgulho — e seu contrário evidente é a submissão, o servilismo. Seu modo mais alto, diz-se, é o idealismo em todas as suas formas, todas concordantes num ponto: negar a dependência humana em relação à terra (e à carne): esforço antigeocêntrico.

Nossa segunda dependência refere-se à inércia, mais tenaz que a anterior. Nossa inércia depende do fato de termos massa — matéria. Da terra poderemos nos livrar um dia, vivendo no espaço; da inércia, não — a menos que nos espiritualizemos total e substancialmente, o que não é provável. Novos símbolos se enxertam aqui: a noção de espírito, de paraíso (ambas excluindo a matéria), o sonho de ausência de conflito ou de eliminação de tendências contrárias. Massa e peso, inércia e gravidade trabalham fundamente entrelaçados em nós. Demonstravelmente, *estão sempre atuando, de algum modo, sobre a consciência*. Qual seja esse modo, já estamos vendo e veremos mais.

O EQUILÍBRIO É FUNDAMENTAL

Nossa terceira dependência decorre das forças de aceleração e seu limite, as forças de impacto. Qualquer aceleração, linear ou angular, súbita ou lenta, física ou moral, exógena ou endógena, *perturba a atitude vigente e esta tende a refazer-se sempre automaticamente*. Do ponto de vista lógico, tal classe de forças, separadamente, é incabível e inclui-se entre outras, mas sua importância psicológica é tal que preferimos separá-la, a fim de dar-lhe a ênfase merecida. Nosso equilíbrio físico se opõe a essa classe de forças, e tal oposição está no centro da neurose.

Ao leitor, talvez perplexo, esclareço: para mim, O ID, OU O INSTIN-TO, MANIFESTA-SE SEMPRE NA FORMA DE ACELERAÇÕES (mudanças de ritmo ou de posição do corpo), que recebem na linguagem usual o nome de tendências, intenções, impulsos, inclinações, desejos, afetos. Nosso aparelho de equilíbrio se opõe a esse sistema impulsor, que tende a alterar o estado mecânico momentâneo do corpo. Ele se confunde, em grande parte, com o "superego", daí nossa definição de neurose e nossa classificação pouco lógica.

Aos argumentos já propostos, acrescentemos mais alguns, baseados em elementos de neurofisiologia e anatomia.

MOVIMENTOS E POSIÇÕES

Convém repetir que o termo "movimento", aplicado sem mais ao nosso aparelho osteomuscular, é impróprio e gera confusões. *Quatro quintos dos "movimentos" feitos pelos músculos são imobilizações ativas ou tensões estáticas (as atitudes).* Estas, combinadas com a postura, compõem o elemento escultural ou arquitetônico da figura humana.

Esse ponto é de muitos modos importante. A maior parte do nosso esforço muscular consome-se em manter posições, e, como os músculos compõem metade de nosso peso, é dessa forma que consumimos a maior parte de nossa energia. Quando passamos de deitados a em pé, o metabolismo basal sobe de 70%. Dois terços — em peso — dos chamados "núcleos motores" do sistema nervoso são núcleos *tonígenos*: servem para manter ou alterar o tônus muscular. O tônus é precisamente aquela imobilidade ativa já referida.

A simples anatomia dos músculos fala a mesma linguagem: quatro quintos do sistema muscular se destinam a apoiar, suportar, aguentar, resistir, fixar. Sobra pouco para o movimento propriamente dito. É estranho quão pouco se fala dessas coisas. Em todos os textos, é universal a definição gravemente incompleta: os músculos nos movem.

Examinemos alguns exemplos ilustrativos.

A imensa maioria dos músculos insere-se ou se prende de tal maneira às alavancas ósseas que o movimento propriamente dito é difícil, de pequena amplitude e pouco rendoso. A maior parte do esforço exercido redunda em uma aproximação ou contato forçado das articulações interessadas; em razão dessa fixação ativa, há uma real anulação funcional da articulação.

Dou como exemplo, propositalmente escolhido, o do bíceps braquial. Seu braço de alavanca, no antebraço, não tem mais do que 5 cm em comparação com os 30 cm de comprimento do antebraço — alavanca interpotente com braços na relação de 1:5 a 1:6. Se, à custa da flexão do antebraço, levanto um peso de 10 kg, a tensão estática no bíceps é de 50 a 60 kg. No entanto, o bíceps é, no corpo, um dos músculos *mais aptos* a mover (mais ou menos 160 graus na flexão do antebraço em relação ao braço). O quadríceps femoral é ótimo exemplo de poderosa massa muscular destinada quase exclusivamente a aguentar (manter-nos de pé); também impressiona pela massa o conjunto de músculos da goteira paravertebral, responsáveis pela ereção da coluna.

A estrutura macroscópica fala a mesma linguagem. Mesmo nos músculos ditos "longos", a disposição realmente longitudinal das fibras musculares (paralelas à direção da ação) é de todo excepcional. Predomina sempre, de modo muito acentuado, a disposição "em pena", com as fibras inserindo-se obliquamente no tendão, o qual define a direção do esforço. Fibras curtas, quase perpendiculares ao tendão, pouco e nada movem, mas são ótimas para criar e manter fortes tensões estáticas. Consulte o leitor um bom atlas anatômico. Sugiro como exemplos o quadríceps femoral e o tríceps braquial. Nenhuma fibra desses músculos é propriamente longitudinal. Se nem os músculos "longos" na forma têm ação longa, com mais razão é "curta" a ação dos músculos curtos.

Além disso, toda a musculatura está organizada em "pares" antagônicos, que em geral funcionam simultaneamente, com pequena diferença de força entre os músculos opostos. Esse modo não só garante a precisão do movimento como também facilita a frenagem e se presta muito bem à anulação funcional da articulação interposta.

Assim, encontramos variavelmente, em torno da maior parte das articulações do corpo:

- *flexores-extensores* (dos dedos, do carpo, da cabeça, do tronco etc.);
- *adutores-abdutores* (do braço, da coxa);
- *rotadores internos-rotadores externos* (da coxa, do braço);
- *pronadores-supinadores* (do antebraço);
- *projetores para a frente-projetores para trás* (do ombro, da bacia);
- *contratores-expansores* (todos os músculos da cintura escapular podem, *juntos*, expandir ou constringir o tórax).

Essa organização anatômica se presta a enrijecer o corpo em maior ou menor extensão; a anular momentos, transmitindo os esforços para a terra; a facilitar a manutenção do equilíbrio do corpo, que pode oscilar em torno do eixo vertical em todas as direções.

A ESTÁTUA E A BAILARINA

O JEITO É TUDO

Vimos bem quanto e de que modo nosso aparelho muscular se mostra capaz de desenvolver tensões estáticas. De outra parte, somos capazes de realizar movimentos bastante amplos, muito velozes e assaz intensos. Esse paradoxo é resolvido pelo esqueleto, conjunto de alavancas praticamente rígidas e sabiamente proporcionadas para multiplicar ou reduzir as forças musculares, conforme a conveniência funcional do momento. Dizendo de outro modo, o esqueleto é feito para resolver o problema imensamente variável de "como fazer isto" partindo "desta" posição.

"Isto" são milhares de gestos; "esta" são milhares de posições.

Tratadistas de cinesiologia apontam frequentemente para a pobreza mecânica das principais alavancas ósseas do corpo. Durante muito tempo eu os acompanhei, até descobrir que a considerável quantidade de energia que se "perde" em "trabalho interno" é empregada, toda ela, na *manutenção do equilíbrio*, assim como na *composição da forma do corpo mais apta para aproveitar bem* as tais alavancas de baixo rendimento. Consideremos o exemplo clássico do bíceps, já visto. Uma coisa é estudar seus movimentos com esquemas que *o isolam do corpo*. Outra coisa é estudá-lo trabalhando no corpo. No primeiro caso, traçamos um triângulo cujos lados são o úmero, a ulna e o próprio bíceps. Nesse esquema demonstra-se que, quando o braço está estendido e o bíceps começa a atuar, nove décimos do esforço *se perdem* na componente paralela ao úmero. Dito de outro modo, nessa posição a contração do bíceps apenas enrijece o braço. Não se diz, diante do esquema, que esse esforço desajeitado, quando se realiza *in vivo*, imediatamente faz *mudar a posição do corpo*, alterando completamente o esquema.

Não é preciso pensar para fazer isso — isso acontece "sozinho". Porque o corpo conhece mais mecânica do que o cinesiologista, evidentemente. Este, visando estudar quais músculos produzem quais movimentos — *de acordo com a mecânica dos corpos inanimados — força* o corpo de modo absurdo. Há, em tais estudos, uma violência essencial ao objeto, que visivelmente não é "um sólido sujeito a flexões". Concluir daí que existe um "baixo rendimento" é um verdadeiro sofisma.

Ponhamo-lo bem vivo, que vale a pena. O trabalho interno que se realiza durante qualquer movimento — de enrijecimento, manutenção da forma e equilíbrio — garante ao *conjunto* a *possibilidade* de fazer aquele movimento. Pouco adiantaria pôr num guindaste um motor capaz de elevar 50 toneladas se o pé da torre ou a lança do guindaste se rompessem sob o peso de 30 toneladas. Muitas das manipulações que fazemos com objetos tornam o funcionamento de nosso aparelho motor comparável ao de um guindaste, mas um guindaste cuja *carga a ser levantada governa a potência do motor, assim como a resistência de toda a estrutura*; além disso, ela governa seu equilíbrio, que é variável em todas as direções.

Esse é indiscutivelmente o *mais econômico* dos guindastes do mundo. *Em cada operação, ele faz apenas a força necessária àquela operação.*

Tem cabimento usar o mesmo monstro para levantar cinco automóveis juntos e, depois, dez cachos de banana? Muito "econômica" essa máquina do engenheiro, não há dúvida.

O leitor já deve ter percebido que sou ciumento em relação ao que amo; sou. Não é menor o amor do engenheiro por suas engenhocas precárias e ele vive — muitos vivem — fazendo comparações não só descabidas como tolas. Parecem-se, nesse ponto, com aqueles que não gostam de ver o espírito nascendo no corpo; gostam de pensar que a cabeça — que concebe — é superior e essencialmente diferente "do resto", isto é, do corpo; também eles negam suas origens.

A RESISTÊNCIA É NOSSA ESSÊNCIA

Aí estão elementos de sobra, bastante simples e objetivos, capazes de substituir as bibliotecas já escritas sobre "resistência" — agora psicológica ou assim dita. Depois dessa argumentação, parece-me de todo insustentável admitir que o superego seja de *origem social*. A "resistência" está enraizada, está presente e é necessária em cada tensor muscular, em cada fibra conjuntiva e em cada trabécula óssea. Para mim, que sempre distingo mal o corpo da alma, "analisar todas as resistências" de uma personalidade transformá-la-ia em uma ameba. Pode-se, com maior amplitude, defender a tese de que o superego seja de origem externa em relação à substância viva; ele seria então um representante, na personalidade, *das leis da matéria inerte* (TANATOS!). Ao mesmo tempo que ele restringe suas manifestações, também garante a eficácia de sua ação (da matéria viva) sobre aquela mesma matéria inerte. Na verdade, ele não garante nem restringe, mas *estabelece a relação eficaz, efetiva ou real.*

O superego é bem o representante interno da realidade externa, *mas da realidade externa mecânica, e não da familiar ou social.*

A habilidade do vivo consiste em criar *dentro de si* um modelo daquilo que o cerca. O superego é — em linguagem psicanalítica redefinida — "a imagem interna das forças não vivas do cosmos" com as quais é essencial estar relacionado, mas com as quais não convém se confundir. Elas são o próprio impessoal. Talvez por isso seja difícil "tomar consciência" do superego. As coisas não vivas pouco mudam de forma ou de lugar; todo o nosso equipamento sensorial, feito para captar diferenças, percebe mal as substâncias não vivas, e só as percebe quando elas interferem naquilo que muda ou se move. É assim, segundo os psicanalistas, que o superego é percebido: como interferência entre o imóvel (resistência) e um processo evolutivo. *Resistência é aquilo que se opõe ao movimento, à mudança ou à transformação.* Etimologicamente é um "re-estar", um estar de novo ou outra vez. Em relação ao encontro, não é algo que se conhece; é algo que se "re-conhece".

"Re-sistir" é diferente de "per-sistir"; este é sempre o mesmo ("per" é prefixo que indica continuidade da ação). "Re" significa "de novo" ou "outra vez" (aquele que pode se fazer diferente mas volta a se fazer igual). Não duvido de que a inspiração que levou os povos a criar as palavras esteja ligada, ela também, ao nosso contínuo esforço para ficar em pé. *Nós nos reequilibramos continuamente, isto é, nos "repomos" a todo instante, "re-estamos" a todo momento; "resistimos" sempre.*

A ESSÊNCIA PSICOSSOMÁTICA DE TODA RESISTÊNCIA É O TEMOR DE QUEDA

Mais explicitamente, é a operação dos processos musculares, habitualmente inconscientes, automáticos, precisos e velozes, que nos carrega e nos mantém em equilíbrio. Muitos autores falam, esporadicamente, do temor de queda, mas atêm-se exclusivamente ao significado dito simbólico. Haveria em todos nós o temor da "queda moral", da "decadência", da "degradação", da "humilhação" etc. Contra essa interpretação tenho que o temor de queda é real — temor de levar um tombo. Os significados apontados decorrem deste, e não o contrário.

O termo e o fato merecem outro reparo. Nove vezes de dez, o temor de queda não é temor, não é sentido como medo pelo sujeito. É, se quisermos, um medo inconsciente. Na verdade, é difícil saber qual é a tonalidade efetiva desse fato. Afinal, os processos automáticos de compensação dos desequilíbrios e de manutenção das atitudes operam muito antes de a consciência sentir o perigo, e fazem a compensação sem que ela o perceba. Na maioria das vezes é assim, e assim tem de ser — outra semelhança com a ação do superego. Não posso ficar mais do que um décimo de segundo desequilibrado; se me fosse necessário "pensar" para manter meu equilíbrio, ao iniciar a primeira consideração eu já estaria no chão — sem contar que a tarefa me absorveria totalmente a cada instante e em todos os instantes (pensemos em alguém sobre uma corda bamba).

Esses reajustes automáticos, inconscientes quanto à operação, não são inconscientes quanto à sensação. *A propriocepção de tais reajustes tem sobre a consciência um poder regulador absolutamente coercitivo, capaz de organizá-la toda, de alterá-la em qualquer sentido e, no limite, de suprimi-la.*

A QUEDA

Quem escorrega mas não cai pode perceber bem essas coisas. No momento preciso em que perdemos o equilíbrio, o "eu" se dissipa totalmente, para retornar depois, diferente de antes e em ritmo mais lento, como que desconfiado. Muda notavelmente nossa disposição de espírito; alguns se sentem felizes, alegres e até "grandiosos" pelo feito que julgam ter realizado. (O "grandioso" foi entre aspas para lembrar o uso e o abuso que os psicanalistas fazem do termo.) Como se vê no exemplo, qualquer um pode sofrer um surto de "megalomania" de alguns minutos após escorregar sem cair. Outras personalidades reagem com expressões de rosto francamente hostis, cara de quem pergunta: "Quem foi que me empurrou?" Há ainda os que se assustam, mostrando-se ressabiados ao modo de quem espera que o fato, ou algo pior, aconteça de novo. Quando o escorregão leva à queda, é praticamente universal a expressão de humilhação, de "sem-jeito", de vergonha. Esse pequeno fato divertido nos ensina coisas preciosas, que assinalamos. *Um desequilíbrio crítico do corpo suprime totalmente o "eu".* O reequilibrar-se é sentido como habilidade *voluntariamente exercida* — o que é demonstravelmente falso. A queda, por sua vez, é sentida por quase todos como "culpa" própria... ou do outro. Neste caso, como "o outro" pode ser uma casca de banana, a vítima se sente perplexa e duplamente exasperada. Esse mesmo indivíduo, quando não cai, é o que se sente mais senhor da situação.

Note-se com que facilidade o "eu" se identifica ao nosso aparelho — de certo modo impessoal — de equilíbrio; como abusa dele tanto na vitória como na derrota. *Como personaliza situações primariamente mecânicas e, portanto, impessoais.* Temos nesse pequeno fato um verdadeiro tratado de psicologia normal e anormal. A "situação escorregão", bem filmada — antes, durante e depois — seria um excelente teste de personalidade.

Mais um ensinamento deve ser colhido desse fato: o medo (por vezes intenso) vem *depois* do fato acontecido e resolvido; e um medo de todo inexplicável e incompreensível — na certa devido à adrenalina. Ele perdura por vários minutos. Reagimos a um escorregão com uma pequena neurose traumática. A situação de queda é sempre muito perigosa para o ser vivo. Em parte porque pode machucá-lo, mas *principalmente por deixá-lo de todo desorganizado e, por isso, indefeso.* Numa luta de sobrevivência, o que cai está perdido. Creio que o medo a seguir de uma queda seja *energia explosivamente liberada para que o ser vivo se reorganize o mais rapidamente possível.* O risco de queda é, clinicamente, o mais poderoso estímulo à zona reticular do mesencéfalo. É o que mais nos chama a nós mesmos.

Esse ensaio de explicação deve ser completado por meio de suas correlações com a consciência. Podemos descrever os sentimentos e as ideias, quando na situação de risco de queda, na forma de "vou ser subjugado", "ferido", "morto", "vencido"; mais superficialmente, ocorrerão pensamentos tais como "vou ser humilhado", "vou ficar por baixo". Tais pensamentos e sentimentos são cabíveis, pois nas quedas nossa defesa é precária.

Algo de todo comparável podemos experimentar quando a surpresa de um ataque ou de uma ocorrência nos desorganiza bruscamente. Dizemos: "Fiquei chocado", e choque significa, aqui, *pancada, abalo físico.*

A situação surpresa é muito semelhante à situação risco de queda. Tanto numa como na outra, sentimo-nos "sem forma", "sem jeito" ou "sem eu". Alegoricamente, sentimo-nos caindo ou ameaçados de queda. Junto com a atitude que oscila e se desorganiza, gerando a noção "estou desamparado", altera-se também nossa orientação no espaço; sentimo-nos então "perdidos", sem ter para onde nos voltarmos. Mais na periferia, como noção de ridículo (social, na origem), podem surgir em nossa mente temores de, levados pela instabilidade, ficarmos de quatro, pois que de dois não é mais possível; temor de perder a dignidade ou a compostura.

Devido à ativação de esquemas motores mais primitivos, a consciência tende a ser invadida por noções tais como "vou regredir", "virar criança", "fazer-me um animal", "perder a dignidade", "ficar um monstro". Aí estão os vários aspectos do temor de queda; o leitor já percebeu, com certeza, que neste trecho estou usando e abusando da câmera lenta.

Muitas formas de luta tradicionais — judô, capoeira, luta romana — terminam quando um dos contendores cai. Vai nessa regra um reconhecimento ingênuo de que a dignidade humana está indissoluvelmente ligada à ortostática. A eficácia humana também. Qual dessas qualidades seria a principal?

Lembremos que nossa estrutura neuromuscular é muito semelhante à dos quadrúpedes e que no sistema nervoso vigora a lei da instabilidade relativa das funções superiores. A falha na ortostática reaviva incoercivelmente nossos esquemas quadrúpedes de posição e movimento.

Aí está em esboço toda uma teoria sobre a "regressão", entendida como desorganização relativa da conduta e da postura, com reorganização da motricidade em molde mais simples quando falha o mais complexo.

Sumária e bem-humoradamente:

- *De pé, firme:* "Eu mesmo, em toda a minha glória!"
- De *joelhos:* "Começou a descida, estou humilhado..."
- De *quatro:* "Que vergonha!"
- *Deitado:* "Estou perdido..."

Além do bom humor, gostaria que o leitor se detivesse um pouco no que poderíamos chamar de simbolismo natural dessas atitudes. Basta ver alguém assim para pensar — ou sentir — essas coisas. Além do mais, *essas quatro atitudes têm o mesmo sentido em todas as civilizações conhecidas.*

OS INERTES

É grande o número de pessoas que pouco se mexem, mal saindo de meia dúzia de atitudes e gestos. Ao se pedir que se expandam — numa reunião social ou num consultório de psicoterapia —, mostram-se acanhadas ou indignadas. Tenho para mim que tais pessoas sofrem de um medo crônico de queda, que empresta vida e substância às desculpas ou invectivas de superfície. Quando essas pessoas, apesar de tudo, se animam a pôr à prova suas habilidades, mostram-se toscas e desajeitadas. Se precisassem se mover depressa ou com força, cairiam.

Creio também que uma parte importante da aversão que a maioria dos seres humanos tem em relação às atividades instintivas — quer o reconheçam, quer não — dependa do fato de que, para realizá--las, torna-se necessário sentar-se ou deitar-se (evacuação, relações sexuais, sono). *Muito antes de ser postas em prática, elas já se propõem de modo insinuante e insistente, perturbando em maior ou menor grau a posição ereta.* Todo instinto, enquanto desejo, nos convida a abandonar nossa "dignidade". Bem sei que isso é tolo. *Mas sei também como é grande o número de pessoas que experimentam esses fatos assim: reagindo a toda insinuação instintiva com um movimento de amor-próprio ofendido.*

Bem-vista *no corpo,* a reação de amor-próprio se mostra *sempre na forma de uma ereção da coluna,* um levantar da cabeça, um pôr os ombros para trás; na forma, em suma, de um *pôr-se mais em pé.*

A PESSOA COM AMOR-PRÓPRIO FERIDO REAGE COMO ALGUÉM QUE FOI EMPURRADO E SE CONTRAI A FIM DE NÃO CAIR.

Será isso apenas uma descrição engenhosa? Ou o corpo retrata honestamente o que experimenta? Em matéria de equilíbrio, nenhuma ficção adianta. Ou compomos com acerto nossas forças ou caímos.

NOSSAS TONELADAS DE FORÇA

Consideremos uns tantos números relativos à força muscular.

Em *Analysis of human motion*[9], de Mirtle Gladys Scott, encontramos uma tabela que nos permite as afirmações subsequentes. A força de nosso abraço (ação primária dos grandes peitorais) é de 80 kg nas pessoas frágeis e de 160 kg nas fortes; o oblíquo externo do abdome — de um lado só — pode suspender 35 kg nas pessoas fracas, o dobro nas fortes.

9. SCOTT, M. Gladys. *Analysis of human motion.* Nova York: F. S. Crofts, 1942, p. 99.

A ESTÁTUA E A BAILARINA

Calculamos esses números baseados no princípio de Fink, universalmente aceito. Segundo ele, um centímetro quadrado de secção muscular perpendicular ao maior eixo das fibras é capaz de desenvolver de 5 kg a 10 kg de tensão — ou suspender esse peso. Aplicado aos dados citados, esse princípio nos assegura que a tensão somada dos músculos peitorais maiores, dos peitorais menores, dos oblíquos externos e internos, dos retos abdominais, dos deltoides, do segundo e quinto lumbricais, dos sartórios e dos tensores da fáscia lata perfaz um total 400 kg. Ora, esses músculos não constituem, em peso, um décimo da nossa musculatura. Podemos concluir por aí que nosso aparelho muscular em tensão plena é capaz de desenvolver quatro toneladas de esforço.

Ken Metzler, no artigo "How to measure physical fitness"[10], acrescenta os seguintes dados, resultantes de medições diretas: "Quando um homem encolhe os ombros, pode haver no gesto 250 kg de esforço... Os flexores plantares do tornozelo — músculos que nos mantêm na ponta dos pés — podem desenvolver aproximadamente 200 kg de esforço no homem comum; isso, para uma única perna... Sozinho, o polegar pode suspender de 15 a 20 kg".

Todos esses dados se referem ao esforço que o indivíduo pode fazer *voluntariamente*, mediante solicitação do experimentador. Com certeza, não medem o esforço máximo. Os estudiosos do esforço humano não fazem essa distinção, que é fundamental. Gladys Scott, no livro citado, calcula de duas maneiras diferentes a força que podem fazer os flexores plantares do pé. Com os dois métodos, o resultado é praticamente o mesmo, 500 kg para as duas pernas juntas. Esses dados, calculados sobre a grandeza variável que é a força muscular nas pessoas, concordam com as medições diretas citadas por Metzler. No entanto, um indivíduo de 70 kg, saltando de dois metros de altura até o chão, no momento do impacto freia aproximadamente uma tonelada de força viva. Esse fato demonstra que os flexores plantares, agindo automáti-

---

10. METZLER, Ken. "How to measure physical fitness". *Popular Mechanics*, dez. 1957, p. 145 e ss.

ca, funcional e involuntariamente, trabalham o dobro do que quando obedecem à vontade. Logo retornaremos a esse dado importante.

Comentemos ligeiramente tais números. Eles são respeitáveis em relação a nosso peso. Já o polegar tem força suficiente para levantar um terço de nosso peso; as pernas (juntas) levantam de cinco a seis vezes nosso peso de 70 kg — e isso normalmente, sem treino especial.

Esses dados têm valor psicológico através da clássica lei de Weber-Fechner. Ela diz que não percebemos estímulos absolutos, mas apenas *variações* na intensidade dos estímulos. Enquanto o estímulo cresce geometricamente, a percepção cresce aritmeticamente. Mal vemos a luz de uma vela em dia de sol. Se já estou carregando 5 kg ou 6 kg, meio quilo a mais não fará grande diferença, enquanto *sensação* de esforço, mas é claro que os músculos trabalham mais.

Quem deseje certificar-se experimentalmente do fato, no que se refere à propriocepção, deve realizar as seguintes provas:

1. Em pé, fazer uma continência militar. Praticamente não sentimos o peso do braço que se move, graças às tensões que nos mantêm em pé — muito mais poderosas.
2. Deitado e relaxado, levantar o antebraço do plano de apoio, permanecendo bem presente à ação. É fácil sentir o esforço necessário. O levantar de uma perna se faz à custa de um esforço considerável, quase penoso, já porque a perna pesa mais do que o braço, já porque a direção do esforço é bem desfavorável em relação a quando estamos em pé.

Uma demonstração clínica seria oportuna para atenuar a aridez da exposição. Nela se ilustra tanto o valor da lei de Weber-Fechner quanto o valor expressivo das pernas.

PERNAS IMPACIENTES

A paciente relata suas desinteligências sérias com os filhos, que a deixam desesperada.

Está sentada, de pernas cruzadas. Enquanto fala, o pé que está no ar estira-se e flete-se lentamente, com força. O outro, que está em contato com o solo, faz algo semelhante: às vezes apoia-se na metade anterior da planta do pé, levantando o calcanhar mais a perna cruzada; logo volta ao salto (calcanhar), que escarva o solo em movimento lento e poderoso, misto de parafuso e coleio. Os dois pés se movem como as mãos das madonas dos quadros famosos sobre a Paixão de Cristo ou na escultura *Laocoonte e seus filhos*. Movimentos semelhantes aos da atetose.

Faço-a ater-se a esses movimentos e ponho diante dela, apoiado no chão e encostado à parede, um espelho no qual ela possa ver seus pés como eu os vejo.

Comentamos ligeiramente a expressão deles. A paciente está com a sensação de que não consegue dizer tudo o que sente. Pergunto se seus pés e pernas não estão acrescentando o que falta. Aceita, não muito convicta. Silenciamos enquanto ela continua a ver no espelho suas pernas em movimento. Pouco depois, abruptamente, ela pergunta:

— E os tombos?

— Que tombos?

— Quando saí daqui a última vez, ao descer da calçada para a rua, levei um tombo daqueles. Esfolei todo o joelho. Juntou gente...

— Você quer saber se esse movimento de pés tem algo a ver com o tombo?

Ela acena que sim.

— Acho que tem. Imagine que eu fixe firmemente dois sapatos no chão e você ponha os pés neles, bem presos; depois você repete os movimentos que está fazendo no tornozelo. Que aconteceria com seu corpo?

— Iria de lá para cá, lento, fazendo curvas...

— E você se sentiria muito insegura, não? Como se estivesse em um navio...

— É...

— Imagine quanto de sua insegurança não viria daí, de seus pés ao mesmo tempo impacientes, desesperados e raivosos.

— É...

— Veja. Quando em pé, as pernas ficam firmes, é claro, para que o corpo não caia. Mas acho que os movimentos que você está fazendo continuam. Acontece que a força deles é relativamente pequena ante a força que as pernas fazem para carregar o corpo. A força deles não faz o seu corpo oscilar muito, mas é suficiente para que o pé, às vezes, perca a precisão de movimentos e erre o apoio. E lá vem um tombo.

A paciente mostra-se impressionada.

— Outras vezes a gente não cai; mas, havendo movimentos assim, a gente se sente — como já disse — ao modo de quem está em um navio que joga. Insegura.

— É...

POSTURA E AFETO

Tensão mecanicamente necessária (por vezes digo apenas mecânica) é aquela que decorre de nosso peso, inércia e exigências de equilíbrio; além do mais, é aquela determinada pelo objeto que manipulamos e se solidariza mecanicamente conosco.

Tensões não mecânicas são as tensões afetivas, que armam e moldam o corpo em função de um desejo, um temor ou um instinto.

Regra geral, sua *intensidade* é pequena quando comparada às tensões mecanicamente necessárias.

Psicologicamente, podemos dizer que o afeto se manifesta às vezes apenas como perturbador da consciência, do "ego", da *atitude habitual*.

Daí todos os famosos e divertidos "lapsos" que Freud examinou com tanta astúcia. Todos eles são ligeiras perturbações motoras, seja da mão (escrita, quebra de objetos), seja da laringe (palavra falada), seja da coordenação muscular (ato falho propriamente dito). Só restam os lapsos de memória, difíceis de filiar à motricidade.

A PONTARIA DO ID

Lembro-me de quando li *Sobre a psicopatologia da vida cotidiana*. Das muitas historietas curiosas citadas por Freud, uma das que mais me impressionaram referia-se à quebra de um bibelô pelo próprio Freud. O objeto não gozava de sua simpatia, mas ele se via obrigado a conservá-lo por ter sido presente de pessoa amiga. O primeiro sinal desse desafeto consistiu em pôr o objeto numa pequena estante do banheiro. O segundo foi melhor. Indo certo dia ao banho, de roupão e chinelos, Freud escorregou na soleira da porta e, em um dos movimentos bruscos que fez para não cair, "disparou" um chinelo, com impressionante precisão, exatamente contra o inditoso bibelô. Ele não parece ter-se impressionado demais com a fabulosa pontaria do "id" — mas eu me impressionei. Vi, na explicação que ele deu do fato (como, aliás, em toda as suas explicações), uma história mal contada. Há sempre algo de verdadeiro nas explicações freudianas, mas sempre faltam coisas — e coisas importantes. Antes de errado, Freud me parece incompleto. No relato do tiro de precisão, por exemplo, Freud se mostra muito pouco curioso. Considere-se que ele argumenta com o fato procurando mostrar que a quebra — realmente miraculosa — foi intencional de algum modo, e não simples coincidência; nesse contexto, ressalta a fabulosa organização daquele inconsciente que teimava em tachar de caótico. De outra parte, se o leitor acompanhou bem minha descrição de nosso aparelho motor e de sua inerente precisão de funcionamento, o "exagero" freudiano se faz mais plausível.

O acerto *poderia* não ser mero acaso; há em nós um "atirador" inconsciente, muito capaz de fazer essa mágica. Na verdade, nosso atirador está continuamente fazendo mágicas semelhantes.

Aliás, voltando à tese, *a rapidez de todo ato falho — sem a qual ele não ocorreria — exclui para mim qualquer causalidade que não se refira imediatamente à coordenação motora.*

Nenhuma "fantasia", nenhum "afeto" pode influir com tal rapidez, a menos que se dê a esses termos um significado completamente diferente do usual.

Deixemos bem explícito outro lado da questão. O fato de eu não perceber a sobrecarga afetiva da motricidade *não a impede* de *existir e atuar.* Daí os efeitos do afeto ou instinto reprimido (de um complexo inconsciente).

REPRESSÃO E POSTURA

Um "afeto reprimido" pouco ou nada tem que ver com um afeto no sentido usual da palavra, o que Freud sabia muito bem — um *afeto reprimido* como um esquema motor relativamente fácil de "disparar". Visto assim, o mistério dos complexos se dissipa em boa parte, deslocando-se o mistério para o nosso aparelho motor e o pouco que sabemos sobre ele. A vantagem desse deslocamento reside no fato de, em princípio, ser mais fácil observar e experimentar com fenômenos motores do que com fenômenos inconscientes.

Testemos nosso conceito em uma situação simples. Se, brincando de marceneiro, damos uma martelada no dedo, nos minutos seguintes passamos a martelar com grande fúria. Vê-se aí que o afeto atua *reforçando* as tensões mecânicas atualmente presentes; ao mesmo tempo o afeto exerce outro efeito, mais sutil, que consiste em certa deformação da atividade. Na ação se insinua algo que já não é bem martelar, mas sim espancar. *O objeto se personaliza na mesma medida em que a ação se modifica e personaliza-se tanto para o agente como para o observador.* O afeto intensifica a atitude e deforma a estrutura ou o ritmo dos movimentos mecanicamente necessários à ação em curso. Mas note-se que *a simples intensificação da postura já é uma variação do significado psicológico dessa mesma postura.* "Muita raiva" e "pouca raiva" não são a mesma coisa quando observamos o outro, ou o que nos passa pela mente, quando presas de uma ou da outra. Além disso, a deformação da postura produzida pelo afeto desata outras tensões — agora, de novo, mecanicamente necessárias — tendentes a compensar as perturbações do equilíbrio que o afeto produziu.

O lento jogo de ensaios que o corpo faz, a fim de reencontrar seu equilíbrio estático e energético, pode muito bem explicar o jogo de pensamentos e sentimentos que nos vêm à mente depois de um choque afetivo.

A adrenalina, indissoluvelmente ligada a todo choque emocional, atua durante uns bons minutos no corpo, elevando seu nível de energia disponível e aumentando o tônus muscular. Essa onda de hipertonia, que pode durar de quinze a trinta minutos, certamente nos põe em várias outras atitudes, pelas quais vamos passando enquanto a hipertonia se abate.

Esse é o "lento oscilar do equilíbrio energético" — ou metabólico — de que falamos antes. Cada nível energético permite algumas e não outras atitudes; ao mudar aquele, mudam estas.

O MISTÉRIO DO DIVÃ

Existe um modo simples e clinicamente muito útil de separar as tensões mecanicamente necessárias das demais: *é deitar-se. Enquanto deitados e imóveis, totalmente apoiados, nenhuma tensão muscular pode ser explicada por motivo de peso, massa, equilíbrio ou inércia.*

Por isso, creio, *o sonho é tão diferente da realidade.*

Por isso, creio, a psicanálise é o que é, análise dos sonhos e dos desejos humanos, não análise das ações e atitudes humanas. Análise do mundo íntimo (e até aí muito bem), mas do mundo íntimo *separado* do mundo exterior (e então muito mal). Na verdade, o que mais importa à humanidade não é o mundo íntimo nem o exterior, mas a *relação* entre ambos. No ato simples e fácil de deitar-se, o homem altera profundamente sua maneira de existir ao anular a mais fundamental de suas dimensões: a vertical. Deitado, o homem não é aquilo que é em pé. A imensa banalidade do ato não nos deixa perceber sua imensa importância.

Insisto: *a diferença entre um homem em pé e um homem deitado é a que se situa entre a realidade e o sonho.* Não defendo prioridades; são dois estados muito diferentes, e ambos importantes.

O significado profundo mas não percebido de uma ação simples retornou de forma ridícula, como frequentemente acontece — em textos "sérios" discutindo "se pode haver psicanálise sem divã". Pergunta séria: quantos *"hippies"* podem dormir num Volkswagen?

"A fim de estudar e compreender o homem, a primeira coisa que se deve fazer é deixar de vê-lo" — este o lema que separa os psicanalistas ditos "profundos" do resto, dos "superficiais". Inspirado e precedido por Reich, tenho feito o possível e um pouco mais para ser o mais superficial possível: *quero ver o que se mostra*, a expressão do rosto, a posição dos ombros, o gesticular das mãos, o modo de estar do tronco, o jeito e os movimentos da bacia e das pernas. *Tudo que o fraseado esconde aparece no corpo.* Na verdade, o fraseado não esconde quase nada; apenas *não consegue* dizer tudo. É preciso ser muito tolo para crer que a palavra diga tudo ou sequer o principal.

A expressão não verbal — jeito do corpo, tom de voz, face — funciona como *fundo* para a palavra, que é a forma.

É pouco provável que se entenda o que uma pessoa quer dizer se ela escrever literalmente o que lhe ocorre e se nós nos limitarmos a ler.

A palavra — qualquer palavra — tem sempre dois sentidos: o de dicionário e o atual. O primeiro é sempre o *mesmo* — caso contrário, a palavra não teria função. O atual é sempre *único*, dependendo do contexto, isto é, dos interlocutores, do tema, do lugar, do momento — principalmente da expressão não verbal.

Após anos de faina de analisar o superego, tarefa "apenas suportável" (Edmund Bergler), os psicanalistas são levados a concluir que "o superego foi criado sem motivo pelos homens, resumindo em si a causa de todo sofrimento estúpido e irracional da humanidade" (idem).

Quatro quintos dessa conclusão espantosa *se devem ao fato de o paciente estar deitado e o terapeuta achar que, em princípio, tal fato não tem grande importância.*

O leitor se recorda, certamente, de nossa definição de superego — expressão da atuação, sobre a consciência, de nosso sistema de equilíbrio. Essa é a função legítima do famigerado vilão. Pode ser que ele exagere muitas vezes — sempre que mal-educado —, mas dizê-lo inútil e irracional é verdadeiramente uma ofensa grave e de sérias consequências. É ele que estabelece a *relação eficiente* do que temos de vivo com o mundo não vivo, do qual, sobre o qual e contra o qual somos e nos realizamos (ou não)!

Deitados, fantasiando ou sonhando, processos vários surgem em nossa mente, podendo ou não culminar em uma "ação interior".

Se essa ação interior, uma vez efetivamente realizada, viesse a comprometer nosso equilíbrio, ela seria inibida. Ela só poderia retornar depois de remodelada pelas exigências de nossa atitude específica — a ortostática. Então o superego "aprovaria".

Por isso o psicanalista apreende a ação do superego, mas não pode compreender sua função. *Na situação em que ele trabalha e observa, toda inibição deve parecer estúpida*; é a *situação analítica* que torna despropositada a ação extremamente inteligente de nosso aparelho de equilíbrio. Mais uma vez se vê a razão daquela ridícula querela escolástica sobre psicanálise e divã. *Sem divã, de fato não há psicanálise. Isto é, sempre que deitados, nosso aparelho de equilíbrio não tem função objetiva.*

AS FORÇAS SECRETAS

Comecemos com uma insinuação do já citado Metzler: devido a limites psicológicos, a força física das pessoas é muito pouco empregada. Essa força pode aumentar fenomenalmente em situação de perigo. Há diversas notícias comprovadas de mães que levantaram veículos pesadíssimos para tirar o filho debaixo deles. Desde então, nunca mais conseguiram repetir a façanha.

Pessoalmente, vi uma mulher de 30 anos, forte, mas não uma atleta, arrancar com apenas as mãos as tábuas de peroba de um assoalho de encaixe tipo "macho e fêmea". A pessoa se apresentava em agitação maníaca. A seu favor havia certo desgaste das tábuas nas extremidades, o que dava aos dedos um intervalo apto para facilitar o agarramento; porém, o desgaste não ia além de meio a um centímetro para uma tábua de dez centímetros de largura.

Afora esses casos excepcionais, recordemos outros mais comuns, que podem ser tidos como "normais".

Kinsey, no seu livro famoso sobre conduta sexual humana, assinala com felicidade um fato comum que habitualmente não é lembrado. Homem e mulher, na exaltação do achego sexual, assumem posições que exigem habilidade e força, posições que eles dificilmente reproduziriam "por querer". Uma verdadeira dança espontânea a dois — bela, sim, mas, além de bela, forte — de uma força que não é a da vontade.

Em transe hipnótico ligeiro, é possível induzir uma rigidez do braço, por exemplo, que não pode ser vencida por uma pessoa mais forte. Em transe profundo — independentemente da força da pessoa quando acordada — pode o bom paciente hipnótico ser levado à clássica experiência que consiste em fazê-lo rígido "como uma tábua".

Depois ele é colocado na horizontal, apoiado apenas pelos calcanhares e pela nuca. No palco, o artista muitas vezes convida três a cinco pessoas (300 kg a 350 kg) para se sentarem sobre a "tábua". Nenhuma situação mostra melhor o quanto de tensão estática pode ser gerado pelo nosso aparelho motor — assim chamado.

O problema é bem pior do que parece à primeira vista. Trata-se de *solidarizar rigidamente* 30 a 31 segmentos sólidos, pois é esse o número de articulações que compõem a "ponte". Seria o mesmo que enrijecer uma cobra para usá-la como alavanca de remover trilhos, problema bem diferente do que usar uma barra de ferro sólida por inteiro.

A pessoa se faz então "material" tão resistente quanto uma tábua de pinho com 2 cm de espessura e 20 cm ou 25 cm de largura (e 1,80 m de comprimento, é claro).

Seria bom determinar o metabolismo basal de uma pessoa nessa situação. Não sei de quem o tenha feito. Avalio nosso trabalho total máximo em algumas toneladas, em torno de dez. Desse total, só conseguimos atualizar voluntariamente uma quinquagésima parte.

Tenho dois cálculos para propor, além de outros que já citei, em favor de minha estimativa.

Se 45% de nosso peso é dado pela musculatura, um homem de 70 kg terá 30 kg de músculos. Admitamos que a densidade do tecido muscular seja unitária. O homem terá então 30 decímetros cúbicos de músculos. Admitamos ainda que as fibras musculares tenham, em média, 3,3 cm de comprimento. Cada dm^3 terá então três "camadas" de fibras musculares; cada uma delas, com 100 cm^2 de secção muscular perpendicular ao comprimento das fibras, pode exercer uma tração de 5 kg a 10 kg. Fiquemos com o número menor apenas. A

A ESTÁTUA E A BAILARINA

musculatura desse homem, *em tensão total*, exercerá uma tração de 30 (dm^3) x 3 x 100 (cm^2) x 5 kg = 45.000 kg. Eu também acho que é muito, mas o cálculo é simples e plausível.

Ele esclarece uma obscura afirmação do artigo de divulgação de Metzler. Lá se lê, sem esclarecimento nem prova, que "os músculos são fisicamente capazes de levantar mil vezes o próprio peso". Nosso homem, portanto, renderia 30.000 kg. Na primeira tabela desse estudo, sobre o potencial motor da unidade motora (p. 42), vimos, que, no gato, menos da metade dos músculos de uma só pata traseira pode levantar redondos 20 kg; as duas patas traseiras, 80 kg. No *homem*, o peso somado das pernas perfaz 20% do peso do *corpo*, e não duvido de que no gato seja *menos*. Com esses dados, certamente muito heterogêneos, teríamos no gato um potencial motor total de 400 kg, 80 vezes o peso do corpo. Para o homem teríamos 70 kg vezes 80, 5.600 kg. Estamos longe de trinta ou quarenta toneladas, bem sei; mas ainda é bastante. Note-se que essa última estimativa é a mais segura, por ser experimental; outrossim, é a mais falha pela heterogeneidade e incerteza dos coeficientes teóricos. Aliás, o leitor deve ter percebido que não me importa estabelecer um número exato e válido; importa-me apenas a estimativa. De 5 toneladas para cima não discuto mais... A seguinte tabela, estabelecida por Fischer[11] ao pesar diretamente partes do cadáver de "um indivíduo vigoroso", forneceu os 20% do arrazoado prévio.

Tabela 2 — Tabela de Fischer

	Em kg	Em%
Peso total	58,7	100
Cabeça	4,14	7
Tronco	26,06	42,7
Coxa	6,8	11,6
Perna	3,09	5,3
Pé	1,05	1,8
Braço	1,98	3,4
Antebraço	1,34	2,3
Mão	0,49	0,8

11. VANDERVAEL, F. *Analyse des mouvements du corps humain*. Paris: Maloine, 1945, p. 10.

Nessa tabela figuram dados úteis para se proceder à estimativa de momentos e posições de equilíbrio.

Mais alguns números devem ser citados antes de encerrarmos de vez esta parte. Referem-se à resistência dos ossos. Encontramo-los na página 56 do mesmo livro sobre física médica e biológica, já citado; convertemos os números de libras/polegadas quadradas para quilos/centímetros (uma libra = 500 g; uma polegada = 2,5 cm.

Primeiro, a resistência à quebra do fêmur humano inteiro, ante esforços de:

- *Compressão* — 123 kg /cm^2 a 159 kg/cm^2.
- *Torsão* — 36 kg/cm^2 a 108 kg/cm^2.

Amostras preparadas a fim de testar *apenas* a resistência da parte *compacta do osso*:

- FÊMUR — *Compressão*: 1.920 a 1.440 kg/cm^2 (máximo e mínimo entre vários autores); *tensão*: 2.640 a 1.760 kg/cm^2 (máximo e mínimo entre vários autores).
- TÍBIA — *Compressão*: 2.104 kg /cm^2; *cisalhamento* (paralelo ao eixo maior): 572 kg/cm^2; *cisalhamento* (paralelo ao eixo menor): 1.344 kg/cm^2.

Nossos músculos, em esforço máximo, chegam a fraturar nossos ossos.

É o que acontece às vezes com pessoas somaticamente normais quando recebem uma aplicação de eletrochoque. Qualquer pessoa que receba uma descarga elétrica na cabeça reage com uma crise de contratura, seguida de convulsões. Na fase de contratura podem ocorrer fraturas ósseas.

Das lutas orientais são ditas coisas extraordinárias sobre golpes capazes de quebrar qualquer resistência, ou posições que resistem a qualquer esforço. Não terão os orientais descoberto alguns modos de *usar por querer* nossa força de gigantes?

O HERÓI INVULNERÁVEL

Há, enfim, a técnica biopsicoterápica de "movimentos espontâneos", inaugurada por Wilhelm Reich. Nela ocorrem, com bastante regularidade, *espasmos* musculares, involuntários, indescritivelmente intensos. A pessoa evidentemente não *faz* essas tensões; elas as *sofre*. Inútil solicitar que os repita *por querer*.

Imagine-se o que poderia fazer uma pessoa capaz de exercer voluntariamente esse poder!

Imaginem-se — vale a pena — as coisas a que uma pessoa poderia *resistir incólume*. Como a rigidez muscular faz uma parede de consistência proporcional à tensão, o indivíduo em transe hipnótico talvez fosse invulnerável, no limite, a um corte de espada, à perfuração de um punhal, quiçá a um tiro. Nem toda arma de fogo atravessa 2 cm a 3 cm de madeira, muito menos um punhal. Não estaria aqui um fundamento ao menos plausível para certas lendas heroicas? O herói fazia coisas impossíveis na exaltação da batalha — exaltação que, a seu modo, corresponde a um estado hipnótico.

O SER E O PODER SER

Esse pequeno passeio sugestivo no campo dos heróis e dos super-homens nos leva, algo inesperadamente, ao homem comum. Nosso potencial motor "ligado", não sujeito à vontade, pode não responder pelas maravilhas da lenda, mas pode muito bem responder por certo sentimento que, este sim, reside em todos nós. Podemos emprestar várias fórmulas verbais a esse vago sentimento ou sensação. "Sou mais do que sou", "sou mais do que aparento ser", "posso mais do que faço", "posso mais do que sei", "meus sonhos de grandeza — são tantos! — têm *alguma* substância". Nessas fórmulas aparece claro o famoso "sentimento de superioridade". A expressão *sensação* de superioridade é mais fiel ao que se experimenta subjetivamente. Quando em conflito com outros, tais fórmulas passam facilmente para "sou mais do que ele", "sou melhor do que ele", "sou maior do que ele". Temos aí um dos fundamentos importantes do "instinto de poder", tão descurado por Freud e tão cuidado por Adler.

Nossa "entropia" — lorde Kelvin me perdoará — poderia responder também, agora em plano religioso, pela clássica definição mosaica de Javé, "Eu sou aquele que *é*", ou pela intuição filosófica tanto de Schopenhauer, "Deus é vontade pura", quanto de S. Tomás, "Deus é ato puro". As três afirmações carregam uma noção *negativa* básica, *ausência de energia potencial*; as três contêm a ideia de *atualização perfeita*, dinâmica pura. Tampouco é difícil ouvir, nessas frases, ressonâncias poderosas daquele instinto de poder do qual falamos há pouco.

O HOMEM REALIZADO

Por esse caminho creio que nos será dado compreender também o "mito do herói" em todas as suas variantes, do budismo à umbanda. Não procuram todos eles, na contemplação e no ritual, entrar em contato e talvez assenhorear-se de certa força poderosa? Será desvario humano ou haverá em tudo isso uma intuição obscura basicamente correta?

Sejamos claros e não sejamos ingênuos. Se posso utilizar 100 kg de minha força quando disponho de dez toneladas, ainda que o feito seja grande, convenhamos que não é extraordinário. Num automóvel, disponho dessa força e nem por isso me sinto Deus — ainda que um pouco de Deus exista em mim enquanto dirijo... A partir da sensação da relação entre a força de que estou dispondo e aquela de que poderia dispor, forma-se a noção do transcendente — o caminho que vai de uma à outra. A noção é essencialmente relativa. Se dermos um trator a um caboclo que revolve a terra com a enxada, ele se sentirá "infinitamente poderoso" e também, de início, maravilhado e pasmado, como Moisés ante a sarça ardente. Antes que *experiência* vivida, melhor seria dizer *momento* da experiência; *no momento* em que deparo com algo que me domina, sinto-me diante de algo "infinitamente forte".

Enfim, os próprios princípios e os métodos intelectuais não seriam de algum modo retratos ou reflexos de dispositivos interiores, capazes de desatar e controlar essa poderosa força *física*?

O PODER DO ORGULHO

Consideremos a *atitude* das pessoas de aspecto orgulhoso ou superior. Elas parecem "armadas" como um guarda-chuva aberto. O que as mantém assim? Tensões musculares, contrações involuntárias, "espontâneas", que custam bastante energia e fazem parte do potencial motor "ligado". Os orgulhosos quase nunca conseguem imitar por querer a própria atitude quando isso é solicitado. Creio que a vaga *sensação* proveniente dessas tensões musculares seja o que dá substância às fantasias de grandeza de tais indivíduos. Quem tenta imaginar grandes cenas estando relaxado simplesmente não consegue imaginá-las! Às fantasias falta sabor, forma definida, desenho claro.

A FORÇA DO CONHECIMENTO — OU VICE-VERSA

O simples cultivo da força, porém, não parece um ideal muito alto. Mas, no estudo da nossa força, quantidade e qualidade vão juntas, e só a artificialidade da palavra nos obriga a separar esses dois aspectos. Para manifestar e usar essa força é preciso um certo *modo*. Não somos substâncias explosivas cuja força se expande e se propaga indiferentemente, em todas as direções. Somos um conjunto extremamente complexo de vetores ou tensores, e a transformação de força em movimento é um processo exigente e difícil. Para que haja muita força é preciso haver muito jeito, que só se forma em situações excepcionais ou à custa de um treinamento prolongado e duro. Defendemos o ideal do *controle* dessas forças. Aqui entram os métodos de ioga, a técnica de Reich e a de Feldenkrais. Em certo aspecto, a neurose é expressão de uma organização motora precária, feita muito mais para conter do que para expandir. O melhor controle exige melhor consciência de nosso aparelho muscular. É preciso aprender que esse aparelho, além de ser força e organização, é também instrumento de conhecimento de nós mesmos e do mundo. É no aparelho motor que se deve procurar a origem subjetiva da física e da matemática. Nele também reside, creio, a lógica silogística e causal, qual pequena máquina incluída em outra maior. Mas, antes de estudar a consciência da força, precisamos recordar a fraqueza da força.

AS COMPLICAÇÕES DO RELAXAMENTO

É preciso considerar que os músculos não apenas se contraem como também se relaxam. *O relaxamento muscular é uma função tão involuntária e tão organizada quanto a contração.*

Todos podemos relaxar um pouco, mas pouquíssimos conseguem relaxar totalmente por um ato de vontade. Os que conseguem devem-no a um treino paciente e prolongado. De outra parte, frequentemente somos vítimas de um relaxamento rápido (de medo, de amor, "fiquei mole") ou lento (depressão, desânimo), contra o qual nada podemos fazer. No sono profundo sem sonhos, também relaxamos de todo — tão bem quanto o mais hábil iogue — e sem ter feito nada para consegui-lo.

Quando arremessamos uma pedra, há um momento *preciso* de largá-la. Fatos como esse demonstram como a descontração pode ser organizada. A maior parte das pessoas tem dificuldade de realizar atividades em que o principal consiste em largar ou deixar de fazer força do jeito certo na hora certa. *Dar-se, abandonar-se, entregar-se são exemplos de atos importantes que consistem sobretudo em relaxamentos organizados, de descontração deliberada.*

É difícil conseguir a arte de "não fazer", de deixar acontecer. Os chineses, mestres no conhecimento das forças suaves, dizem que o pináculo da sabedoria consiste no *"wu wei"*, exatamente "não fazer".

LIBERTAÇÃO

Vejamos um pouco do valor psicológico do relaxamento. A pergunta mais comum num consultório de psicoterapia é esta: "Mas, doutor, se eu não fizer como sempre fiz, como farei então?" Não é difícil generalizar essa pergunta e transformá-la nesta outra: "Que serei se deixar de ser o que sou?" Ninguém sabe a resposta a essa questão, nos casos e momentos individuais em que ocorre. Só podemos perceber uma forma *que existe* — como sistema de tensões ou como atitude. Podemos, em parte, favorecer seu relaxamento. A pessoa fica então "sem forma". Na experiência subjetiva, esse modo de existir corresponde a *não existir*. O "eu" habitual se desfaz e o indivíduo fica "sem eu". Morre. Por isso teme e pergunta. Como se vê, o relaxamento está no centro das transformações pessoais.

Ele se liga ainda a outro tema sério e frequente. Por ter sido malposto e maldito, terminou por se fazer quase ridículo, dando lugar a merecidas pilhérias sobre psicoterapia. É o tema da "libertação" da personalidade. Em que consiste esta libertação a que a pessoa chega por intermédio do tratamento analítico? Consiste em *abandonar-se* aos próprios instintos, em *dar-se* aos próprios impulsos, em *entregar--se* à "sua natureza profunda". Os três termos-chaves da explicação têm um sentido objetivo e único: relaxamento organizado. Parte muito importante da neurose de todos e força primária na manutenção de resistências é nossa incapacidade para o relaxamento intencional. Quando deixamos de "fazer força", "não estamos fazendo nada", assim aprendemos todos, desde a infância.

Que quer dizer isso? Sumimos? Deixamos de ser? O caso alcança limite crítico quando se refere a atitudes, a conjuntos de tensões *mais ou menos constantes, que dão à pessoa sua noção subconsciente de identidade*, de "sou eu mesmo e sempre eu". Nada em nossa educação e em nosso mundo nos ensina esse abandono, que pode ser, insisto, tão deliberado e fino como a mais fina e deliberada das atividades. Daí que as pessoas, quando as convidamos a se "libertar", entrem em pânico. Abrandar tensões habituais é "deixar de existir" ou é "depois não sei mais o que pode acontecer". Geralmente não acontece nada de extraordinário; a pessoa fica apenas tranquila. Quando deixo de fazer coisas ou de manter uma atitude, passo simplesmente a ser-sem--intenção. Ser — verbo — é, ou pode ser, uma atividade não voluntária, que ocorre sem sensação de esforço e é recreativa, isto é, capaz de recriar, refazer, transformar. Mas para isso é preciso *perceber* o processo de relaxamento que traz, inerente à *sensação, o* significado do *wu wei*: não ser. *O indivíduo descobre, com surpresa, que ele "não precisa fazer nada" para existir.* Descobre que algo nele é maior do que ele mesmo e que a esse algo é possível confiar-se — e dormir. *Descobre que ele existe antes do "eu". Não foi feito nem precisa ser mantido pelo "eu" e pode continuar existindo mesmo sem "eu", sem deliberação, sem atenção, sem intenção.*

É assim que existimos no sono profundo sem sonhos. Um modo de ser praticamente sem forma, mas por isso mesmo o mais rico de possibilidades. Uma massa de barro. É o nada criador. Dele nascem todas as coisas. Quem conseguir esse estado sem dormir alcançou a iluminação.

Parte importante e objetivamente demonstrável da libertação está no cultivo da sensação e, depois, do controle do relaxamento muscular. Não confundir essa afirmação com a que empresta fundamento aos métodos de relaxamento. Nestes, quase não se considera o sistema muscular capaz de compor configurações tensionais e intencionais; neles, o relaxamento é um processo de massa global, e não é desses que falo. "Dar-se" ou "abandonar-se" não é se fazer um trapo, por mais que se fazer um trapo possa ser útil em certas ocasiões. Podemos chegar à mesma conclusão por outro caminho: em que consiste a psicoterapia? Em desfazer ou afrouxar defesas e resistências. Defesas e resistências estão em paralelo claro com sistemas de tensões musculares, como Reich demonstrou. Logo, a psicoterapia é sempre um método mais ou menos elaborado de relaxamento.

Se esse fato não é bem compreendido, a "análise das resistências" se torna um processo interminável. É preciso aprender a não ser protagonista o tempo todo.

AULA DE MÍMICA

Agora podemos abordar o mais difícil. Em todas as considerações a seguir, é fundamental distinguir a propriocepção da visão, o que se sente como tensão ou esforço da *forma* assumida pelo corpo e vista pelos olhos em virtude daquelas mesmas tensões.

Nosso "professor" nessas coisas só poderá ser um mímico de talento. Vamos então ao teatro. No palco está o mímico, completamente sem atavios, tão nu quanto possível. Mas logo "vemos" que ele é um almofadinha do pré-guerra. A todo instante assenta a gravata-borboleta, logo abotoa ou desabotoa o paletó justo, vez por outra

A ESTÁTUA E A BAILARINA

cumprimenta uma senhorita invisível tocando na aba do chapéu, nos intervalos gira displicentemente sua bengala entre os dedos e por vezes até se apoia nela, inclinando bem o corpo.

"Perfeito", dizem os olhos. "Absolutamente real!"

Total, inevitável e necessariamente falso, no todo e em cada uma de suas partes, digo eu, em defesa da propriocepção.

Sem o objeto, não é possível fazer gestos *idênticos* aos que fazemos com o objeto. Os olhos se enganam porque a figura exterior é semelhante; mas as tensões musculares não podem ser as mesmas. Bem diferente da gravata imaginária é a tensão que o almofadinha sente ao puxar a gravata real — tensão na pinça do polegar com o indicador, tensão no deltoide (nos ombros) — *tensão que só pode existir quando há um objeto que resiste e é exatamente igual a essa resistência tanto na força quanto na forma; tensão, outrossim, que não pode existir sem ele — o objeto —,* como era o caso em nosso espetáculo.

Procure o leitor dar-se a uma pequena encenação e a verdade do fato aparecerá inteira. Tome de um guarda-chuva e, em pé, em posição de "descansar", use o guarda-chuva no prolongamento do braço correspondente à perna firmemente apoiada; faça a ponta do guarda-chuva tocar o solo um a dois palmos lateralmente em relação ao pé firmemente apoiado. Apoie-se depois no guarda-chuva. Em seguida, com muito cuidado e atenção, deixe aos poucos de se apoiar nele *sem modificar a posição do corpo.* Veja então que os esforços num e noutro caso são totalmente diferentes e de todo irredutíveis uns aos outros. Depois, abra o guarda-chuva de verdade várias vezes, bem devagar. Primeiro sinta os esforços, depois perceba a forma do gesto. Em seguida, deixe o guarda-chuva e brinque de mímico. Mantenha a forma do gesto e verifique as diferenças nos esforços. O fato é que agora você precisa ser você mais o guarda-chuva. Primeiro era você aqui e o guarda-chuva ali.

Todo existencialista deveria fazer essa pequena encenação — não uma, mas muitas vezes. Se é verdade que o homem só tem sentido quando em relação com objetos e pessoas, então essa pequena experiência se faz prova empírica da verdade filosófica.

Em contato com o outro e com as coisas — contato concreto —, desatam-se em mim forças e modos de esforço que jamais se manifestariam na ausência do outro e das coisas.

Só me realizo em relação. Sem esta, o que possa haver em mim permanece naquele verdadeiro limbo intelectual que desde a escolástica medieval até a física moderna se chama "energia potencial". Esta, qualquer que seja o campo considerado, é "um valor sem sentido". Só o contato "liberta" e organiza minhas forças. No campo da motricidade, essa afirmação é apenas uma descrição de fato. Não me custa muito imaginar que essa situação de fato tenha servido de base sensorial, obscura e complexa à intuição axial da filosofia existencialista.

Precisamos entrar fundo na questão e compreendê-la bem. Duas derivações psicológicas são a substância deste estudo.

VAMOS TRABALHAR

Comecemos analisando as situações em que simplesmente usamos um objeto: as determinantes objetivas da função muscular. Essas situações banais não são banais.

Preciso primeiro avaliar a forma do objeto a fim de saber por onde e como pegá-lo: que molde imprimir à mão e que contrapeso organizar no corpo, a fim de ligar-me ao objeto, levantá-lo e mantê-lo suspenso. Posso pegar os objetos de vários modos e por vários pontos ou lugares, e quase sempre existe um "por onde" e um "como" ótimos, ao lado de outros menos cômodos, menos firmes, mais forçados.

Em relação a certos objetos, a dificuldade é tanta que o ser humano teve de inventar cabos, maçanetas, puxadeiras, cordas, alicates e chaves de parafuso. Cada um desses objetos é *a concretização de uma relação mecânica fixa* entre o ser humano e outros objetos, precisamente aqueles aos quais estes se aplicam. São todos, de acordo com nossa definição, pequenas máquinas derivadas da máquina grande que é o corpo. Existem cabos (de martelo, de machado, de plaina), maçanetas e puxadeiras — porque nossa mão tem facilidade de *agarrar* com força e, depois de agarrado, torcer ou mover com firmeza.

As cordas são "cabos versáteis" que podem ser aplicados a qualquer objeto e ter o comprimento que se queira, permitindo-nos agarrar a distância; os alicates multiplicam a força de nossas pinças digitais e ao mesmo tempo nos oferecem a outra ponta da pinça (agora um X) com a forma, a consistência e a superfície que se queira.

As ferramentas podem dar-nos uma primeira noção muito boa sobre o "ego", termo sempre indispensável e sempre obscuro em psicologia. Tanto lutei para vencer essa obscuridade que terminei fazendo dela o centro de minha noção de "ego". Na verdade, mais do que obscuro, o ego é variável até o infinito, e por isso não se presta a nenhuma definição material. O ego é minha relação — estruturada e relativamente consciente — com o aqui e agora, variando continuamente em função de ambos. Sendo a relação entre três variáveis (minha personalidade, o aqui e o agora), ele não pode ter forma fixa — por isso não se pode defini-lo. A ciência do ego é a ciência de um indivíduo — conhecimento particular e não geral. Assim nasceu a fenomenologia.

Se considerarmos as ferramentas, muito do esotérico que parece estar contido no comentário prévio vai se desfazer. Quando manipulo uma ferramenta, posso dizer que sou governado pelos efeitos que estou produzindo no objeto trabalhado; posso dizer com igual legitimidade que estou presente ao manejo da ferramenta, isto é, ao modo mais eficaz de aplicá-la. Posso combinar essas duas afirmações, que parecem igualmente verdadeiras, numa terceira: quando manejo uma ferramenta, estou presente à *relação* entre o objeto trabalhado e a ferramenta. Mas esta se move por força e habilidade de minha mão. Digamos então que estou presente à relação mecânica entre o objeto trabalhado e minha mão. De que modo estou presente, atento ou "consciente" nessa relação? Dito de outro modo, quais são as sensações preponderantes enquanto atuo? As mais conscientes — parece fora de dúvida — são as visuais (poderiam ser as táteis no caso de um cego que trabalha); algo menos consciente são as sensações proprioceptivas de esforço, resistência, ângulo de aplicação etc. Quando manejo uma ferramenta, estou presente à relação oculomanual *com* o objeto. As duas "coisas" relacionadas são, de um lado, meus olhos e minha mão atuante (em geral a direita); de outro, o objeto, com suas progressivas modificações de forma ou de posição.

Como a mão é a primeira e a principal das "ferramentas humanas", a descrição vale para a manipulação ou o manejo de objetos em geral. Aí está e esse é o "ego" — aquilo de que tenho mais consciência — na situação examinada. Ampliemos a apreciação da situação e nos será dado ver, então, onde está o "inconsciente" nela. Digamos desde já que "ego" e inconsciente têm limites não apenas flutuantes, como também tonalizados, ao modo como esse termo é empregado em pintura.

Se estou trabalhando em uma pequena região de um objeto relativamente grande — por exemplo, um marceneiro que lixa a perna de uma mesa já montada —, o resto dele, *as partes que não estão sendo modificadas*, permanece amplamente inconsciente para mim. *O mesmo acontece às partes imóveis de meu corpo, assim como às "automaticamente" colocadas e funcionantes.* Se, ante um impulso mais poderoso do braço, a mesa escorrega um tanto, logo "tomo consciência do inconsciente"; se, inclinando-me pouco a pouco, o corpo chega à iminência de um desequilíbrio, ou simplesmente se faz incômodo o gesto antes fácil, então e também "tomo consciência do inconsciente". Na verdade, essas duas ocorrências podem se reduzir a uma só. "Tomo consciência" ou o "ego" se aviva sempre que minha relação com o objeto, naqueles aspectos não diretamente em relação, se altera de modo sensível, perturbando ou desorganizando a relação direta. No caso figurado, relação direta — ou "ego" estruturado — é aquela que antes descrevemos: objeto/olhos-mãos.

Gostaria muito que o leitor percebesse desde já quanto esta descrição — em certa medida ingênua — vale também, quase sem modificações, para as relações mais complexas de que a vida é feita. Vale ainda para as relações "intrapsíquicas".

INSTRUMENTAÇÃO E OPERACIONALISMO

Nossas relações com os objetos e as ferramentas, apreciadas à luz de nosso aparelho motor, nada têm de simples ou fáceis, como já procuramos mostrar. É possível compreendermos um pouco da ação de nossas 400 mil unidades motoras considerando *aquilo para que elas foram feitas*.

Os objetos que nos cercam podem ser usados e também nos prejudicar de mil modos diferentes. É sem conta o número de formas, consistências, maneiras de articular, de vincular as dimensões, as distâncias, os modos de movimento e muito mais dos objetos e seres materiais que nos cercam. Para cada um deles podemos desenvolver um modo de abordagem, de manipulação, de transformação, de translação, de junção ou separação.

Mesmo correndo o risco de me fazer monótono, insisto nesse ponto por duas razões bem definidas e importantes. A primeira é a de familiarizar o leitor com o universo dos movimentos e das tensões, *no qual estamos demasiada e continuamente imersos e, por isso, não o percebemos, ou o percebemos mal*. A segunda é esta:

UM DOS AXIOMAS DESTE ESTUDO É QUE
TODA AÇÃO, PROCESSO OU DISPOSITIVO MENTAL
ENCONTRA PARALELO — E PROVAVELMENTE
FUNDAMENTO — EM UMA MANIPULAÇÃO OU MODO
DE RELACIONAMENTO MECÂNICO DO CORPO.

Só muitos anos depois de ter escrito essa frase conheci Vigótski, o linguista que iniciou a escola instrumentalista russa, a qual elabora o mesmo princípio. Foi também depois que vim a saber — pouco — de Piaget.

Nós nos "manipulamos" ou "instrumentamos" segundo modelos que surgem das nossas *relações concretas com as coisas*.

Tal princípio, profundamente dialético, deve ser complementado com Freud: os processos interiores se decalcam também sobre modelos viscerais e então podem ser chamados de "subjetivos", isto é, originados e centrados no sujeito. São as fases de desenvolvimento da libido, às quais é preciso acrescentar uma fase circulatória e uma respiratória. Os outros processos são "objetivos", isto é, dependentes e centrados em nossa relação com as coisas, com objetos propriamente ditos, com nossos modos de atuar em cadeiras, mesas, carros, pedras, sapatos, roupas etc.

Além da forma do objeto — quando pretendo manipulá-lo ou usá-lo —, devo levar em conta sua consistência, se é duro ou mole, rígido ou elástico, inteiro ou articulado. Uma coisa é empurrar uma mesa, outra é empurrar uma pessoa ou um carrinho; uma coisa é levantar uma bola de boliche, outra é levantar um balão de São João prestes a subir.

Enfim, intervém demais no uso o peso do objeto, assim como a distribuição desse peso.

Atentemos para estas três categorias: forma, consistência e peso.

INCONSCIÊNCIA DO "MAU JEITO"

O problema: o que fazer com o objeto? Uma colher leva-se do prato à boca, esfrega-se com detergente ou simplesmente se põe na gaveta; uma valise se abre, se fecha, se enche ou se esvazia de coisas, se carrega; o piano, toca-se; o corpo humano se acaricia, se bate, se abraça ou se dá um murro, se põe no colo ou se empurra. *No gesto está a intenção propriamente dita.* Pondo os gestos o caso do marceneiro, vê-se bem quanto de inconsciente existe em nossas ações ditas conscientes, deliberadas ou "queridas". Funcionalmente, esse amplo coeficiente de inconsciência que existe nas ações voluntárias seria chamado de "pré-consciente" por Freud. Parte importante dele pode ser mostrada à pessoa — e esta reconhecerá os fatos sem grande dificuldade. Mas resta algo que, mesmo mostrado e demonstrado, custamos a compreender — e logo veremos.

Não só o que perturba a ação intencional é inconsciente (ato falho); também o que forma o conjunto de sua estrutura o é.

A maioria das pessoas realiza as ações ditas intencionais de uma forma que está longe de ser ótima, desperdiçando desse modo tempo e energia. Disso resultam uma fadiga e uma ineficácia relativa que não hesito em tachar de neuróticas; pode residir aí uma boa parte do coeficiente neurótico de todos. Pouquíssimas pessoas se dão ao trabalho de rever e individualizar ou simplesmente de prestar atenção a seus modos de andar, sentar, trabalhar, falar, gesticular. O que vemos, por isso, é um sem-número de atitudes forçadas, tensas, desarmônicas, tortas e torcidas. As pessoas recebem mal qualquer reparo que façamos a seus modos — mesmo as que admitem discussão sobre suas opiniões e sentimentos.

Se estou ou vivo malposto, então atuo mal ou percebo, avalio e me componho mal com os objetos ou a situação. À má relação mecânica corresponde a má relação psicológica. Má quer dizer pouco eficiente, difícil, forçada, indevidamente breve ou demasiado prolongada. Se não estudo um pouco minha relação mecânica com o serrote e a tábua ao serrar, a ação pode se tornar um verdadeiro suplício, além de sair muito malfeita. Passo a "odiar" o serrote, a tábua ou o trabalho todo. Isso só acontece quando exijo de mim, do serrote ou da tábua o que eles não têm, ou quando a relação entre nós três não é boa. Novamente, parece-me fácil passar da atividade manual dita simples para as relações pessoais ditas complexas. Basta ver a mão crispada, o sorriso forçado e o tronco teso de um estranho ao qual somos apresentados para saber que a relação dele conosco deve ser ao mesmo tempo custosa e desagradável; provavelmente, é má a relação desse indivíduo com a situação geral de "ser apresentado".

Também é custosa, ineficiente e desagradável a atitude da pessoa que, durante as três ou quatro horas de uma reunião social — ou científica —, sente-se obrigada a parecer superior, conhecedora ou bem-sucedida.

Os estudos e exercícios de Moshé Feldenkrais podem servir de demonstração adicional muito importante para estas reflexões.

SOLIDARIEDADE

Na ação de usar os objetos, há um coeficiente motor que é inconsciente e ao mesmo tempo importante; as pessoas têm dificuldade de senti-lo e, mesmo que o compreendam, raramente se persuadem de sua importância. É esse fato que dá sentido concreto ao tema da identificação com o objeto ou com as pessoas. Ao explicar a identificação, ao mesmo tempo e no mesmo ato explicamos a projeção.

Podemos pôr em evidência o coeficiente motor inconsciente de modo cômico e claro. Se estou carregando uma mala pesada e, por artes de mágica, ela se dissipar instantaneamente, eu caio. Caio não só devido à alteração da relação do centro de gravidade com a base, como também devido às alterações daquilo que chamaremos, doravante, de centro de impulso. Eu e a mala pesada temos ambos um centro de gravidade cada um; enquanto a carrego, existe um centro de gravidade do sistema "eu-mala" diferente na localização tanto do meu quanto do dela. Mas acontece que o centro de gravidade da mala é passivo e o meu, ativo. O meu rege o equilíbrio tanto de mim quanto da mala e de nós ambos. Quando a mala desaparece, o sistema se desequilibra instantaneamente, e cabe à experiência decidir se eu me reequilibro a tempo ou não. Todo objeto solidarizado ao corpo altera a posição do centro de gravidade deste, assim como *todas* as suas condições de movimento, pelo seu peso, pela sua forma e pela distribuição de seu peso dentro de sua forma — e, mais, pela forma que meu corpo é obrigado a assumir a fim de solidarizá-lo consigo.

Acredito que esse é o fundamento concreto e demonstrável de toda identificação. Ela é, ao mesmo tempo, individualizada e profunda, totalmente dinâmica (combinação de forças) e flutuante, pois os menores movimentos fazem variar as relações entre mim e o objeto. Enfim, há algo idêntico ao longo de toda a relação que é a condição básica do equilíbrio: que o centro de gravidade comum se mantenha sempre, quando projetado verticalmente para baixo, dentro do polígono de sustentação comum.

Creio ser esse o fundamento de nosso *sentimento de unidade* com o objeto. Enquanto em relação concreta com coisas materiais, de algum modo e em certa medida eu me faço o objeto e o objeto se faz "eu". Gosto de dizer que a pessoa se coisifica e o objeto se personaliza — ideia corrente em muitos textos contemporâneos, sempre sugestiva e obscura. A fórmula proposta é menos obscura.

Vamos fazer variações sobre o tema a fim de deixá-lo claro e, ao mesmo tempo, apreciar sua extensão.

Ao me solidarizar com um objeto, sinto em mim seu peso e sua forma, que alteram meu equilíbrio justamente porque são *esse peso* e *essa forma*. Se o objeto tivesse outra forma, outro peso ou outra consistência, eu o "sentiria" de outro modo.

Sinto que sou um com o objeto. Basta ter nas mãos um copo d'água bem cheio e dar alguns passos para ver que é assim. Sou o copo. Todo meu esforço, tanto consciente quanto inconsciente, se organiza no sentido de manter harmônica essa relação. Sei que o copo não se equilibra sozinho, muito menos a água dentro dele. Ao compensar com precisão e perfeição o equilíbrio do copo e da água, exerço a cada instante atividades *rigorosamente complementares* às propriedades físicas do copo e da água. Esforço-me cuidadosamente para impedir que o copo caia, não deixando a mão fazer-se muito mole — ou muito dura — porque então cairia a água. Ao segurá-lo, mantenho a mão envolvendo-o segundo sua forma cilíndrica, e com isso a mão se faz cilindro também. De vidro também, como água também. Impeço a formação de ondas na água, opondo-me às suas oscilações, e então experimento em mim, de algum modo, as ondas cuja formação estou impedindo. A esse conjunto complexo de relações denomino, para uso pessoal, "compor-se com o objeto", muito preferível, ainda que menos sugestivo, a "identificar-se com o objeto". Essa composição, apreendida subjetivamente, é o *ego*.

Composto com o objeto, a tal ponto sinto-me um com ele que, se a água cair, eu me esparramo. Levo um susto e comporto-me como se tivesse sido minha a queda e o esparramar-se. A água não vale o susto, bem o sabemos, nem o dissabor de limpar o chão. Esse susto, tão familiar a todos, não tem explicação objetiva. É um medo por participação. Como copo, enquanto copo, "eu" caí — e me esparramei. Com maior precisão posso dizer: o "eu", que *era a relação* instável entre olhos-mão/copo-água, de súbito se desfez — o eu se dissolveu instantaneamente; "alienei-me" durante alguns segundos.

Além de uma composição de centros de gravidade e de forças, algo mais ocorre ou pode ocorrer quando nos pomos em contato concreto com objetos materiais. Acenei para a questão ao falar em "centro de impulso". A expressão me pareceu sugestiva por combinar com felicidade o físico, o biológico e o psicológico. A expressão mais exata seria "ponto de aplicação da resultante das forças do sistema em cada instante". Temos nosso peso global, distribuído por nossa forma anatômica, de acordo com a Tabela 2 (p. 89). Convém saber o peso de cada segmento do corpo devido à independência relativa dos movimentos e posições de cada uma dessas partes. Nosso peso age como um conjunto de vetores, todos dirigidos verticalmente para baixo, cada um deles com um valor proporcional ao peso da parte considerada. Nosso peso é uma força que chamarei de passiva. Também é passiva nossa inércia; além de passiva, ela é variável, dependendo não só da massa do segmento considerado como também de sua velocidade e aceleração a cada instante. Enquanto massa e peso, somos uma "coisa"; somos matéria inanimada. Mas há em nós os músculos, cada um deles atuando como vetor, e seu conjunto em cada momento, admitindo uma resultante. Essas são nossas forças ativas, vivas. Nossos músculos não só movem a si mesmos e às alavancas ósseas às quais se prendem como movem todo o nosso peso e toda a nossa massa. O peso de nosso corpo todo — músculos inclusive — age continuamente em reação às *ações* musculares. As relações entre o centro de gravidade e o centro de impulso me parecem muito variadas e importantes, mas não me sinto capaz de elucidá-las senão em uns poucos casos particulares.

Outro exemplo. Se, ao serrar uma tábua, o serrote inesperadamente deslizar macia e facilmente pela fenda, eu me desequilibro e, também aqui, levo um susto. "Joguei" o braço com muita violência e sua massa mais sua velocidade perturbaram meu equilíbrio estático.

APOIO SIGNIFICA MURO

Se estou com as costas apoiadas em um muro, resisto muito bem às forças que vêm pela frente. Posso então fazer muito mais força do que se estivesse simplesmente em pé. Esse modelo mecânico nos esclarece aspectos do apoio psicológico ou moral, tão obscuro. É o caso típico do "filhinho de papai", dado a desmandos porque sabe que papai o "apoia", que papai "está atrás" dele, emprestando-lhe a força de seu prestígio ou de seu dinheiro. Esse indivíduo acaba chegando a conclusões muito errôneas sobre as próprias forças e, daí em diante, estará permanentemente "deslocado" — fora do centro. Todo apoio tem essa função: ele nos permite fazer mais força do que faríamos sem ele, *mas sempre em direções preferenciais* e nunca em todas as direções. Sacrificamos o todo por uma ou poucas de suas partes. Sabemos todos que não existe apoio gratuito. A questão do apoio está ligada à especialização, qualquer que ela seja, e a toda participação e solidariedade de um indivíduo com a família, o grupo, uma pessoa, uma teoria, um sistema ou um credo. O tipo de apoio e a distribuição de forças, em todos esses casos, devem ser análogos, como análogas devem ser as deformações tensionais crônicas consequentes. Análogas ao modelo do muro — ou da muleta.

CENTRO DE IMPULSO

O centro de impulso, sendo o representante virtual de esforços musculares ativos, que exigem alguma espécie de atenção e produzem sensações numerosas, é algo mais próximo da consciência que nossa massa e nosso peso; aliás, essas duas grandezas só são percebidas com clareza quando se opõem ao movimento. Por isso, o centro de impulso poderia denominar-se também "centro de atenção", sendo a atenção consciente ou inconsciente.

"Sonhei que assistia a uma aula de psicologia e matemática ao mesmo tempo. O professor, em certo momento, estava sentado atrás de mim. Não sei dizer o que ele fazia, mas era mais ou menos como se chegasse mais perto e como se depois fosse cair para a frente, de algum modo passando por cima de mim. Eu avançava a minha cadeira para que isso não acontecesse."

Ouço sem comentários. Logo a paciente prossegue, com um relato aparentemente sem relação com o sonho.

"Sabe, doutor, um dia antes ou um dia depois desse sonho, não sei ao certo, senti uma coisa incômoda que durou bastante tempo. Saí à tarde para fazer compras e, pouco a pouco, fui ficando aflita e impaciente. Tinha a *sensação de estar andando muito depressa*, tanto na hora como algum tempo depois, ao recordar o fato. No entanto, meu andar sempre foi lento, quase indolente. E sei que naquele dia estava andando assim, devagar. Aos poucos foi se fortalecendo em mim a ideia de que minha casa era um refúgio que eu deveria alcançar o mais depressa possível. Havia uma vaga e desagradável sensação de estar sendo seguida, quase perseguida. Chegar em casa foi um alívio.

Ouvindo o relato, fiquei pensando na maneira de andar da paciente. Eu a via andar frequentemente, porque frequentemente ela andava no consultório. Como este é pequeno, ela andava pouco de cada vez, geralmente devagar, e eu podia observar bem o seu modo. Além disso, por duas ou três vezes eu a vira na rua, por acidente, e me detivera para vê-la melhor.

Seu andar apresentava de característico a posição avançada da bacia e a posição recuada dos ombros. Muito característico. Também ao se sentar, era bastante comum que a paciente, na poltrona confortável, deslizasse a bacia para a frente, para a beirada do assento; punha depois os ombros para trás e o peito para a frente, num movimento muito evidente, que a levava a uma posição capaz de chamar a atenção até mesmo de alguém desprevenido.

Esses dois modos típicos e concordantes de andar e sentar-se estão claramente representados no sonho — algo atrás, que a obrigava a avançar a cadeira em que estava sentada. O sonho representa visualmente a atitude de quem avança as *próprias* cadeiras. Só o movimento e a atitude criam a imagem; criam algo atrás e criam algo sob o corpo, respectivamente o professor e a cadeira. Logo examinaremos a confirmação desse modo de ver.

Pensei nessas coisas e procurei imitar eu mesmo esse modo de andar. Logo tive a sensação, ao compor tal atitude, de estar descendo uma ladeira. Solicitei à paciente que ficasse em pé sobre o divã basculante — sem sapatos. Inclinei o divã para que ela se sentisse fisicamente em um plano inclinado para a frente. Meu "divã" é um plano de apoio de 2 m x 80 cm, com recursos vários que podem fazê-lo subir, descer, oscilar e mais.

— Que tal?

— Estou bem. Muito bem.

— Você anda de salto alto?

— Ando. Sempre que posso. Até em casa, às vezes, eu ando de salto. Sinto-me mal sem eles.

Explico a ela o que havia achado de seu modo de andar e peço-lhe que ande um pouco, exagerando esse modo. Ela o faz. Logo comenta:

— Sabe, de mocinha minhas amigas diziam que eu tinha as nádegas muito salientes; eu me esforcei bastante por diminuí-las e então, acho, comecei a andar assim.

— Bem, uma coisa é o começo, outra a função atual. Muitas vezes aqui, quando você andava, ocorreu-me que você parecia um de meus filhos quando passa perto de mim depois de uma travessura. Passa recolhendo o traseiro, para não levar uma palmada. Seu modo de andar é similar. Quanto essa atitude, determinada por estética, terminou contribuindo para gerar em você um certo medo de ser punida? Ou vice-versa?

— Não sei...

— Esse medo existe, nós o encontramos muitas vezes, não?

— É...

— Outra coisa. O avanço da bacia adianta a posição habitual de nosso centro de gravidade quando estamos em pé. Fazemos com o corpo como se estivéssemos descendo uma rampa — como eu fiz você experimentar há pouco. Não é?

— Sim.

— Você não acha que numa rampa, mesmo se descemos devagar, temos a impressão de estar andando depressa? Não é clara a sensação de que estamos "nos segurando" com certa impaciência? Não nasce em nós o desejo de largar o corpo e deixá-lo correr mais e mais?

— É...

— Não foi isso que você sentiu naquele dia?

— Foi!

— Quem anda com o centro de gravidade adiantado sente-se puxado ou levado, não?

— Pode ser.

— Pode ser, não. Experimente.

Ela experimenta.

— Pode ser.

— Você não se sentia levada ou puxada para casa? Sua casa não lhe parecia um refúgio, um lugar onde você poderia *parar*?

— É mesmo!

— Resta a sensação de estar sendo seguida ou perseguida. Quem está sendo realmente seguido dispõe-se a correr, fica preparado para disparar, certo?

— Certo.

— O primeiro movimento que fazemos antes de correr é avançar o centro de gravidade do corpo. Curioso, não?

— É. Mas tem uma falha no que o senhor está dizendo.

— Qual é?

— Se eu ando sempre desse modo, por que só nesse dia é que me senti assim?

— Como você explicaria o fato?

— Eu? Eu, nada. Quem explica é o senhor!

— Vamos tentar. Em que pé estão as suas relações com o seu namorado?

(Ela é casada.)

— Mal. Não quis telefonar para ele esta semana, apesar da insistência dele. Não tenho coragem. Ele me atrai muito e eu não sei o que fazer.

— Ele atrai você?

— Sim.

— Como sua casa, o seu "refúgio" naquele dia?

— É...

— Onde você o encontrou a primeira vez?

— Na rua, fazendo compras...

— Vê?

— Vejo! Vejo muito bem!

— Vê muito mal. Você vê a roupa, mas não vê o corpo. Você viu que desejava encontrá-lo, mas não percebeu claramente o que a impediu de fazê-lo. Afinal, o que você queria, naquele dia, era chegar à sua casa e não se encontrar com ele. Certo?

— Certo.

— Você estava fugindo dele, não?

— Certamente!

— Fugindo, isto é, sentindo-se como alguém que é perseguido, não?

— É mesmo!

— Pronta para sair correndo, se ele aparecesse...

— É capaz.

— É bem capaz, garanto.

— Não precisa garantir, eu sei.

— Naquele dia você devia estar andando com a bacia mais adiantada que de costume. Por isso aconteceu a sensação. Mas há um elemento a mais: um de meus garotos — lembra-se? — fugindo de traseiro, a fim de não levar palmadas?

— Sei. O que isso tem que ver comigo?

— Você não acha que seu namoro é proibido?

— Acho. E daí?

— Não receia um castigo?

— Pode ser.

— Acho que você temia estar sendo seguida por alguém — papai, quem sabe; alguém pronto a lhe dar umas palmadas se, em vez de ir para casa, você fosse se encontrar com o namorado. Não percebendo seu corpo, que numa só atitude compõe toda uma história, você se perde na história. Bastaria a você ter recuado um pouco a bacia e seus sentimentos desagradáveis se teriam desvanecido... Bastava, como diz o sonho, "não avançar a cadeira". Nosso centro de gravidade, quando estamos em pé, situa-se na bacia.

— O senhor acha que bastava recuar a bacia?

— Acho.

— Já que o senhor é tão sabido, por que não completa a interpretação do sonho?

— Como assim?

— O professor de psicologia e matemática, por exemplo.

— É bem possível que ele seja meu primo. Afinal, ele ou eu temos feito bastante força empurrando você para o seu namorado, não?

— É...

— Olha, há bastante semelhança entre "ser atraído" e "ser empurrado". Seu namorado "atrai" você, eu "empurro". Mas nós dois fazemos avançar o seu centro de gravidade — sua "cadeira".

— Bem, doutor, o senhor gosta de ser positivo. Afinal, eu não sonhei com o senhor e o senhor, enquanto eu sonhava, não estava lá me empurrando, estava?

— Não estava.

— Então, quem é o professor do sonho?

— É o amor.

— O quê?

— O amor. É o amor que está te empurrando, não? Eu apenas ajudo...

— É..

Seis meses após essa entrevista, durante uma palestra que nada tinha que ver com o caso exposto e sem que a paciente ou eu nos recordássemos dele, ela comenta, ao fazer seu relatório habitual sobre as coisas acontecidas no intervalo das entrevistas:

— Hoje comprei este sapato, baixo e feio. Gostei demais dele. Quando comprei, ao meu lado estava um casal. A moça, tomando nas mãos esses mesmos sapatos, comentou com o companheiro a coragem que as pessoas têm de comprar e usar essas coisas horríveis. Em outros tempos, bastaria isso para me fazer desistir da compra. Hoje não; em nada me afetou. Sabe, há bem uns quinze ou mais dias só uso sapato de salto baixo. Já estou até esquecendo meu velho hábito e nem compreendo mais por que eu gostava tanto de usar sapato de salto alto...

A paciente não percebeu a relação entre o que dizia e a entrevista que descrevemos; mesmo quando a lembrei do fato, mostrou-se meio descrente, mal recordando o que fora dito e feito seis meses antes.

No intervalo, a paciente tinha dado uma virada fundamental em relação ao tratamento e à vida, após *anos* de trabalho minucioso, penoso e aparentemente pouco fecundo. Em mais ou menos dois meses, transformou-se de empertigada, desdenhosa, distante, formal e fria em afável, cálida, espontânea e gentil. Um longo período de preparação culminara com esse resultado, que, como ela disse, ocorreu bastante rápido, "de uma só vez". A mudança no salto dos sapatos, por sua vez, coincidiu marcadamente com o período crítico. Seria francamente absurdo pensar em coincidência.

Resta algo a examinar. A paciente disse que a sensação de andar depressa subsistia na recordação do fato, *recordação* ocorrida em casa. Só há uma explicação para isso: mesmo em casa, subsistiam aquelas tensões que causaram a sensação. Psicologicamente, podemos recorrer a uma frase clássica: ninguém pode fugir de si mesmo. Em casa, porém, a sensação não podia mais ter a forma que assumira na rua — seria, nesse caso, francamente absurda e por isso assustadora. Mas, permanecendo, a disposição tensional alimentava ou *produzia* a recordação.

O GESTO E A HISTÓRIA

Para mim, a afirmação mais importante desse relato é a seguinte: "Não percebendo seu corpo, que numa só atitude compõe toda uma história, você se perde na história".

É difícil mostrar esse ponto com clareza porque ele é *inerentemente* obscuro. Podemos supor que a ocorrência principal tenha sido de fato o avanço maior do centro de gravidade; a consequência mais importante para a consciência, foi a *sensação* de "estou pronta para fugir", proveniente das múltiplas tensões que compõem a atitude. Tudo mais que a pessoa sentiu e pensou — sobretudo pensou — decorre daí. Sensação de estar andando depressa, desejo de chegar à casa e, num plano menos consciente, ideias vagas sobre o namorado, castigo, perseguição. Tudo isso é *construído sobre a preparação inconsciente do corpo*. Digamos de outro modo: se nos fosse dado *provocar* em alguém aquela atitude de "pronta para fugir", imediatamente acorreriam à sua mente vagas "explicações" para seu "desejo"; a pessoa comporia com certeza um pequeno ou um grande romance para situar seu sentir e, sobretudo, para *orientar-se* verbalmente dentro dele.

Se, andando sossegadamente pela rua, sinto, como que caída do céu, a impressão de "vou fugir", preciso de uma educação psicológica e de um controle superlativo para *certificar-me* do fato e nada mais. As muitas explicações que podem nos vir à mente, todas elas ligadas a uma só atitude, provêm do fato de que todas as nossas atitudes, até o instante que precede a ação, não se definem com precisão completa. Ante a *sensação interna*, elas são relativamente vagas e ambíguas, cheias de possibilidades diferentes ou divergentes. Isso se deve em parte ao fato de serem sempre equívocos os *sentidos* das tensões de nossos vetores, uma vez que o sentido de cada um deles depende do conjunto tensional ativo no momento.

Experimentamos tal estado como vivência consciente sempre que nos sentimos indecisos, sempre que nos vemos obrigados a decidir sobre uma questão antes de ter elaborado uma *atitude determinada* diante dela. O que nos faz hesitar e constitui a própria função da hesitação é isto: a falta e a formação de uma atitude. Quando esta "fica pronta" — apta a apoiar uma *ação determinada* —, cessa a hesitação. Toda atitude apenas esboçada é equívoca por mais uma razão: pelo fato de se compor de tendências opostas. Por isso a hesitação se experimenta na forma de *oscilação*, de um lento ou rápido ir e vir de um centro a vários pontos — uma estrela de percursos mentais. Cada um desses percursos é um dos temas do romance que então se desenrola em nossa mente.

Temos uma confirmação indireta da explicação no fato de, *uma vez em casa, a sensação depressa ter-se transformado em recordação*. Manter dentro de casa aquele sistema de orientação elaborado na rua — "devo chegar em casa" — tornar-se-ia agora impossível. Era preciso mudar uma das pontas da estrela. Em algum lugar da paciente talvez estivesse agindo a direção "vou procurar meu namorado". Aí deve ter ocorrido uma repressão em sentido próprio — não aceitação dessa tendência

— e por isso a sensação se transformou em recordação — recordação "muita viva", segundo a paciente, o que mostra que a sensação subsistia.

Ao ler a descrição que fizemos, um leitor saudavelmente ingênuo poderia ter a seguinte impressão: "Muito bem e muito interessante, mas essa entrevista psicoterápica mais parece — como estava no sonho — uma aula de matemática. Será que explicações desse tipo interessam à paciente e a ajudam? É muita teoria! Muito abstrato, muito fora de tudo que estamos acostumados a pensar e sentir. Mesmo admitindo-se que seja verdadeiro, será que tais explicações são terapeuticamente úteis?

Que o leitor se dê conta de estar lendo um relato verbal, no qual se faz muito mais fácil reproduzir *o que foi dito* do que aquilo *que foi feito e experimentado*. Se o leitor voltar à entrevista e cronometrar quanto dura o diálogo escrito quando lido como peça teatral, verá que não vai além de quinze a vinte minutos. Ora, a entrevista durou cinquenta minutos. Logo, muita coisa que no escrito durou pouco de fato durou muito mais. Houve longos momentos de silêncio, durante os quais eu ou a paciente vagarosamente experimentamos posições de corpo, maneiras de andar e maneiras de sentir. No decorrer da entrevista, muitas frases que lidas *depois* parecem bastante teóricas soavam, na hora, como pura descrição de uma experiência atual.

Não costumo dar "aulas teóricas" no consultório e, quando elas são dadas, raramente duram mais de cinco minutos. Nelas, passo logo de uma afirmação abstrata a comparações fáceis de compreender (ladeira, empurrar, "cadeira" no duplo sentido de móvel e parte do corpo etc.). Depois, convido o paciente *a sentir o próprio corpo, suas tensões e tendências*, as espontâneas e as induzidas; estas provêm de ações ou posições que solicito ao paciente que as faça ou assuma — ações e posições que figuram num sonho, num sintoma, numa de suas atitudes habituais ou em certas deduções minhas. Dou grande valor terapêutico a esse contínuo chamar a atenção do paciente para seu corpo, considerando todas as demais "técnicas" meios para atingir esse fim. Nesse sentido, a teoria também é um meio quando usada a modo de explicação no consultório.

Já que ilustramos um conceito com um caso clínico, façamos o mesmo com a noção de centro de gravidade. Reproduzo a seguir, quase sem alterações, um pequeno ensaio escrito há bastante tempo.

A CRIANÇA NO COLO

Sentado com meu filho de 7 meses no colo e vendo como ele se movia imprudentemente, de posição extrema a posição extrema, ocorreu-me que uma prévia suposição minha era falsa: a de que até 1 ano (a idade da marcha) a criança não podia ter problemas de equilíbrio, pois que não parava em pé.

Eu acabava de descobrir algo importante para mim: *quem tem o problema do equilíbrio da criança é a pessoa que a carrega*, ao modo como antes descrevemos.

Essa afirmação empresta substrato concreto ao enorme problema do "apoio moral" ou psicoterápico; dá sentido concreto às expressões *"apoiar-se* em alguém", "repartir com alguém *o peso* das preocupações", "carregar o *peso* das obrigações", *"apoiar-se* na autoridade", "estar bem *amparado* pela força dos princípios", *"confiar-se* à lei", *"abandonar-se* à providência divina", *"descansar* nas verdades aceitas" etc.

Isto é, em suma, carregar ou ser carregado por coisas ou pessoas.

O garoto fazia coisas imprudentes. Estirava-se além do plausível, revirava-se e movia-se como um macaquinho entre galhos ou um peixinho num aquário. Eu era "galho" e "água" para ele.

De há muito já suspeitava haver nos elos pessoais um elemento relativo ao equilíbrio. Agora descobria o elemento em falta — muito claro e muito convincente no caso da criança.

Logo depois, comecei a recordar coisas comezinhas sobre o feto, a criança e o adulto.

O feto existe na água, envolvido por vísceras. É carregado durante toda a gestação. Por isso, ao nascer, não estranha a instabilidade do colo. Regra geral, o adulto teme essa instabilidade como teme os movimentos análogos que ocorrem em um avião, em um navio ou em um automóvel.

Muitas pessoas carregam a criança pequena com demasiado receio ou cautela, como se *elas* estivessem sendo carregadas ou, ainda, como se carregassem a si mesmas com o mesmo receio.

O único deslocamento que parece assustar o recém-nascido é o movimento brusco, o que ele não experimenta no útero senão quando a mãe leva um tombo. Estando o feto envolvido de amortecedores e sendo movido pela água e com a água, provavelmente nunca sente as acelerações bruscas como tais.

A criança de poucas semanas só teme os movimentos bruscos. Basta amortecer a "partida" e ela tolera muito bem qualquer movimento em qualquer direção *que não a vertical*. Falta-lhe então a sensação de apoio ou de contato. A criança assusta-se. Diz-se que um dos medos graves do recém-nascido é o de cair. Não duvido que, dito assim, pode-se eludir o principal. Aquilo que o recém-nascido teme é "perder o contato" ou "sentir-se no ar". Se abraçamos firme e amplamente uma criança de poucas semanas, podemos movê-la à vontade. Se a seguramos com as mãos apenas — isto é, com um pequeno contato em relação a seu corpo —, o simples estar imóvel assim parece deixá-la prevenida, e qualquer movimento a assusta. O útero oferece à criança um contato global, mole, móvel e cálido, qualquer que seja a posição em que ela se encontre. Não é essa a essência da "mãe boa"?

ÚTERO, BERÇO E COLO

O que acontece após o nascimento? A criança passa a maior parte do tempo no berço, quase sempre de costas, mas uma parte não desprezível desse tempo ela passa no colo.

Contrastemos as três situações: útero, berço e colo.

O berço oferece um contato semitotal, isto é, apoio dorsal firme e ventrolateral leve (roupas); geralmente oferece calor; também moleza (roupas, colchão). Mas note: desde já as faces laterais do corpo são as menos contidas. Acho que isso tem alguma relação com o fato de as pessoas sentirem cócegas nas axilas e nas faces laterais do tórax.

A uma observação fina, é fácil notar que as faces laterais do corpo oferecem à consciência um modo particular de ser sentidas.

O berço não se move, ainda que a criança se mova no berço. Mas ela não se move à vontade, porque agora a gravidade atua e ela não pode ficar mais "como quer"; fica "como pode". De início não tem força nem jeito para virar-se. Mas acho que ela não deve estranhar muito a restrição, dado que nos últimos três meses de gestação já esteve bem tolhida por ser grandinha.

No útero não há problemas de equilíbrio para a criança. Seu equilíbrio (cair ou não cair) é o da mãe. No berço há, mas a criança, não tendo modos de se mover amplamente, não pode experimentá-lo senão em forma limitada.

No colo, o equilíbrio da criança *volta a ser uterino* — em parte. Seu equilíbrio *confunde-se com o da pessoa que a carrega*. Acredito que desde muito cedo a criança comece a sentir as diferenças de equilíbrio de várias pessoas, assim como os vários jeitos de ser tomada no colo ou de combinar sua forma e suas forças com a forma e as forças do adulto. Não parece difícil admitir que a criança perceba se a acolhida é dura ou mole, ampla ou estreita, se o equilíbrio é "de confiança" ou não, tanto o próprio (se os braços que a contêm oferecem apoio estável) quanto o da pessoa que a carrega (se esta se equilibra com facilidade e maciez ou se é dura e prevenida). Provavelmente a criança não separa esses dois equilíbrios, mas convém fazê-lo. Aliás, só a inteligência os separa, porque eles são efetivamente uma coisa só, no sentido de um se fazer impossível sem o outro.

Não duvido de que a criança distinga os vários modos de ser carregada e, em razão dessa distinção *sensorial*, avalie de algum modo a relação do adulto com ela — em ato.

Nessa linha, creio ser possível dissipar certa mitologia que existe sobre as "misteriosas" aptidões que teriam as crianças de perceber se mamãe as ama ou odeia, aceita ou rejeita — e vice versa. Além do som da voz, temos aí maneiras de os próximos comunicarem aos pequerruchos sua disposição em relação a eles.

O AMOR ESTÁ NO JEITO

A mãe amorosa tem modos diferentes dos da mãe indiferente, ansiosa, superprotetora ou rancorosa. Na presença da criança e em contato com ela, esses modos maternos se exaltam, tornando-se fácil para o pequeno "sentir" a disposição materna pelo tipo de movimento que a a mãe lhe transmite. Não basta dar bons conselhos às mães — sabemos bem. O problema não é fazer esta ou aquela ação; é a maneira de fazê-la, qualquer que ela seja. Nessa *maneira de fazer* é que vai a essência do amor materno.

Desde cedo, em nossa civilização, muitas crianças passam parte apreciável de seu tempo em carrinho, maciamente levadas de cá para lá, balançando e trepidando um pouco.

Já amadurecida em seu sistema nervoso, a criança começa a *parar sentada*. Semanas depois consegue engatinhar, cada qual a seu modo; algumas andam de quatro mesmo — talvez as mais naturais; outras *andam* sentadas — quiçá futuras orgulhosas... Mais algumas semanas e a criança, que de há muito já vinha treinando, consegue parar em pé e, depois, pôr-se em pé. Nessa etapa, o agarramento adquire nova função muito importante. Só por volta de seu primeiro ano de vida completo o bebê consegue andar. Tem-se falado demais da dependência humana na infância. Está implícito — mas convém deixar bem explícito — quanto essa incapacidade é acima de tudo *motora*, e nela ressalta-se a impossibilidade de translação, de locomover-se. Tal maturação, dita "retardada", *não será um sinal seguro de que aquilo que amadurece é complexo, delicado e difícil*? Não dando valor a nosso aparelho motor, não vemos depois por que ele demora tanto para amadurecer. Creio que se pode ligar com certeza a prolongada dependência humana à ortostática, ou à maturação lenta do aparelho de equilíbrio.

COMO MEDIR A REGRESSÃO

Fiz uma descrição mais ou menos completa do desenvolvimento dos modos de estar e mover-se da criança, a fim de ampliar a noção de *regressão motora*. Com esse resumo, dispomos de uma *escala* para avaliar regressões quando elas se propõem em clínica — sobretudo nos *sonhos*.

Afora os sonhos "uterinos", já bem conhecidos, há os sonhos com o berço; comparado com o útero, este parece caixão, sepultura, gaveta, cubículo, cova. Genericamente significam: "Nasci, mas ninguém cuida de mim; deixam-me no berço, onde só sinto coisas impessoais na pele (roupa) e forças impessoais em torno de mim, a gravidade 'prendendo-me' de todos os modos, opondo-se a tudo que quero ou necessito". Lembrando o carrinho e aquelas pessoas que carregam a criança ao modo de "robôs" — modo duro, batido, geométrico —, são muito frequentes os sonhos com veículos vários. Dizem sempre que a pessoa está sendo levada por compulsões automáticas, que sua vida está sendo organizada e dirigida primariamente por aquilo que em nós é impessoal, porque mecânico. Veículos em sonhos são sempre retrato do tônus postural dinâmico, assim como aquilo que nos cerca ou limita (a casa, o elevador, o caixão, o buraco) é o retrato visual do tônus postural estático. Os primeiros mostram as tensões alternantes que nos movem; os segundos, as tensões que nos mantêm eretos.

o colo, há os sonhos nos quais a pessoa se senta. Mais frequentemente, vê no colo uma criança que não é ela. O colo com o qual se sonha significa que, adormecido, o sonhador percebeu seu relaxamento, suas "forças de abandono". Ficou entregue a si mesmo e percebeu o fato pela imagem do sonho. Mais precisa e analiticamente: houve um relaxamento dos músculos ligados à vontade, representados no sonho pela criança; não houve, porém, o relaxamento do tônus postural — muito mais involuntário —, representado no sonho pelo adulto que segura a criança. Essa é a clarificação daquela obscura expressão: "entregue a si mesmo". O colo não aparece em sonhos apenas na forma explícita de colo; surge também na forma de poltronas macias, cadeiras almofadadas, assentos de veículos.

Raramente ouvi sonhos em que o sonhador engatinhava; essa forma típica da locomoção humana em certa época da vida aparece quase sempre alterada em relação ao original; ou a pessoa se vê em situação de troca de agrados — os seres humanos trocam agrados sensuais principalmente quando deitados e então "engatinham" caprichosamente —, ou aparece o engatinhamento em forma de *animais*. É importante desvendar esses sonhos, porque "estou engatinhando" significa, neles, que certas atitudes esboçadas estão sendo ensaiadas. É preciso revelá-las melhor, ir ao encontro de possíveis obstáculos e tentar removê-los.

A esses sonhos costumam seguir-se outros — suposto que o paciente esteja progredindo satisfatoriamente; sonhos de agarramento e de medo de altura, e estar em situações instáveis, precárias, vertiginosas. *Querem dizer que o paciente está tentando se pôr em pé.* Aqui também é preciso ajudá-lo, frequentemente com exercícios que os próprios sonhos propõem. Sem auxílio deliberado e inteligente, diversas atitudes novas e boas demoram muito antes de conseguir se articular com nosso aparelho de equilíbrio.

Em um tratamento que evolua de modo esquemático, podemos acompanhar satisfatoriamente o que está acontecendo pelas muitas figuras de posições e movimentos que os sonhos vão reproduzindo. Elas retratam a inativação de modos habituais de conduta e atitude, e a lenta maturação de novos esquemas de movimento e posição. Na primeira metade do ciclo prepondera a dissolução desses hábitos — a pessoa vai se "deitando" gradualmente, até terminar imóvel no berço ou no útero. Na segunda metade do ciclo, ela começa a "levantar-se" pouco a pouco, até finalizar novamente em pé. Creio que os sonhos retratam processos motores, porque esses processos mudam *efetivamente* ao longo do trabalho psicoterápico — quando tudo corre bem.

MÃE, FILHO E DIALÉTICA

Se é verdade que, no colo, a criança sente sua posição e translação como estáveis ou inseguras, cômodas ou constrangidas — conforme a organização das forças que a amparam —, é igualmente verdadeiro que o adulto, ao carregá-la, sente-a como algo que altera sua forma dinâmica habitual, ao solidarizar-se mecanicamente com ela.

A atitude do adulto muda ao carregar uma criança e, por essa mudança, ele sente a influência do infante. O clássico "orgulho materno" de que falam os obstetras, referindo-se à atitude que a mulher assume durante a gravidez, é um bom exemplo de como muda o modo de estar — e de ser — de uma pessoa por influência mecânica. A atitude orgulhosa decorre de que a mulher grávida inclina os ombros para trás, por ter de compensar o peso da criança, que está no hipogástrio.

Digamos também quanto essas experiências universais do infante humano estão ligadas à sua participação num sistema de forças — aquelas que solidarizam criança e adulto. Sublinhemos como são psicologicamente significativas essas primeiras experiências relativas ao modo de estar no mundo — enfim, quanto se tem descuidado desse aspecto da infância. Nossa dependência *mecânica* em relação a pessoas e coisas é algo de que *nunca* ouvi falar nos textos quer de psicologia, quer de biologia, quer de... física.

Certo sonho de colo que ouvi era assim: "Sonhei que o senhor tinha uma criança no colo. De algum modo, essa criança era eu". Entre outras coisas, esse sonho — eu sei — significa: "O que me *mantém* é o senhor; o senhor me *suporta* e me *carrega ou aguenta*; meu *equilíbrio* depende do seu; a vida me é mais *leve* por causa disso; não sei andar com as minhas pernas; não sei o que quero nem para onde vou".

Como se vê, traduzido em termos de *forças*, logo ultrapassamos o nível afetivo habitual e mergulhamos em cheio nos problemas vitais referentes ao modo de estar, de se conduzir e de se orientar na vida.

O PESO DAS OBRIGAÇÕES

Antes de deixarmos a criança no colo, façamos uma última pergunta: por que nasceram e por que usamos continuamente as expressões que repeti no exame do sonho, as quais já figuravam no início desta digressão? Por que aguentar, carregar, suportar pesos... morais? Por que "pesam" obrigações, princípios e deveres? Para mim, não existem analogias sem alguma semelhança real. No caso, creio que o elemento real da analogia verbal seja o *esforço muscular* que fazemos a fim de nos *obrigarmos* a cumprir nossos compromissos, deveres e princípios. Devemos imaginar esse esforço — porque é assim que o sentimos — *como aquele que fazemos para obrigar outrem, ou as coisas, a obedecer a certa norma, ou a se conformar a certo molde.* É preciso muito esforço *físico* para conseguir tal propósito.

Prossigamos com o estudo de várias possibilidades de relação mecânica do corpo humano com diferentes objetos do mundo.

INÉRCIA E EMPURRÃO

Consideremos uma pessoa em pé num trem de alta velocidade que faz uma curva; admitamos que ela está de frente para a locomotiva. Se nos ativermos às sensações provenientes das tensões musculares que então ocorrem espontaneamente, sentiremos que uma face do corpo "se transformou em parede" — a face voltada para a concavidade da curva. Essa soma de tensões não obedece de modo algum à anatomia; não é um músculo nem sequer um grupo de músculos que se contraem; só entram em tensão as fibras musculares diretamente situadas no plano de esforço (é pouco mais do que um plano). Forma-se em nós uma tábua que age impedindo a lateroflexão do corpo para a convexidade da curva. Na curva, um boneco humanoide com os pés presos ao solo cairia para a convexidade, começando pela cabeça.

Tão curiosa quanto a distribuição de tensões é a *resposta da consciência* à situação. Alguns, mais empertigados, mostram-se francamente ofendidos com... a força centrífuga. Por vezes iniciam contra ela uma luta pessoal, teimando, por exemplo, em pôr uma valise na rede da concavidade quando tudo no trem vai para a convexidade. Outros, mais humildes talvez, simplesmente se assustam e se agarram; depois da curva, talvez se sintam um pouco humilhados com sua pusilanimidade...

Há um terceiro grupo — crianças, mais provavelmente — que brinca ou se diverte com a curva, sentindo-se num parque de diversões. Tanto o empertigado quanto o assustado nos demonstram bem *até que ponto o "eu" se apropria da situação* — totalmente impessoal

— *e até que ponto se sente pessoalmente responsável por ela*. Nenhum fato demonstra melhor do que esse que o "eu" deve ser primariamente propriocepção, que a *atitude precede o estado de espírito*, que nos enganamos com nosso aparelho motor.

A mecânica pura — é bem o caso do trem e eu —, indevidamente personalizada, traz confusões sem conta para a vida e a mente das pessoas. *Indevidamente personalizada quer dizer que eu apreendo a situação mecânica como se ela fosse intenção de alguém, e respondo a ela no mesmo pressuposto.*

Mais um exemplo: tomemos de um peso — um tijolo — e procuremos mantê-lo suspenso com o braço posto na horizontal do plano frontal do corpo. Posso então sentir em mim os vários esforços — os muitos vetores — que se compõem a fim de tornar possível o gesto. Ao vetor deltoide, no ombro, que mantém o braço na horizontal, corresponde um reforço nos "pilares" da torre, um na face lateral do corpo oposta ao peso, outro do mesmo lado, junto à coluna dorsal; a perna do lado do peso se endurece; a outra relaxa em parte. Ao fazer uma ação simples, obtive ao mesmo tempo um retrato *sensorial* dos esforços em jogo. A *propriocepção desenha a mecânica*. Alguém disposto a isso poderia estudar mecânica e deduzir todas as suas leis simplesmente *sentindo-se* enquanto parado ou em movimento.

Generalizemos um pouco alguns aspectos comuns a todas essas experiências.

A FORMA DO ESFORÇO

Em todas elas, as tensões tendem a ser ou a desenhar esquemas geométricos de esforços, bastante independentes da anatomia muscular. Pode-se e muitas vezes se deve falar em "linhas", "planos" ou "volumes" de esforço (cilíndricos, cônicos, piramidais; no plano, triângulos, losangos, quadrados). Parece fácil passar dessas *sensações* para certas formas de arte contemporânea, em particular o cubismo, o abstracionismo e demais escolas que primam pelo esquemático e geométrico. Parte importante da arte moderna estuda, sabendo ou sem saber, nossas sensações musculares e — remotamente — nosso modo de relacionamento dinâmico com o mundo.

É incrível como se contraem apenas as unidades motoras diretamente situadas nas linhas de esforço. Temos aqui uma pura abstração... realizada. É impressionante e importante quanto essas tensões podem ser sentidas apenas como *necessárias*, sem mais; sua tonalidade afetiva é precisa e exclusivamente esta: sentimento de necessidade. Kant diria: imperativo categórico. A habilidade ligada à necessidade nos traz à mente — se a deixarmos aberta — uma noção mais complexa, que talvez pudesse caber nesta fórmula: "Algo maior do que eu me move melhor do que me seria dado fazer, se eu quisesse".

Diante desse esquematismo, logo pensamos em certo brinquedo e, ao mesmo tempo, em certa comparação verbal muito comum: os fantoches, bonecos com forma de gente movidos por cordéis — "fios do destino", "mover os cordéis", "estar nos bastidores". De muitos modos somos bonecos e, se nossa inconsciência for muita, no dia em que nos dermos conta do fato poderemos levar um grande susto. Personalidades mais simplórias começam então a desenvolver um "delírio de influência", no seu esforço de compreender a inteligência astuta e precisa que nos move. De forma não persistente, esse delírio existe em todos e aparece sempre que procuramos compreender por que "fomos levados" a fazer isso ou aquilo.

Nós não somos só músculos, mas tudo que atua em nós atua por meio dos músculos e aí pode ser percebido.

Quaisquer que sejam as mãos que nos movem, elas o fazem com cordéis, e sem eles a mão não influi sobre nós. Não podemos ver nem conhecer a mão, mas aos fios nos é dado percebê-los se tivermos o trabalho. Além do mais, pergunto: dados os fios e suas trações, não podemos por meio deles conhecer a mão que nos move? Afinal, entre essa mão misteriosa e nosso corpo existem correspondências muito estreitas; a cada movimento da mão corresponde um movimento do corpo. É tal a correlação (tão estreita) que por vezes nos perguntamos o que move o quê.

A fim de que esses fios não pareçam por demais comparação literária, recordo aqui certa personalidade estranha de que cuidei longamente. Para ela, esses fios nada tinham de comparação. Não apenas os sentia e se embaraçava e cuidava deles como também os *via*, principalmente aqueles que se prendiam aos pés e que dos pés avançavam, paralelos, para a frente, até o infinito.

Lembro também um sonho meu: era um aeromodelo que fazia a volta ao mundo, despertando a atenção popular. Em certo momento, eu o via voando baixo, com dois fios no lugar dos motores; esses fios, como os da paciente, eram paralelos e avançavam para a frente a perder de vista.

As tensões que se ativam em nós quando estamos em relação com objetos são, pois, esquemáticas, necessárias e abstratas, no sentido de retratarem apenas as forças da relação; por isso me apraz qualificá-las de impessoais. Vimos também que durante a relação o objeto me coisifica, aliena ou despersonaliza, enquanto eu o vivifico, personalizo ou humanizo. Daí o termo.

Aprofundemos o exame do momento da relação — agora em termos psicológicos e filosóficos. As expressões coisificar e personalizar são úteis e sugestivas, mas não exatas; além disso, trazem implícita uma quantificação perniciosa. Logo imaginamos certa dimensão entre o sujeito e o objeto; quando está "um pouco para cá", então eu me coisifico; se estiver "um pouco mais para lá", então "prepondera" a vivificação.

Convém evitar quantificar a qualidade, pois esse é o começo do fim da qualidade, a qual, ao se transformar em número... se despersonaliza!

Diziam os escolásticos que "pela inteligência o homem pode ser ou se fazer todas as coisas". Os escolásticos, como Freud, ignoraram grandemente o corpo em geral e os músculos em particular, ainda quando falassem, os primeiros, num certo "senso comum" que se aproxima notavelmente da propriocepção. A "inteligência" dos filósofos medievais contém muito mais carne do que convém a uma filosofia espiritualista.

ETIMOLOGIA

No *Dicionário de raízes e cognatos da língua portuguesa*[12], encontramos a raiz TEND, "que se estende ou se projeta", com as variantes TENS, TENT e TENÇ. Como palavras derivadas, reproduzo as seguintes, das muitas que lá estão: tender, entender, tenda, tendão, tensão, extensão, entesar, atento, intento, tentar, intenção, atenção.

Aí estão os termos mais importantes e frequentes entre os que empregamos sempre que nos referimos a processos ou atitudes intelectuais. Dentre os altos dignitários da inteligência, entremostram-se três curiosos rufiões: tenda, tendão e retesar, o primeiro cheirando a deserto, feira ou circo, o segundo, a açougue, e o terceiro, a soldado ou bandido — arco e flecha. Pior do que isso, os altos dignitários provavelmente descendem dos três rufiões — etimologicamente. Na própria definição da raiz parece ter-se confundido o dicionarista. Ela não pode significar "que se estende ou se projeta". Basta ver os derivados todos, sem exceção, para concluir que a raiz significa "pronto para distender-se ou projetar-se". Parece fora de dúvida que essa raiz tenha provindo de sensações musculares ou dos efeitos imediatos deles; talvez o momento sobremaneira característico tenha sido o disparo da flecha, após retesamento do arco e seu motor imediato, a tensão do braço.

Entre arco e braço vigora, em forma escultural, aquela relação que estamos estudando. "Projetar", sim, é o ato de jogar para a frente com força; "tender", não. Tanto deve ter sido o arqueiro a musa que inspirou o termo que se vê nele — eu vejo — algo mais do que estar teso; vejo também o alvo. TEND é tensão organizada, é composição de forças, é aquilo que "está pronto para agir" ou "para disparar no alvo". A tenda é bem o protomodelo do estar pronto e armado em um só ato. No caso, pronto para servir. É esse um dos poucos termos estáticos derivados dessa raiz essencialmente dinâmica. Mas um estático muito peculiar, porque sempre teso e só servindo enquanto teso,

---

12. GÓIS, Carlos. *Dicionário de raízes e cognatos da língua portuguesa*. Rio de Janeiro/ São Paulo/Belo Horizonte: Paulo de Azevedo, 1945, p. 340.

isto é, *trabalhando* enquanto imóvel e não apenas parado. Como essa tenda esclarece a atitude daquele que está atento — armado e pronto!

A LEI DA LÓGICA

No estudo dos termos, em lógica, formula-se a clássica lei segundo a qual "a extensão do significado de um termo é sempre inversamente proporcional à sua compreensão". Extensão, vemos pela etimologia, quer dizer praticamente o alcance da... "intenção". É plausível admitir que a noção de extensão ligou-se originalmente à "distância que posso cobrir com a mão, o cacete, a pedra, a lança" e mais. A extensão era medida direta da tensão prévia, quando esta se desatava. E compreensão? Vem de *preendere*, praticamente "agarrar com a mão"; trata-se de uma raiz aglutinada ou composta da preposição latina PRAE mais a raiz germânica HAND, mão (p. 268). Como se vê, de modo muito colorido e sugestivo, a "lei lógica" descreve uma lei muito elementar de nossa mecânica. Em termos de troglodita: "um objeto que está muito longe não pode ser agarrado com as mãos". E viva a lógica incontestável do troglodita, que talvez não soubesse o que tinha na cabeça, mas sabia muito bem como fazer as coisas.

À luz da etimologia, a inteligência nos aparece como retrato de uma relação não intelectual mas efetiva. A escolástica e, em geral, a psicologia chamada racional são um estudo do funcionamento de nosso aparelho motor, dos muitos modos pelos quais os objetos podem nos afetar e das muitas maneiras de que dispomos para afetá-los. Os antigos filósofos usavam bastante o termo afetar no sentido de "ser tocado" e, mais exatamente, no sentido de "ser modificado" ou "ser alterado" (alterado quer dizer "feito outro"). Na psicologia de hoje, o termo mal figura; na verdade, ele está muito presente na sinonímia sentimento, afeição, afeto. Tanto no sentido clássico como no atual, afeto provém de FAC (latim, verbo "fazer")! *O objeto nos afeta, isto é, faz algo conosco, e nós o afetamos, isto é, fazemos algo com ele.* Vai nesse afeto, de modo bem claro, o significado motor do sentimento. Veja-se quanto as intuições primeiras que estão na etimologia emprestam força à posição central que damos à motricidade. Curioso que tanto a psicologia racional como a irracional se deem as mãos neste ponto: pela inteligência ou pelo afeto, o homem se torna outras coisas ou pessoas. Em ambas se nota a ausência do esquema dinâmico de base, único apto a esclarecer a inerente obscuridade dessa assim dita identificação.

IDENTIFICAÇÃO, COMPOSIÇÃO E COLOCAÇÃO

Não existe identificação alguma entre mim e o objeto. *Existe entre nós uma relação dinâmica de composição.* Durante o contato, a ausência do objeto torna incompreensível — e impossível — a situação, a posição e a ação do sujeito. Esta é a própria intuição primeira da loucura: ação sem objeto. Durante o contato, eu e o objeto somos ou estamos compostos, *cum positus*, postos juntos ou simultaneamente. Também pode ser útil, em outros contextos, a expressão "colocados", praticamente sinônima da anterior, mas, enquanto aquela assinala com maior ênfase a *posição*, esta sublinha melhor a *situação*. "Composto" é a dinâmica, "colocado" é a geometria; uma assinala as forças, a outra assinala o espaço, o lugar e a disposição relativa dos dois ou mais objetos em presença. Veja-se quanto esta pesquisa nos leva à sensatez. Jamais o ser humano pode *ser* o mundo, assim como jamais o mundo poderá ser o homem — o troglodita sabia muito bem disso e nós também sabemos.

O problema do ser humano no mundo não é nem a absorção dele pelo mundo nem a invasão do mundo por ele; é a relação adequada entre ambos, a influência recíproca e harmônica — se possível. Trata-se, em sentido muito claro, de compor-se com o mundo e colocar-se diante e dentro dele. Sabemos bem quanto nos confundimos com as coisas e as pessoas — na demonstração desse fato a psicanálise mostrou o que tinha de melhor; a escolástica, de sua parte, esforçou-se por demonstrar o contrário, com sua fúria tranquila, porém cega, de estabelecer uma ordem eterna no mundo. Da escolástica a ciência contemporânea herdou essa mesma fúria, ao mesmo tempo ingênua, bela e perigosa. A razão demonstra — digamos que seja — até que ponto o ser humano pode invadir o mundo; a psicologia demonstra até que ponto o mundo nos absorve. A escolástica lutava contra esse pecado — a absorção do ser humano pelas coisas. Seu fim era bom; mas ela exagerava visivelmente ao pretender, na defesa do ser humano, dominar o "inimigo" pela razão — escravizando-se a esta no mesmo ato.

Não convém ao homem ser escravo de um senhor só, qualquer que seja, porque há muitos senhores poderosos, tanto no grande cosmos como no pequeno; melhor estar sempre presente e cultivar a difícil arte de conciliar os contrários, que são precisamente as "vontades" dos senhores poderosos, entre os quais é preciso manter-se... em equilíbrio. Os grandes senhores — e senhoras! — que movem nossos cordéis...

IDENTIFICAÇÃO E PROJEÇÃO

Contudo, o termo identificação existe e, mais errado do que certo, a verdade é que fez fama e ganhou raízes profundas tanto nas teorias quanto nas inteligências. Procuremos ver o que existe de legítimo nele. Vale o termo enquanto *descrição* de um processo; ele é falso enquanto *explicação* de um processo subsequente, enquanto é considerado causa disso ou daquilo. A descrição é clinicamente feliz; vemos com facilidade, no consultório e na vida, pessoas que reagem de modo muito parecido com o de um dos pais, de um ator de cinema, de um personagem típico, e mais. Reagem nos pensamentos ou, melhor ainda, nas frases que dizem para si mesmas ou para o outro; reagem na conduta ou na atitude, fazendo coisas e pondo-se ante elas de modo tal que os familiares logo percebem que "o jeito é igual ao do pai", ou "da mãe" (na linguagem freudiana). Jung nos ensinou a ver as identificações com os personagens típicos do mundo interior, aquelas atitudes que são de todas as épocas e lugares: o herói, a vítima, o trágico, o leviano, o senhor, o escravo. Reich, mais astuto, nos ensinou a ver essas semelhanças em *partes do corpo*. É o caso da mocinha, ainda verde, que reage a um galanteio com um franzir de cenho muito

A ESTÁTUA E A BAILARINA

semelhante ao de papai quando começa a se zangar. Esse franzir de cenho aparece na mocinha verde também quando, a sós, lhe ocorre um mau pensamento; ocorre até em um personagem de seus sonhos quando outro personagem tenta beijá-lo — isto é, mesmo adormecida. Como se vê, o termo é exato e também feliz como descrição, mas ele lida essencialmente com semelhanças *vistas ou ouvidas*, não com semelhanças de forças (proprioceptivas). Do modo como costuma ser empregado, o termo identificação descreve uma analogia de formas ou de afetos, não de forças.

Nem sempre se diz, mas aparece como evidente ante um momento de reflexão, que o processo de identificação ocorre sempre acoplado — um verdadeiro "par" dinâmico — com o processo de projeção. Quando o terapeuta diz que o paciente "vê nele o pai", está afirmando de modo implícito que esse paciente, *ao mesmo tempo*, "está se comportando como filho"; lá está a projeção, aqui, a identificação. A menina que se identifica com a ingênua imediatamente atrai um mocinho — o qual ela busca. O mesmo sucede com todos os *papéis complementares*. É tanta e tão regular a correlação que podemos perguntar se de fato são dois processos ou um só. Para mim são um só, provindo a dualidade de má observação e da má conceituação subsequente. Poucas pessoas têm, como as moscas, a capacidade de ver bem o mesmo objeto de ângulos diferentes ao mesmo tempo. Mais comum vermos primeiro uma coisa e depois outra. Mais analíticos ainda nos tornamos quando estamos em busca da causa daquilo que estamos vendo... primeiro. Neste caso, é comum deixarmos de ver a outra parte do mesmo todo. Derivamos então para explicações retilíneas que nos levam ao infinito e ao absoluto, não ao presente nem à realidade que flui.

Antes de compreender o que acontece na situação de identificação--projeção, precisamos generalizar nossa tese sobre as relações mecânicas, verificando que os mesmos princípios vigoram quando estamos em contato com um objeto inanimado ou em contato físico com gente — o que é evidente — e quando estamos no que denominaremos *contato virtual ou intencional* com o outro — o que não é evidente.

O PESO DOS FANTASMAS

Vejamos então as relações mecânicas que se estabelecem entre mim e o outro por força de presença ou de afeto, mesmo quando entre nós *não haja* contato físico. A tese geral que desenvolveremos é esta: *todo modo de relação pessoal tem seu equivalente num modo de relação física, e dessa maneira se liga à mecânica do corpo.*

Alguns exemplos nos demonstrarão que, por vezes, a tese é evidente. No amor, há a vontade de abraçar, acariciar, estar em contato estreito, envolver, "pôr-se dentro" (para o homem), "receber dentro" (para a mulher). Na raiva, o outro funciona como "coisa" a afastar, derrubar, imobilizar, quebrar, ferir, matar (tudo isso são gestos bem definidos). Na tristeza, é incoercível a vontade de abandonar-se, relaxar, "esparramar-se"; derivadamente, sentimos a necessidade de que alguém nos acolha, apoie, aguente ou carregue. Toda criança pequena, na iminência do choro, procura antes alguém em quem apoiar-se ou algo sobre o qual largar-se — depois chora convulsivamente; antes não. No medo, nós nos crispamos (tendência ao agarramento), nos enrijecemos (tendência a vestir uma couraça) ou amolecemos (tendência à defesa passiva). Vemos que todos os sentimentos fluentes desatam variações motoras amplas, que mudam nossa relação intencional com o outro ou mudam nossa posição dentro do campo gravitacional da Terra, podendo assim interferir mais ou menos seriamente em nossa estabilidade. A consequência final dessa dupla influência é muito variável, como se imagina, mas já dá para ver bem até que ponto o eu, o outro e a Terra compomos um sistema unitário. Tampouco me parece difícil ver, sobretudo no caso da tristeza e do medo (os dois sentimentos que mais apelam, em nós, para um "apoio"), quanto a modificação motora criada pelo afeto no corpo tende a alterar a relação mecânica entre mim e o outro.

No caso da raiva ocorre algo inverso. Uma alteração primária de posição e movimentos cria problemas sérios de estabilidade que devem ser resolvidos enquanto fazemos as ações ditadas pelo afeto. Caso contrário, este não se "realiza". A maior parte dos homens briga mal quando briga; os dois contendores temem, durante a pseudopeleja, perder o equilíbrio antes de mais nada. Seus movimentos são duros e mecânicos, como os de certas formas de boxe francês nas quais o problema é dar murros como um pistão e dar chutes como um inválido faria... com a muleta. Todos dizem, depois, que se esforçaram por defender a "dignidade" — como o homem do trem na curva. Não estou falando de coisas que se excluem, mas de coisas várias que é preciso... compor adequadamente. Estou procurando mostrar que nossos afetos, ao mudarem nossas tensões e nossa forma, nos comprometem fisicamente, e os desequilíbrios assim provocados devem ter muito que ver com os "desejos" assim desatados — desejos que se referem ao outro e se manifestam como novas posições e movimentos ditos, agora, expressivos. Não sei onde está a ponta do fio, mas sei que ele forma uma bela meada. *A todo instante atribuímos, ao afeto ou ao outro, a culpa de nos fazer cair ou a função de nos manter em pé ou vice-versa.*

OS OLHOS

Esta descrição permaneceria insatisfatória se não lhe acrescentássemos um pouco de filosofia oculomuscular. Regra geral, estamos vendo o outro nos casos que descrevemos. *Nossos olhos servem mais para nos orientar e nos manter em pé do que para ver.* Se vou pela rua ou se ando dentro de casa, evito facilmente os pedestres, os automóveis e os degraus do meio-fio, ou os móveis, batentes de portas e demais pessoas, *sem prestar quase atenção a nada disso.* A periferia da retina *vê e controla* meus movimentos sem que eu perceba ou influa sobre o que ela está fazendo. Se por acaso escorrego, "acho" algo a que me agarrar. Um instante antes, se alguém perguntasse o que eu estava vendo, ouviria de mim tudo que quisesse, menos qualquer alusão àquilo que "achei" para me agarrar ao escorregar. Se, num navio, passeio pelo convés, não preciso pensar nas oscilações do barco; em parte meus músculos e suas sensações e em parte meus olhos vão compensando automaticamente as variações na inclinação do "chão". Se, em luta, "vejo" quase sem ver certo movimento do outro, imediatamente "aparo" o golpe — com certo êxito. No amor também, e no medo nem se fala. *Em todas as relações pessoais vigora uma relação oculomotora muito viva e muito rápida — bem mais rápida que a de palavras e intenções e afetos.* Eu vejo o outro e não me vejo; o outro é visto por mim, mas não se vê. Daí que se estabeleça entre nós um *duplo diálogo*: esquematicamente, um dos diálogos é de palavra falada, a palavra ouvida e vice-versa; o outro é de atitude e gesto *visto* no interlocutor e a minha resposta "inconsciente" ao mesmo gesto ou atitude, de lá para cá e de cá para lá. Os olhos me *orientam* continuamente quanto às intenções do outro e quanto à *direção* de sua *próxima* ação. Mesmo sem pensar — não costumamos pensar nessas coisas —, já estou prevenido quando a ação vem, ou o simples fato de percebê-la — inconsciente — já desatou em mim certo gesto ou nova atitude, que frustram o movimento em preparação no outro. Tudo isso é *visível*, não havendo, em princípio, nenhuma influência afetiva "obscura", tampouco uma "intuição" mágica. *Se nós víssemos o que estamos vendo*, nove décimos desses pseudomistérios se desfariam; fazendo *deliberadamente* por não vê-los — psicanálise de divã —, os mistérios se multiplicam. *Todas essas ações e reações expressivas funcionam em cadeias de reforço recíproco, positivo ou negativo.*

Ainda voltaremos ao assunto dos olhos, mas de momento bastam essas sugestões. Creio que elas sejam necessárias para esclarecer e aprimorar nossa compreensão das relações mecânicas que se estabelecem entre as pessoas, nos momentos de afeto fluente e vivo. Toda relação dita afetiva é muito móvel ou potencialmente muito dinâmica, interferindo nos nossos esquemas posturais, opondo-se ou compondo-se, harmônica ou desarmonicamente, com nossa ortostática precária, e com nossas ações objetivamente determinadas.

HÁBITO É MEMÓRIA

Resta mostrar que os afetos ditos reprimidos atuam de modo semelhante. Nessa demonstração a dificuldade está, para mim, em mostrar que é evidente aquilo que é evidente. Difícil explicar a um esquimó o que é o verde, quase tão difícil quanto explicar a um psicanalista que o "neurótico" é uma coisa que se vê. Henri Bergson falava de dois tipos de memória, a de imagens e a de movimento. Há coisas recordadas que posso descrever, isto é, pôr em palavras, ao modo de quem põe em palavras uma figura que esteja vendo; há coisas que eu *faço* "sem pensar" nem prestar atenção, como vestir-me, evitar um automóvel que vem de longe, assobiar, nadar, andar de bicicleta, em suma, tudo aquilo que sei fazer e faço por hábito. Bergson limitava-se a falar de movimentos e sequências de movimentos. Reich ofereceu às observações de Bergson uma verdadeira demonstração experimental. Mostrou, primeiro, que a memória de movimentos inclui também a memória de posições ou atitudes; segundo, que, uma vez desfeita certa atitude ou certa sequência motora da qual o sujeito não tinha consciência clara logo, ocorriam em sua mente recordações de "imagens" a atitude desfeita, quase sempre referentes às origens históricas dessa atitude.

Assim, quando conseguimos atenuar em alguém a *atitude de pessimismo* (cenho franzido, boca amargurada, cabeça e ombros caídos, andar trôpego, sentar esparramado), logo ouvimos dele recordações vivas e sentidas de maus-tratos sofridos na infância, em mãos de um pai inconsequente, de uma mãe exigente ou de um professor irascível. *O indivíduo comporta-se como se estivesse ainda em presença ou em relação com uma ou mais daquelas figuras.* Mais do que isso, quase sempre o indivíduo consegue achar substitutos atuais adequados para aqueles personagens — uma esposa venenosa, um chefe colérico, dívidas absurdas etc. Regra geral, as pessoas preferem continuar vivendo o passado no presente a viver o presente no presente. O passado, que persiste porque do presente a pessoa escolhe apenas o que se parece com o passado, está precisamente na atitude — memória de posição. Tendo assumido certa posição no mundo infantil, essa posição passa a governar a percepção e a escolha ao longo da vida toda. Quem é pianista, tendo dedicado ao piano longas horas de estudo e devendo ao instrumento muitos momentos de satisfação e prestígio, procura um piano onde quer que esteja.

Não há diferença essencial entre a formação mais ou menos voluntária de um hábito e sua aquisição espontânea. Também esta se faz ao longo de um treino mais ou menos tenaz e prolongado, em que se compõe uma atitude ou um "modo de ser" (são sinônimos para mim).

O MENINO TÍMIDO

Na situação original — digamos, um pai assustador —, a criança "treinou" encolher-se, diminuir de tamanho físico para reduzir o contato e sentir-se dentro de uma casca; pôr-se num canto para não ser vista; olhar de baixo para cima e de soslaio a fim de não parecer rebelde e não desatar a ira paterna. Assim, adquirida certa atitude — digamos, o tímido ou o encolhido — à custa de numerosas e penosas repetições bem-sucedidas, esta se reforça interminavelmente: papai quase não se dava conta de que o garoto existia, não o via, e o deixava em paz. Vejamos as direções virtuais dessa situação original. O pai comportava-se como uma ameaça frequente, penosa, inesperada e *vinda das mais variadas direções*. Aos olhos da criança, o pai comportava-se como flecha de índio para o bandeirante. Voltamos, como o leitor percebeu, ao método de compor cenas visuais com base nas atitudes dos personagens. Pensei em flecha porque o pai, por hipótese, machucava, moral ou fisicamente; e em flecha, ainda, por comparação com um vetor. O pai não machucava apenas; fazia-o vindo de *qualquer direção* — de um ponto de vista psicológico, por qualquer motivo. Há pais que não são assim, ferindo apenas em certas circunstâncias; diante destas, e só destas, a criança elabora uma defesa. Nosso menino, para defender-se, teve de se sentir pequeno e totalmente envolvido por uma casca, justamente porque o pai atacava de todas as direções. O olhar duplamente oblíquo se devia a uma necessidade de vigilância indireta. Fosse a criança olhar diretamente para o pai a fim de saber continuamente onde e como ele estava, e este teria sentido tanto a desconfiança quanto o medo — e por certo a raiva do petiz — como desafio, isto é, como estímulo para novas agressões.

Veja-se bem como são importantes, no moldar as atitudes, as *direções* da situação. E para ligarmos esse caso fictício — mas muito realista — com nossos músculos, basta dizer que as direções que importam em qualquer situação são as direções das... intenções. Não me incomoda ver alguém com um arco teso se eu não estiver na direção da flecha. Não incomodaria a criança ver o pai pronto para o ataque se este não se dirigisse a ela. *Nossas intenções, aspecto psicológico de nossas tensões musculares e de sua resultante, aparecem claramente em nossas atitudes, que são, elas também e no mesmo ato, consequência de tensões musculares.* Na rica significação etimológica das palavras, quando nos "retesamos" — para disparar o arco, para agir —, "armamos" a tenda, armamos nossa atitude, fundamento necessário e matriz daquela mesma ação. Se um dia esse indivíduo, agora adulto, me procurar como paciente, perceberei à primeira vista sua atitude encolhida, sua casca virtual e seu olhar duplamente oblíquo — de viés e de baixo para cima. Saberei logo que ele está temendo agressões de todos os lados, que ele evita todo desafio, que está sempre pronto para desistir e renunciar. Saberei que todas as suas ações se "voltam para dentro". Posso imaginá-lo imóvel e cercado de índios por todos os lados — índios de lança em riste, prontos a manejá-las ao menor movimento da vítima. Todos os seus gestos serão os de um rato assustado. Aí está, na "memória de movimento e de posição", o resumo da história vital do paciente, seu problema mais importante e seu maior "complexo". Tudo perfeitamente visível, tudo podendo ser "compreendido" antes de o paciente abrir a boca.

Que o esquematismo do caso não iluda o leitor. A maior parte das pessoas não tem um, mas vários problemas importantes; não tem *uma* atitude típica, mas uma "integral" de várias atitudes combinadas, que varia conforme a situação, a pessoa, o momento. Mas o princípio continua válido.

O MISTÉRIO DA ETERNIDADE DA TRANSFERÊNCIA

Por que o indivíduo como o do exemplo *permanece* assim, mesmo depois que papai morre? Será por que "no inconsciente a experiência passada permanece desligada e não influenciável pela experiência presente", como seria "típico" de todo fato inconsciente? Não creio. Acontece que um indivíduo como o que descrevi é um verdadeiro chamariz de pancadas em qualquer lugar onde esteja. Em todo canto existem pessoas — basta ver — sempre prontas a usar um tímido que não reaja a fim de desabafar mau humor, desprezo, ressentimento, impertinência e despeito. Há depois entre as pessoas, definidamente em minoria — basta ver —, aquelas que simplesmente deixam o coitado em paz. Mas há um terceiro grupo, ainda, o dos bonzinhos, compreensivos e solícitos ante toda desgraça humana, que ajudam demais o nosso tímido no sentido de conservá-lo tímido. Essas últimas pessoas se desdobram em piedade e ajudam, quase sem limites, o "coitadinho". Toleram, anos a fio, sua notável incapacidade de viver, sem exigir nada e perdoando tudo sempre. É essa sociedade de indivíduos "normais" que faz persistir a timidez do tímido. *Sua experiência* lhe diz todos os dias, em seus muitos contatos com os vários grupos de que falamos, *que é perfeitamente possível viver desse jeito.* Por vezes chega até a ser lindo — quando encontramos uma alma irmã que nos compreenda...

Não é possível existir um indivíduo neurótico em uma sociedade sã, e vice-versa. Todos alimentam a neurose do neurótico, até aquele grupo — minoria — que se limita a deixá-lo em paz. Esse grupo seria mais benéfico se preponderasse. Como não é o caso, tais pessoas cultivam no tímido a seguinte noção: "Tem gente ao lado com a qual se pode ficar em paz dentro da casca". Vai implícita a conclusão: "Então não preciso desfazê-la". Acontece que só o deixam em paz os que não precisam dele ou não se relacionam com ele. Estes — os bons — cultivam no tímido, por omissão, a ideia de que se pode viver bem ou de que é "normal" viver com casca.

Note-se até que ponto a operação dos três grupos é automática. Abusar de um tímido, compadecer-se dele ou deixá-lo em paz são ações e atitudes que se compõem ante a *simples visão* do tímido, de seu "jeito". Um desconhecido que se achegue a ele na rua a fim de lhe pedir um isqueiro logo assume uma das três maneiras ao vê-lo, sem se dar muita conta disso: o olhar oblíquo, o sorriso de quem pede desculpas e o gesto constrangido. O desconhecido "sabe" na prática com quem está lidando por meio desse diálogo implícito mas fundamental, que se estabelece entre quatro olhos e dois corpos, estando estes em certas posições e colocando-se os indivíduos em certa situação. Como se localiza o tímido com que estamos lidando? Localiza-se — *põe seu corpo* — em função da direção do olhar; diante de outrem, procura um lugar que o põe em linha com a direção duplamente oblíqua de seu olhar. Como este vai de baixo para cima e, digamos, da esquerda para a direita, podemos garantir o seguinte: sempre que tenha liberdade de escolher seu lugar, o tímido se porá com os olhos abaixo dos do outro e sempre à esquerda deste. Ele usa sempre a direção "menos perigosa". Fazer que ele nos olhe face a face e bem de frente lhe é intolerável, *como a experiência clínica demonstra.*

Espero que o leitor esteja começando a persuadir-se de que as forças da situação e suas direções realmente importam. Espero também que o leitor esteja começando a ver até que ponto essas linhas significativas estão contidas nas posições e colocações do corpo na situação. Enfim, espero que se esteja fazendo claro que essas forças e direções estão inerentemente contidas nas tensões musculares e que tudo isso pode ser visto na forma do corpo — *mesmo sem palavras.*

REPRESSÃO E ESPAÇO

Falávamos de sentimentos reprimidos e de como eles influem nas dimensões e na forma de nosso espaço próprio; como e em que grau interferem em nosso aparelho antigravitacional e em nossas tensões mecanicamente necessárias. Nosso tímido sofre de uma extraordinária limitação em sua capacidade de equilibrar-se e de agir "objetivamente". Ante qualquer estímulo inusitado, ele se crispa e então basta um sopro para fazê-lo cair ou precipitá-lo em uma agitação caótica que ele teme demais, pressentindo nela uma explosão afetiva. Mas sua agitação latente é a de um indivíduo que perde o equilíbrio, apenas. Apreendida — como o homem do trem na curva — em termos de *intenção própria*, ela compõe um poderoso fator *interno* que alimenta a timidez do tímido. Sua crispação habitual exalta consideravelmente sua sensibilidade para as iminências da queda — numerosas a todo instante —, que são o sinal específico para a operação de nosso sistema de equilíbrio. Ampliada essa sensibilidade, isto é, sentindo-se a todo instante ameaçado de queda, o tímido... crispa-se mais. A seu modo, por certo modesto mas igualmente eficaz, o tímido termina, como o orgulhoso, por fazer-se um novelo de contradições motoras: não é difícil imaginar que seus novelos mentais estejam ligados aos novelos de tensões musculares mal compostas.

Se observarmos nosso tímido quando ele se encosta numa parede, veremos que ele não se apoia; apenas se encosta. Se o virmos manejar um martelo, será fácil perceber quanto ele sofre a cada martelada que dá no prego. Carregando uma criança, vemo-lo como se estivesse a levar um vaso cheio de dinamite. Espero que o leitor esteja percebendo até que ponto a disposição dita psicológica molda as ações ditas objetivas. Que veja também como um "afeto reprimido" molda todas as ações do indivíduo e como tudo isso, possivelmente inconsciente para o sujeito, é de todo observável sem nenhuma técnica "profunda" destinada a "tornar consciente o inconsciente".

A MULHER E A VASSOURA

Agora que mostramos o valor mecânico dos afetos, intenções e atitudes, podemos voltar às projeções.

Começo com outra analogia cômica. Vamos pôr um cabo de chumbo em uma vassoura, mas bem pintado como se fosse madeira. Deixemo-la encostada na parede e observemos a dona de casa. É provável que, ao pegar a vassoura, esta lhe caia das mãos. A mulher não estava preparada para a variação de peso. (Note-se o termo preparada — logo voltaremos a ele.) Depois de desfeito o mistério, pedimos a ela que continue a usar durante uns minutos a vassoura experimental. Observemos como ela parece estar fazendo o que quer que seja, menos varrendo; como se atrapalha com o trambolho inusitado. *Inusitado na distribuição do peso em relação à forma*. Outra brincadeira de mau gosto poderia ser feita colocando-se na vassoura uma dobradiça invisível; com isso mudaríamos consideravelmente suas propriedades mecânicas, o que alteraria os esquemas motores do usuário.

Parece fácil generalizar: quando um objeto de forma conhecida *para os olhos* apresenta *propriedades mecânicas* inusitadas, seu manejo de início se mostra cômico. A graça parece provir de uma conduta que é ao mesmo tempo lógica e absurda; *lógica para os olhos e absurda para os músculos*. Isso deixa o experimentando deveras perplexo, o que acrescenta graça à situação. Que é preciso para que a experiência decorra do modo como a descrevemos? Que a pessoa conheça o objeto. Diante de um objeto desconhecido, precavemo--nos e fazemos experiências preliminares antes de manipulá-lo ou carregá-lo. Por ser conhecido o objeto é que, um instante antes de colhê-lo, nos... preparamos. Creio que o leitor nunca se deteve na consideração desta palavrinha curiosa: preparado quer dizer "arrumado" ou "disposto *antes*", do latim *praeparatum*. O termo preparar resume em uma palavra todas as muitas voltas que dei tentando mostrar que a atitude precede o ato, que a atitude se compõe *antes* do ato e que, sem atitude de base, o ato falha; e mais, que a atitude se compõe "sozinha", automaticamente, desde que se propõe o ato. O ato resulta cômico porque não é o esperado.

A CULPA DA VASSOURA

Ainda quando nossas atitudes dependem de tensões musculares em princípio conscientes e "voluntárias", nossa pequena comédia demonstra que as convicções sobre a motricidade são falsas. Mas aqui também a vítima da experiência tenta "explicar" interminavelmente seu erro, *erro que era inevitável e não era dela*. Na verdade, a vassoura é a errada; esta, a ideia de todos. Mas ante uma análise mais sutil, em estilo bergsoniano, veríamos que houve também o erro na preparação: a vítima, *partindo do princípio universalmente aceito da indução, admitiu implicitamente* que o que parece uma vassoura (aos olhos) deve comportar-se como vassoura. Trata-se de um erro *demasiadamente* comum, e por isso não parece erro. Funcionamos todos à custa de classes e gêneros, esquecendo o indivíduo. Mas em função do erro na preparação — dentro do exemplo —, surge logo a frustração (que significa sempre *ineficácia*) e a projeção imediata do sentimento de culpa na forma de "o erro é da vassoura". Mais explicitamente, a dona de casa diria: "A vassoura não fez *o que eu queria*", "não me obedeceu".

Vê-se bem, no exemplo ingênuo, as secretas relações entre sentimento de culpa e instinto de poder, assim como as relações de ambos com a eficácia da ação. Não sinto o erro como meu-e-da-vassoura, ela sendo diferente do que parece e eu me preparando mal. Um indivíduo mais esportivo dirá que fez uma bobagem, acentuando a própria "culpa"; outro, mais orgulhoso, dirá que lhe fizeram uma brincadeira estúpida, acentuando a "culpa" da vassoura ou de outrem. O erro, sabemos, está na *relação* entre mim e o objeto. No entanto, ainda não nasceu o homem capaz de perceber essa verdade *em ato*; é incoercível na espécie humana o balanceio fatal "culpa dele"/"culpa minha". A psicanálise, em particular, erigiu esse erro em princípio: como o terapeuta "foi analisado", tudo que acontece na análise é "culpa" do paciente e a situação se faz insolúvel para todo o sempre.

CIÊNCIA INFUSA

Quando estudamos nossas relações motoras com os objetos materiais, não assinalamos um fato que agora está claro: sempre que lido com objetos conhecidos, "sei" onde está seu centro de gravidade. Não fosse assim e muitas coisas cairiam de nossas mãos ou se fariam notavelmente incômodas, senão impossíveis, de manipular ou carregar. Nenhum objeto alongado — pá, enxada, machado, vassoura — é *carregado* pelo extremo livre do cabo, mas sim pelo meio, pouco mais ou menos. Espontaneamente, nós suspendemos o objeto de tal modo que se anulam os momentos dos pesos das duas metades definidas pela nossa mão. Suspendemos o objeto pelo seu centro de gravidade. Sabemos que assim custa menos esforço. Já quando *usamos* esses objetos, tomamo-los de outro modo, ensaiando combinar as suas e as nossas propriedades de peso e inércia. Tudo isso é inconsciente e tudo isso funciona bem. *Estou pretendendo mostrar que esse conhecimento inconsciente mas eficiente existe e atua em todos nós a todo instante.* Por isso, não diga o leitor que a culpa é minha quando achar difícil aceitar certas coisas, em divagações psicológicas nas quais o essencial é a influência da motricidade sobre a consciência...

Um método fácil e humano de determinar o centro de gravidade de um objeto é dá-lo a alguém e dizer-lhe: carregue esta coisa do modo que lhe custe o menor esforço possível. O ponto "por onde" a pessoa o carrega define uma vertical sobre a qual está necessariamente esse centro.

Aquele que, por ignorância evidente, pega "mal" um objeto provoca nos conhecedores do assunto o mesmo riso que a vassoura com cabo de chumbo. Por exemplo: um bailarino com uma chave inglesa na mão diante de um mecânico; uma advogada com uma mangueira diante de um bombeiro.

Notemos que são dois ridículos diferentes pegar mal um objeto para carregá-lo e preparar-se mal para usá-lo. Tais erros têm em comum a relação mecânica inadequada entre objeto e pessoa. No primeiro caso, não levamos em conta o centro de gravidade do objeto; no segundo, não consideramos o centro de impulso; nos dois casos, algo está *deslocado* na situação.

Sempre que ocorre um deslocamento, nunca sei prontamente o que está errado, se a ferramenta, o objeto trabalhado por ela ou eu. Em vez da ferramenta, poderia ser meu comportamento ou a ideia.

No momento da ação é essencial, para seu bom êxito, que ampliemos nossa consciência incluindo nela nosso corpo, o objeto — ou pessoa — com o qual lidamos, mais o resultado que pretendemos. Assim como o corpo se inclui habilmente no campo gravitacional da Terra e torna o instrumento, funcionalmente, uma parte de si mesmo, assim o faz a consciência. Se ela conseguir situar-se no centro da relação confundindo-se com esta — se ela se "localizar" bem —, a probabilidade de bom êxito aumentará; se, enquanto agimos, parte de nós mesmos está "em outro lugar" — se estamos "deslocados" —, aumenta a probabilidade de mau êxito.

CONSCIÊNCIA E COM CIÊNCIA

Voltemos aos exemplos a fim de compreender melhor o que significa "consciência bem situada" e "consciência deslocada". Consciência, etimologicamente, significa "ciência junto". A forma elementar de consciência é a percepção, elemento básico da chamada "consciência espontânea". De minha parte e desde já, acho difícil defender a existência de qualquer outra forma de consciência. A fim de atenuar estranhezas, acrescento que até hoje ninguém se deu ao trabalho de estudar a fundo a consciência muscular (ou propriocepção) e que está nela tudo aquilo que falta para a consciência espontânea tornar--se "consciência refletida". Por exemplo, só consigo recordar alguma coisa que vi — passado — se eu de algum modo me puser na atitude em que estava quando de fato a vi.

A propriocepção, nesse caso, é *atual*, é uma sensação presente; ela, e só ela, *dá à recordação sua sensação de realidade e a noção de reconhecimento*. A afirmação parece grosseiramente falsa à observação de alguém que recorda; a pessoa, caso se lembre do tempo em que engatinhava, não se põe de quatro. Mas é preciso ser mais hábil do que isso. Ao *falar* da memória, damos a entender que ela tem uma nitidez fotográfica, o que é quase sempre falso. Nossas recordações são tão vagas, incompletas e fragmentárias como nossos sonhos e fantasias. Se a reconstituição motora fosse perfeita, a recordação visual também seria. Dizemos que a recordação é perfeita *quando a completamos com a palavra* — daquele modo que descrevemos bem no início. Toda descrição verbal de uma cena vista, mesmo que presente, é uma soma considerável de arbitrariedades de escolha, de ordem e de importância em relação ao que está sendo visto. Não me refiro apenas nem sobretudo a fatores pessoais de deformação. A correspondência entre o que vemos e o que dizemos é *sempre* um problema difícil de exegese. O mesmo acontece quando *descrevemos* o que *recordamos*. Nossa memória é bem menos boa do que se costuma dizer. Nossos sonhos são excelentes modelos da memória que funciona, segundo creio, de modo bastante semelhante. Como é a recordação do sonho?

Note-se enfim que, ao falar do que recordo, certo senso de realidade e reconhecimento se liga, com certeza, ao próprio *som* das palavras e ao processo de fonação, ambos compostos de *sensações presentes*. Ainda, cada palavra é uma *ação da laringe* ou dos músculos articuladores da palavra, ação tão muscular quanto qualquer outra e capaz de gerar sensações musculares perfeitamente definidas.

SINCRETISMO E SINCRONISMO

Antes de ser confuso, o termo consciência é complexo; seria legítimo falar em consciência visual, acústica, gustativa, térmica, proprioceptiva, visceral etc. O conjunto dessas sensações é a matriz da qual emergem de maneira contínua contornos suficientemente formados e organizados, a ponto de serem caracterizados como os muito objetos que vemos no mundo. Esses objetos estão em correspondência equívoca com as muitas palavras que isolamos do mundo dos sons emitidos pelo ser humano. Os clássicos diziam que a consciência é sincrética — "brota junto" (de *sin* e *crese*) —, podendo-se entender que ela nasce junto com o fato ou reúne os fatos simultâneos, cada "fato" referindo-se a uma categoria sensorial. Essa palavra me traz à mente um princípio proposto por Jung, o do sincronismo, segundo o qual para a personalidade importa o que acontece junto ou ao mesmo tempo. Ele tinha em mente, expresso em analogia, o desabrochar de uma flor; todas as pétalas crescem e se desdobram ao mesmo tempo. Se ao desabrochar real se seguisse nossa análise mental, na qual imaginamos primeiro uma pétala e depois outra, *não* teríamos uma flor no fim — nem no começo. É desse modo, em correspondências múltiplas, que amadurecem as coisas vivas, sincrética e sincronicamente. Toda análise retilínea, do tipo causa-efeito, altera essencialmente esse processo. Por isso, talvez, a análise psicológica de tipo causal — psicanálise e análise do comportamento — mostre certo efeito no sentido de desfazer ou cauterizar um desenvolvimento orgânico tido como mau. Por isso, talvez, a ciência do inanimado e do universal se mostre tão precária quando pretende compreender o individual.

CONSCIÊNCIA LOCAL

A qualificação sensorial da consciência é facilmente verificada na vida cotidiana. Quando vou a um concerto ou assisto a uma aula interessante, tenho consciência particularmente viva do que ouvi — "estou" no ouvido ou o "eu" está no ouvido. No cinema, o "eu" está preponderantemente nos olhos; na vigência de uma cólica, ele está no intestino. Estando parado e tranquilo, com certa facilidade e certo realismo posso "ir" a várias partes do corpo: à mão direita, ao pé esquerdo, aos olhos (como sensação muscular), a um resto de sensação gustativa, a um cinto ligeiramente apertado. Quando "vou" a um lugar do corpo, os demais de algum modo desaparecem ou não são "eu". Podemos "ir" de vários modos; um deles liga-se aos olhos, como se estes se dirigissem para a parte do corpo correspondente. Os olhos não chegam a voltar-se de todo para o lugar, mas parecem esboçar um movimento definidamente naquela direção. É provável que o movimento ligeiro dos olhos se complete harmonicamente com outro, localizado no pescoço. Pode acontecer que a parte considerada "tenda" esboce tensões musculares para o lugar virtual que os olhos contemplam. Pode acontecer, enfim, que todas essas alterações tônicas, em geral ligeiras mas perceptíveis, ocorram de forma simultânea. Estou afirmando, e para mim isso é um axioma, *que não pode haver em nós movimentos da consciência, ou das imagens e percepções a ela presentes, sem que ocorram movimentos musculares ou alterações de tensão muscular.* Nesse segundo caso não nos movemos, mas a tensão se altera sensivelmente e, para um observador externo (ou interno) atento, tal alteração pode ser percebida — vista.

Aliás, pergunto: não sendo assim, como poderá ser? Que outra coisa em nós pode mover-se a não ser os músculos? Se é verdade que toda função somática está na base de um processo dito mental, então todos os nossos "movimentos" interiores devem estar ligados a nossos músculos. Acontece em nós, regra geral, que toda ação muscular é percebida pelos seus *efeitos*, que os olhos constatam. Ao cortar uma lasca de madeira com um formão, dificilmente percebo, com clareza, o esforço que fiz; se o percebo — vagamente —, nada sei dizer sobre o *modo* como combinei meus tensores.

"Sei" o que fiz por meio da modificação sofrida pelo objeto e verificada pelos olhos. Quase sempre são estes que assinalam para nosso aparelho de movimento, informando-o sobre se ele está agindo certo ou errado. É sempre assim, também, na vida interior. *Sem movimentos pelo menos dos olhos, nenhuma imagem interna muda de lugar; sem movimento ou variação de tensão, nenhuma figura interna muda de forma ou é substituída por outra.*

Nathaniel Kleitman mostrou que a movimentação ocular é um correlato de todo sonho. Com olhos parados não sonhamos. Estudos apurados demonstraram que a movimentação ocular durante o sonho é *exatamente* igual à que faríamos se estivéssemos vendo o sonho de olhos abertos.

CARMEN

A paciente deitou-se no divã. Aguardei alguns momentos e depois, continuando um trabalho e usando comparações que já nos eram familiares, eu lhe disse:

— Vamos fazer como de outras vezes. Feche os olhos e procure ir para a água. Veja bem: *ir* para a água e não abandonar-se ou soltar-se ao léu. Tente ir ao encontro de seus devaneios, mas procure manter-se presente a si mesma.

Ela ensaia. Sua respiração está visivelmente presa, algo aflita, pulsando apenas de meia expiração a inspiração, sem chegar nunca a uma expiração profunda. Ela comenta:

— Não vai. Aqui incomoda, aperta — e assinala a região esternal.

Faço pressão estável sobre a região apontada. Ela corrige a posição de minha mão.

— Não é aí; é aqui; é um lugar pequeno que dói.

O lugar situa-se sobre a borda esquerda do esterno, da metade para baixo, com mais ou menos 3 cm de extensão. Enquanto faço pressão, lembro de mim para mim as fantasias, sonhos e temores da paciente referentes a punhaladas no peito.

Pouco depois, observo seu rosto e fico satisfeito.

Em outras ocasiões havíamos feito coisas semelhantes. Quando eu imitava o agressor, no rosto da paciente aparecia uma expressão ao mesmo tempo de desafio e vitória. Era como se seu rosto dissesse: "Vá, mate logo! Você pensa que eu me assusto? Está enganado. Ao me matar você faz aquilo que eu mais desejo. Você pensa que estou vencida, mas a verdade é que venci, ao conseguir que me fizessem exatamente o que sempre desejei!"

Comentadas essas coisas, a paciente as aceitou muito bem. Fazia parte do quadro clínico um desejo enorme de morrer, bastante consciente e muito "querido".

Nesse dia que estou descrevendo, o que me deixou satisfeito foi a mudança de expressão ante uma velha situação. Nos lábios, à direita havia um ricto hostil que apreendi como vontade de lutar, vontade primária — quase amorfa ainda — de não se deixar matar.

Peço então à paciente que atente para o próprio rosto e me diga o que sente nele.

— Não sinto nada muito claro, mas minhas sobrancelhas estão puxadas para cima. [e aponta o terço externo de ambas as sobrancelhas]

Deixo de fazer pressão sobre o tórax e, com os dedos bem aplicados, imito as tensões espontâneas que atuam na fronte.

Então ocorre, aos poucos, algo muito curioso. Nos lábios, nos ombros e no tronco se compõe gradualmente uma atitude de desafio e superioridade, de dignidade que se afirma — "a toureira".

— Sente seus ombros puxados para cima ou espremidos? — pergunto eu.

— Puxados — diz ela.

Com o polegar e o indicador de cada uma das mãos, formo duas forquilhas; aplico estas forquilhas, uma de cada lado, às suas axilas e faço força para cima.

Aos poucos a expressão do rosto se desfaz; fica algo vaga, difícil de caracterizar. Sob essa forma vaga parece haver outra, fina e dura — talvez a face de um cadáver.

Alivio a pressão, sento-me e aguardo.

— Agora no fim eu consegui ficar na água...

Compreendo em ato sua afirmação. O estar na água correspondia à expressão final vaga que eu vira.

— Que mais você notou durante nossas manobras?

— Em certa hora me veio à mente uma brincadeira que eu costumava fazer com meu namorado. De toureiro e de tourear...

— Quem era o toureiro?

— Eu...

— Quando falei de seus ombros você estava percebendo a posição deles?

— Não...

CONSCIÊNCIA: PALAVRA E OLHOS

É assim e sempre assim. *As pessoas frequentemente conseguem nos dizer aquilo que lhes passa pela mente, mas quase nunca sabem dizer a posição em que estavam, tampouco as modificações sofridas por essa posição.* Estamos todos presentes às imagens visuais ou às palavras — quase sempre. O "eu " habitual das pessoas é visuoverbal 59 segundos de cada minuto; isso quer dizer que estamos habitualmente cônscios — e mesmo então, de modo vago — do que estamos vendo, do que falamos e do que ouvimos, seja a visão externa ou interna, seja o diálogo com alguém ou consigo mesmo.

Vivemos num mundo de figuras e palavras. Nele, as ações são feitas pela musculatura ocular e laríngea, com certa participação da respiração. Mas esta é, habitualmente, muito automática, pouco ou nada exigindo em matéria de agir voluntário.

Quando atuamos com ou contra um objeto concreto, o "eu" se restringe, como vimos, à relação oculomanual/objeto. Não raro essa relação se simplifica e passa a ser oculoefeito, omitindo-se tanto a

INCONSCIENTE: POSIÇÕES, GESTOS, INTENÇÕES

noção da presença da ferramenta quanto a noção de presença da própria mão.

INCONSCIENTE: POSIÇÕES, GESTOS, INTENÇÕES

Creio que agora podemos saber de vez o que é uma projeção. Na maior parte das situações em que nos encontramos, estamos deslocados, isto é, o "eu" — a presença consciente — acha-se preponderantemente no plano verbovisual e não nos pontos em que as forças da situação e as minhas se cruzam. *Nosso "eu" habitual é figurado, não dinâmico; é sinalético e não "real".* Como não estamos no centro dinâmico da situação, erramos contínua e redondamente a respeito das forças atuantes, considerando próprias muitas delas que nos são alheias e considerando alheias outras tantas que nos são próprias. Vai junto, inevitavelmente, soma igual de erros agora referentes às *direções* das forças, *presentes na forma de intenções.*

Exemplo: receio que o outro tenha intenção de me prejudicar e não percebo que meu receio se deve ao fato de ser intenção minha prejudicá-lo; meu receio liga-se precisamente ao fato de querer prejudicar o outro.

Nesse caso específico, o mais provável é que eu esteja apenas "pronto para a luta", e a própria ansiedade seria mais de antecipação, quase fisiológica. Do muito que acontece em mim, percebo com mais clareza o medo. Não percebo de modo algum a *posição de luta.* O sincronismo sincrético fica totalmente desarticulado no espaço e no tempo. "*Eu* tenho medo" porque "*ele* quer me atacar" — aí está a identificação/projeção. Nesse porquê — palavrinha quase sempre infeliz — vai a desarticulação da unidade. O mais acertado seria: como estou meio encolhido, como alguém que está com medo, percebo tudo como se tudo fosse perigoso ou agressivo.

Podemos afinar ainda mais a análise muscular desse exemplo. Quando nos preparamos para atacar, real ou virtualmente, há em nós, primeiro, um retesamento global destinado a consolidar o corpo, a preparálo para movimentos amplos e velozes; esse primeiro movimento pode ser vagamente apreendido, pelo indivíduo que vive nos olhos e na palavra, como opressão difusa, retração — como algo tendente à fuga. Esse componente musculotensional se torna, provavelmente, o fundamento da noção "*eu* estou com medo". Inerente a esse encolher-se está o salto, o golpe, o bote — o ataque, em suma. Inerente, veja-se bem. Poderíamos quase dizer que o indivíduo se identifica com seus músculos flexores e projeta seus extensores. Ou identifica-se com o sentido centrípeto de suas tensões e projeta o sentido centrífugo delas. *Tal ambiguidade de sentido é inerente a nosso aparelho motor, todo constituído de pares anatômica, neurológica e funcionalmente antagônicos ou opostos.* O ridículo ou o cômico da situação — por vezes ela é assim — pode ser de todo comparado ao da dona de casa com a vassoura de chumbo. A preparação do indivíduo é inadequada. Ele lida com o outro da mesma maneira canhestra que a dona de casa com a vassoura. Há uma viva discordância entre seu modo de lidar com o "objeto" da situação, visto ou ouvido, e esse mesmo objeto como substância, força e tensão (intenções).

Entretanto, não esperemos que um primeiro exemplo nos esclareça tudo. Basta dizer que uma atitude inconsciente — má preparação — nos põe deslocados na situação; daí em diante os erros se somam e, se não sobrevier um bom humor salvador, poderá haver tragédia. Quem entra numa festa com cara — e jeito — de enterro estraga a festa e a própria reputação social. Quem entra num velório de madrugada, meio alto após uma noitada alegre, pode bem fazer aquilo da anedota: soprar todas as velas e começar a cantar "Parabéns a você"...

ONDE ESTÁ O EU

No problema difícil e significativo a respeito da forma, da extensão e da localização do "eu", é preciso levar em conta outros fatores além dos que examinamos, ainda ligados, porém, a tensões musculares. Sabemos que estas são sempre múltiplas e complexas; sabemos também que praticamente ninguém, ao agir, está presente no centro de gravidade ou no centro de impulso. Mais do que isso, à primeira vista parece impossível agir desse modo. Quando fazemos algo, é preciso prestar atenção ao que fazemos — à relação oculomanual-ferramenta-objeto trabalhado. No caso de mau funcionamento, será preciso "tomar consciência" do contexto mais amplo em que está incluída a relação corpo todo-terra, objeto trabalhado inteiro, relação mão-ferramenta, ferramenta, relação mão-corpo. Quando trabalhamos com objetos e conhecemos um pouco o assunto, procedemos assim: parando em parte para ver e refletir, em parte apenas para dar lugar a um reajuste de posições, que é espontâneo e inteligente. O corpo "se arruma" sozinho — "acha o jeito".

O mesmo não acontece nas relações pessoais. Nestas, estamos presentes de preferência e preponderantemente ao verbal, àquilo que temos a dizer e estamos ouvindo ou — supomos — o outro dirá. Pouco e nada percebemos do diálogo implícito que vai correndo junto, de nossos olhos que veem o outro e captam suas intenções, influindo logo sobre nosso corpo, alterando suas tensões e posições. O outro procede da mesma forma. Também pesa muito a entonação da voz, fenômeno igualmente motor ao qual respondemos sem pensar nem perceber. Na maior parte dos diálogos humanos, o registro das *qualidades sonoras* das palavras e frases esclarece mais o que está acontecendo do que o texto ou o significado das frases. Mas, quando as coisas não dão certo, não é aí que vamos procurar o desacerto, nem no tom da voz, nem nas atitudes do corpo ou nas expressões do rosto. Acontece que nove vezes de dez o desacerto está exatamente aí, naquilo que *está acontecendo* aqui e agora, mas *não está sendo percebido*. É um sorriso de desprezo, um olhar desconfiado ou distante, um encolher de ombros, um gesto de desânimo — é isso que perturba o diálogo. Ou é uma voz autoritária ou queixosa ou reivindicadora. A "causa" da desinteligência não é um inconsciente remoto; é aquilo que não está sendo percebido na *situação presente*. O que se faz preciso, pois, é aprimorar e estender nossa consciência do presente. Mesmo o passado, quando atua — por vezes atua —, o faz por meio de atitudes moldadas no passado mas presentes agora, por isso influentes. Por meio de atitudes, e não de "reminiscências", "memórias" ou "fantasias infantis".

Se praticamente nunca estamos presentes aos centros primários de movimento e posição, alguém concluiria então que estamos sempre deslocados, "excêntricos". Assim parece. Mas notemos: o que importa não é o centro de gravidade nem o de impulso, mas a relação entre ambos — muito variável. O centro de impulso é o "perturbador natural" do centro de gravidade, e este é sempre o centro de reação — ou oposição — àquele; é seu regulador natural. Nem se faça a ideia de que nosso centro de gravidade seja inteiramente passivo. Na verdade, ele é o centro motor mais ativo do corpo, integrando um vasto sistema de sensores e atuadores cuja função única é manter-nos em pé. A oposição relativa entre esses dois centros é sempre dinâmica em sentido próprio. Não só o centro de impulso perturba o centro de gravidade; também nossa massa o faz, ainda que atue de modo inteiramente passivo. Dado que nossa forma varia, varia também a influência das massas diferentes de nossos diferentes segmentos sobre o equilíbrio do corpo.

CASAL MECÂNICO

Examinemos um pouco esse lado da questão, aproveitando para esclarecer a fenomenologia de nosso aparelho motor, isto é, em que forma ele aparece na consciência. Nossos esforços antigravitacionais, quando retratados pela propriocepção, aparecem na consciência na forma de tendências, inclinações e intenções (notem-se os termos) que se acompanham de afetos mais primitivos e profundos; ao mesmo tempo, os mais obscuros e "eternos", pois nossa "dependência" em relação à Terra é eterna. Até o presente tem sido. A Terra pode nos aparecer ou ser apreendida como "mãe boa" enquanto nos apoia, carrega, suporta e aguenta; é então útero e colo. Mas enquanto trabalhamos para permanecer em pé *contra* ela, então ela é "mãe má" que nos "atrai para baixo", para a queda, a desistência, a decadência, a degradação.

E qual é o "pai" dessa mãe primitiva, a mais primitiva das mães? Meu sistema de equilíbrio, naturalmente. É ele que garante a adequação de meu equilíbrio a cada instante e a eficácia de minha ação em todos os instantes; por isso ele me protege e defende, permite-me lutar para me defender ou conseguir aquilo que necessito, fugir do que me ameaça, fruir do que me apraz. Esse é o "pai bom"; há o mau também. A fim de me manter ereto e carregar continuamente meus 75 quilos, faço bastante força, sinto-me oprimido e cansado, despendo muito energia, sinto bem meus limites e servidões. Meu "pai" é bom e mau ao mesmo tempo. Ele me satisfaz e me tolhe, me move e me prende, me equilibra e me constrange, me realiza e me frustra. A Terra é minha mãe; meu sistema de equilíbrio é meu pai. Como se vê, *meu pai se opõe sempre à minha mãe.* No entanto, *um não existe sem o outro e um existe para o outro.* Quando me deito, então eles podem se entender. É o sonho... O pai é o centro de impulso, a mãe é o centro de gravidade — ou de inércia.

Dentro dessas oposições múltiplas de raiz, outras existem, incontáveis, em nosso aparelho motor. Daí, em princípio, que o "eu" possa estar em lugares sem conta, além dos múltiplos lugares sensoriais nos quais podemos encontrá-lo muitas vezes. A clássica "topografia" do inconsciente — de Freud — pode ser aceita integralmente com uma ressalva: inversão completa dos movimentos descritos. O inconsciente é um lugar ou um espaço ou uma estrutura — é o corpo. Mas o inconsciente não vai à, nem chega à, nem invade a consciência, que *não* é um lugar, mas uma função. Esta é que vai ao inconsciente e por ele passeia, ou é levada para lá, conforme o caso. A consciência "está" — na verdade "se forma" — onde há um ajuste delicado a realizar, onde uma relação está perturbada, onde algo novo germina. A substantivação do inconsciente trouxe como consequência a substantivação da consciência, e esse duplo processo provocou a mumificação de tudo que é realmente dinâmico no homem. Todo nosso equilíbrio é dinâmico, algo a ser procurado, mantido e reconquistado *continuamente.* A personalidade não é uma coisa; é um processo ou uma integral de processos. Uma integral que tende continuamente a se desagregar ou dividir. Por isso é tão importante e tão difícil ser um indivíduo — algo não dividido. Um indivíduo não existe — ele se faz, desfaz e refaz continuamente.

A individualidade se confunde, ela também, com um processo, não com uma coisa, nem com uma estrutura ou uma forma. É o nosso modo de vir a ser. "Gurfinkel, do Instituto de Biofísica de Moscou, estudou minuciosamente a posição do centro de gravidade de um homem em pé. Embora o homem ficasse imóvel de todo, seu centro de gravidade oscilava continuamente. As oscilações não dependiam da pessoa, de sua altura, do tamanho do seu pé (área de sustentação) nem do seu peso. Três modalidades de oscilação do centro de gravidade foram identificadas: pequenas oscilações — oito a dez por segundo; oscilações maiores e mais lentas — com um período de cerca de 1 segundo; e, finalmente, um movimento ondulante vagaroso, com um período de 30 a 60 segundos. As três frequências são nitidamente definidas e mutuamente independentes. Em diagramas, as oscilações aparecem como um traço ascendente seguido de denteações descendentes."[13]

Essa mecânica do nosso vir a ser é como uma pesquisa contínua. Pesquisa espontânea — fatal. Somos condenados a buscar incessantemente nosso equilíbrio.

A CONSCIÊNCIA QUE ACONTECE

A consciência, pois, não vai nem fica; ela se forma quando necessário, onde necessário, como necessário. A neurose não deve ser expressa em termos de "alterações da consciência" ou seu sinônimo, "alterações do ego"; deve-se antes perguntar por que a consciência *não se forma bem* aqui e agora, ou por que ela não *se situa bem* aqui e agora. A essência da neurose está na tendência que a consciência tem de desfazer-se e refazer-se *sempre do mesmo modo*, de ser sempre a mesma, de não se fazer diferente.

A consciência não só se forma como é formadora. Ela aparece onde ciclos autossustentados se perturbam; sua presença corrige esses ciclos e então ela se desfaz. A consciência, em comparação

13. SAPARINA, Yelena. *A cibernética está em nós*. Rio de Janeiro: Saga, 1967, p. 91-93.

biológica, corresponde a um nódulo germinativo primário ou secundário. São primários os nódulos embrionários, cujo brotamento vai marcando as etapas do desenvolvimento e crescimento do ser; são secundários aqueles que permanecem latentes até que circunstâncias externas os ponham em atividade, e então servem à defesa, à reparação, à reforma e à cicatrização. A consciência funciona no mundo psicológico do mesmo modo como o sistema retículo-histiocitário funciona no corpo. Em termos usuais podemos dizer: a consciência se forma onde hábitos estabelecidos entram em colisão uns com os outros ou em discordância com as circunstâncias. Uma vez formada, sua função é "resolver" a interferência e restabelecer a ordem, modificando, dissolvendo e reestruturando novos hábitos, sempre que possível... Daí se conclui — como o mágico que tira o coelho da cartola — que a função da psicoterapia é de fato resolver conflitos. Esta a cartola; mas agora o coelho: a função do terapeuta é *provocar* conflitos. Deixemos para outra vez a explicação do truque.

EXPLICAR E RESOLVER

Convém darmos mais um passeio etimológico. O caso agora é como "explicar" e "resolver". Explicar significa — pasmemos! — "desfazer uma prega", de *ex* e *plica*. O oposto etimológico de explicar é "implicar" ou "complicar", a gosto do freguês. Está na palavra o que dissemos antes. A consciência se forma a fim de explicar, a fim de desfazer uma prega, a fim de eliminar alguma coisa que está incomodando, a fim de "alisar" as coisas. As coisas lisas não nos chamam a atenção (não provocam a formação da consciência). Uma prega num tecido liso muda de todo sua fisionomia, como os costureiros sabem muito bem. Para que uma prega não nos "prenda", precisamos desfazê-la: isso é explicar! Como se vê na origem ingênua da palavra, a explicação é mais um gesto que uma ideia ou teoria. Assim também na vida: quando algo nos incomoda é mais útil fazer o que "explica" — o que desfaz a prega — do que... explicar o incômodo, pois este, sabemos, continua a incomodar mesmo depois de explicado, como um calo e o sapato que o aperta. E resolver? Provém de *re* e *solvere*; significa, pois, "dissolver de novo". Como se vê, a ideia é a mesma. Em um líquido claro, algo se formou que o turva ou nele apareceu um precipitado inesperado. É preciso que ele seja redissolvido. Enquanto líquido claro, ou ele não chama a atenção ou apraz tranquilamente aos olhos. Depois de turvo, ele incomoda e desagrada — está "sujo". É preciso *re-solvere*, encontrar o que dê ao líquido sua limpidez primitiva. Certamente não será uma explicação ou uma interpretação que fará o milagre — a menos que sejamos alquimistas e acreditemos em fórmulas mágicas.

Há nesses dois termos mais uma confirmação do que propomos; duas das palavras mais usadas em psicoterapia e na vida apontam para algo *efetivo* a ser *feito*, não para uma construção intelectual ou verbal. O povo diz, muito simplesmente: "É preciso achar o jeito".

O leitor que tenha me acompanhado até aqui talvez possa colher de si mesmo esta impressão: "Curioso e interessante esse nosso aparelho motor. Talvez ele seja mais importante do que eu acreditava. Mas o autor não convence de todo. Ao explicar atos banais, consegue nos convencer de que eles são muito complicados. Ao falar de pessoas e processos psicológicos, diz coisas sugestivas mas não muito bem articuladas. Falta, sobretudo, esclarecer mais as correlações entre as ações concretas complicadas — cuja complicação se compreende — e os processos mentais".

Tenho falado mais de ações que de atitudes; no entanto, quer na vida, quer no consultório, o que vemos com muito mais frequência são as atitudes. *As ações são muito mais ditas do que feitas.* É por isso, acredito, que a correlação psicomotora não aparece com a clareza desejável. Por mais complicadas que sejam, é mais fácil de acompanhar e compreender as ações humanas do que as atitudes: são *específicas*, qualidade que recebem do objeto. As atitudes, *que* são *sempre preparação para a ação*, mostram-se mais ambíguas, como é próprio de nosso aparelho motor. Antes de analisarmos coisas em abstrato, consideremos um modelo.

OS BAILARINOS E AS ESTÁTUAS

Comparemos um bailado com uma exposição de esculturas na qual só se veem corpos humanos. *É fácil compreender e seguir a história contada pelos personagens que dançam; é incerto apreender com certeza a expressão ou a intenção que mora nas estátuas.*

Esse é nosso problema e é essa nossa... prega. Não sei se posso fazer muito pelo leitor. Se você não se deu ainda à arte de observar as pessoas paciente, minuciosa e longamente, muito deste estudo permanecerá obscuro — senão absurdo — para você. E não basta ter visto muito, porque ver muito a figura humana, todos a vimos. É preciso tê-la observado, contemplado e meditado.

Além dessa dificuldade, em princípio transponível com aplicação e trabalho, existe outra, mais sutil e exigente. Estamos sempre *reagindo* às expressões e posições do outro; *sabemos por instinto quase tudo aquilo que estou tentando dizer.* A avaliação de uma situação pelas expressões e atitudes do outro é um verdadeiro instinto em nós. Como a posição ereta, esse instinto deve ser cultivado; não nasce pronto. Mas todos nós o cultivamos também por... instinto — de defesa e de orientação. Daí que tudo que vou dizendo se mostre deveras óbvio, ingênuo e tolo para uns ou completamente incompreensível, elaborado e absurdo para outros. *As coisas das quais estou falando são exatamente isso, extremamente óbvias e obscuras ao mesmo tempo.* Em analogia, estou convidando o leitor a prestar atenção à própria marcha enquanto marcha; a estar presente ao presente, enquanto ele acontece. Parece pouco mas é muito.

A VANTAGEM DO EQUÍVOCO

Posso demonstrar que meu objeto de estudo é inerentemente equívoco. Nosso aparelho de movimento se compõe de pares de tendências contrárias. Cada tendência, insistamos, tem um substrato objetivável: uma tensão muscular presente ou possível. Nesse tipo de organização vai uma imensa vantagem biológica — e, ao mesmo tempo, uma contínua charada para toda inteligência ordeira e metódica. Sempre estamos prontos para fazer uma coisa... ou o contrário. Atacar-fugir são dois contrários típicos: mesmo os grandes felinos, quando caçam — estando de todo "prontos para atacar" —, avançam com uma cautela macia e precisa, indicadora de sua disposição — precisamente contrária — de "prontos para fugir". Praticamente todos os nossos movimentos podem ser feitos em um sentido e no oposto, como saltar para arremessar uma bola e saltar para apanhar uma bola, avançar com um florete ou recuar diante dele, empurrar-puxar, estender-fletir, girar para um lado ou para o outro e quanto mais. Por isso é difícil encurralar qualquer animal; e por isso também se tenta fazê-lo quando se pretende dominá-lo; só então, por força da forma do lugar, fica o animal obrigado a *mover-se numa só direção*. Ora, todos esses movimentos são exatamente ações, e ações *opostas* por definição. No entanto, *as atitudes de base para tais movimentos são praticamente idênticas*. É preciso um olhar de lince para surpreender o momento preciso em que a ação vai inverter-se, pois as modificações na atitude de base são mínimas. Esta a vantagem biológica do momento vivo: tanto mais equívoco — isto é, tanto mais versátil e surpreendente — quanto mais se sobe na escala biológica, alcançando provavelmente seu máximo com a posição ereta. Modelo: o boxeador fechado na defesa. Basta um instante e a compactação bem assentada do lutador se torna a base para o murro de volta — para o ataque.

Nenhum animal tem tantas formas, ou tais limites de forma, como o ser humano. Todas ambíguas. É por isso que em psicanálise se faz legítimo em certa medida interpretar as coisas num sentido ou, se este falhar, no oposto. Essa ambiguidade na interpretação tem trazido descrédito e risotas para a psicanálise. No entanto, à luz da motricidade, ela é legítima. Digamos que alguém sonhe com a morte do pai — sonho tido como típico. O terapeuta, com prudência, tentará verificar se o paciente *teme* essa morte; se falhar, insinuará que o paciente *deseja o* fato. Caso falhe esta também, o terapeuta inverterá a situação: *temerá* o paciente que seu pai o mate? Ou *deseja* morrer? Tudo isso que parece arbitrário como método, que parece caprichoso e até intelectualmente desonesto encontra justificativa plena em nossa organização motora. Em termos de desejos e temores, a explicação é para mim pouco convincente; mas, se passarmos dos desejos e temores para as *ações correspondentes*, aí tudo me parece muito cabível.

Mais um fato deve ser somado ao exposto, a fim de esclarecer a obscuridade da correlação psicomotora.

NÃO EXISTE ATITUDE REPRIMIDA

A repressão dita psicológica refere-se exclusivamente a ações, jamais a atitudes. Nunca vi escrita nem dita explicitamente essa afirmação, que, a um exame tranquilo, poderia ser aceita por todas as escolas psicoterápicas. No entanto, ela sozinha pode dissipar dúvidas sérias e persistentes nesse campo.

Na vida adulta, as "ações" reprimidas são, oito vezes de dez, *palavras ou frases* que não são ditas na hora certa ou do modo certo; já na infância é realmente a *ação* que sofre o processo. Regra geral, aprendemos desde cedo a tolerar as atitudes dos demais com certo senso de inevitável, coisa de todo legítima, pois é humanamente impossível desfazer ou impedir a formação das atitudes ainda quando, em certa medida, nos seja dado deformá-las. Aqui, como de outras vezes, cabe-me apenas mostrar um fato e não demonstrar uma tese. O problema é ver, não compreender.

Fica estabelecido de início que a palavra do adulto está em correspondência com as ações da criança, mas diga-se desde já que tal correspondência não é simples, pois o ato verbal — a palavra — depende primariamente da função "fonadora", que se confunde amplamente com a respiração, ao passo que as ações em geral dependem do corpo todo.

Em geral, os pais e os próximos da criança aceitam ou se conformam com as *atitudes* desta, limitando-se a corrigir ou a repreender *suas ações*. Um garoto com jeito e cara de zangado é aceito — às vezes com certo bom humor, outras vezes com alguma irritação ou apreensão. Mas, no momento em que essa raiva se manifesta, por exemplo, pelo arremesso de um objeto contra alguém, então se levantam as barreiras pedagógicas. Também no que se refere a pessoas com trans-

A ESTÁTUA E A BAILARINA

tornos mentais ocorre algo de todo semelhante. É comum recebermos no consultório pessoas cuja atitude é péssima e, segundo o relato dos familiares, estão assim há anos. Contudo, enquanto o infeliz não prorrompe em impropérios, não sai nu na rua ou não põe fogo na casa, deixam-no em paz. Até o momento da ação absurda ou inesperada, a pessoa é apenas "esquisita"; depois da ação, é "louca".

No entanto, basta ter olhos para ver que o ato "louco" está contido na atitude esquisita — todos sabem que é assim. E, se a família do alienado o deixa em paz, isso se deve mais ao temor do que à indiferença, pelo menos nos primeiros meses da "esquisitice".

Temos no lar, no trabalho e na escola outros exemplos familiares dessa intuição elementar, segundo a qual o ato é pressentido e está pré-formado na atitude. O marido sabe quase sempre muito bem os dias e as horas em que a esposa está "daquele jeito"; ele sabe, então, que qualquer estímulo pode desencadear uma cena, um desaforo, recordações penosas ou críticas pungentes. Ela também conhece os dias do marido. No trabalho, apenas vendo o jeito do patrão ao entrar no escritório os empregados sabem muito bem quando se pode folgar e quando não convém. Algo idêntico acontece também com os estudantes em relação ao professor. Como se vê, todo mundo usa minha teoria todos os dias... menos os especialistas. O que se vê são atitudes. Vemos nelas as ações latentes, das quais nos defendemos por antecipação ou nos precavemos a fim de que não aconteçam. Essa é uma prova estatística mais do que significativa da seguinte afirmação: *o que é inconsciente para um sujeito é visível para outro*. É também prova desta: *reagimos bastante inconscientemente às atitudes do outro*, bastando para isso tê-lo sob os olhos.

Posso conter um gesto de impaciência, mas não posso desfazer uma atitude de impaciência, que aparece inteira no modo "armado" do corpo, na respiração contida, no olhar inquieto, nas acelerações rápidas que sofrem todos os gestos; em suma, na atitude de quem está "pronto para se afastar". Posso impedir-me de dar um murro na mesa ou na cara do outro, mas não posso impedir-me de enrijecer o corpo, ficando ao modo daquele que está "pronto para agredir".

Pode-se demonstrar logicamente que não é possível suprimir toda a atitude. Dadas as suas relações com a postura, anular totalmente a primeira é suprimir de todo a segunda, e isso nos levaria ao chão. Existe mais uma demonstração lógica: como a atitude se compõe de centenas ou milhares de tensões musculares, seu controle voluntário é uma impossibilidade prática. Não há ninguém no mundo capaz de exercer com êxito esse controle.

Além disso, ninguém espera tal controle dos demais; basta-nos, para termos confiança e pagarmos o salário combinado, que a pessoa *faça* o que prometeu, não importando se o faz de bom ou mau gosto, com boa ou má cara. Mais do que isso: em geral, julgamos a força de vontade ou o controle de alguém precisamente por essa capacidade de realizar o combinado apesar dos sentimentos contrários, sentimentos que facilmente aparecem na atitude. Usamos esse critério na vida cotidiana, e ele é deveras apreciado na moral tradicional.

METAMORFOSES

Estávamos procurando mostrar que as atitudes nunca são reprimidas e que esse processo psicofisiológico alcança apenas as ações ou as palavras. Tal afirmação é simplificada. Ao se reprimir uma ação, modifica-se a atitude inicial. Se exigirmos de uma criança que pare de chorar, ela consegue nos obedecer enrijecendo estes ou aqueles grupos musculares. Cessa o choro, mas a atitude repressora também é significativa ou expressiva.

A inibição de uma ação compõe uma atitude apta a servir de base a uma nova ação também adequada, mas a outra situação. Por exemplo, a mesma criança que proibimos de chorar: temendo mal maior, ela consegue não chorar à custa daquela sabedoria muscular da qual já tanto falamos; seus olhos se apertam, sua garganta se aperta, seus ombros se apertam. Ao cabo do processo, ela está com a atitude do ressentido, dura de corpo e de espírito. Pouco depois, sai à rua e reúne-se à sua turma. Ninguém sabe por que nesse dia ela se faz líder do grupo e vencedora em uma batalha simulada. A atitude dura, gerada pela inibição do choro, *adquiriu função em situação diferente da original*. A isso o psicanalista denomina "vantagem secundária da neurose". Notemos que a vantagem é secundária em relação ao tempo, mas não quanto à importância.

A liderança pode se fazer e ser uma grande satisfação. Mas aparece claro no exemplo quanto essa liderança *não era* o que a criança pretendia originalmente. Além do mais, a atitude de líder, formada em certa medida de modo acidental, pôs a criança em outro mundo — longe do lugar, do tempo e da pessoa que a repreendeu. Saindo à rua quase em transe sonambúlico, a criança foi levada — provavelmente pela atitude "sem objeto" que a animava — ao grupo, em busca de um apoio ou de um consolo, quem sabe. Uma vez no grupo, a tenacidade ou a força da contenção que nela se exercia começou a atuar fora dela e a organizar o grupo. Creio que a criança só "acordou", em nosso exemplo, quando se sentiu "chefe" da atividade do bando. É pouco provável que a criança — ou até mesmo um adulto em seu lugar — percebesse a relação entre o choro contido e a liderança subsequente. Tudo que é importante nessa sequência de fatos está nos movimentos e nas atitudes. Deixe alguém de considerar o plano motor e toda a explicação subsequente da relação entre a mágoa contida e a liderança se torna um romance confuso ou uma teoria esotérica.

CONTER-SE — O QUE É ISSO? CON-TENSÃO!

A todo instante contemos raiva, irritação, amor, inveja, despeito, gentileza, doçura e quanto mais. No entanto, sabemos tão pouco sobre o modo como efetuamos a mágica quanto sabe pouco o marceneiro sobre o modo — agora muscular — de empunhar e manejar suas ferramentas. Para mim, a comparação não é mera comparação.

O afeto, como experiência consciente, não tem direção nem sentido; é fluido ou líquido; invade-nos e recua como onda. É plástico, proteico e vivo. A energia afetiva se manifesta como pressão, implicando superfícies e volumes basicamente curvilíneos. Essa pressão pode ser centrípeta ou centrífuga, expansiva ou compressiva, mas é sempre pressão. Em diagrama, uma pressão fluida pode ser mais bem estudada como soma de forças infinitamente pequenas atuando em superfície, e não como complexo de alavancas. Um afeto não nos alcança como flecha; antes, atinge-nos como marola, onda de calor ou nuvem de pó. *O que dá forma compreensível ao afeto é a constituição vetorial da atitude que ele compõe em nós.*

Passar diretamente do afeto para o afeto — explicar como, por exemplo, o amor é contido pela vergonha — sem considerar a motricidade torna-se um feito tão desesperador quanto separar um líquido de outro liquido miscível ao primeiro, água e vinho por exemplo. Quase tudo que é desalentadoramente confuso e pouco persuasivo na psicologia dinâmica pode ser resumido desse modo — como separar água de vinho, amor de vergonha, raiva de medo, ternura de agressão, admiração de inveja.

FANTASIAS INCONSCIENTES

Se desesperados por separar a água do vinho lançamos mão de *imagens mentais* a fim de efetuarmos a separação, aí as coisas melhoram um pouco. Podemos então, com muito jeito e paciência, compreender um pouco como se faz e se desfaz a mistura: é o trabalho psicanalítico de melhor espécie. Lançar mão de imagens mentais quer dizer, em linguagem técnica, "analisar" a consciência a fim de surpreender nela as perturbações devidas ao inconsciente, captar os "derivados" do inconsciente na consciência, analisar as "fantasias inconscientes". Bem compreendido o método, vemo-nos, ao fim do aprendizado, dentro daquela atitude tão característica do psicanalista, que é fatalismo nos melhores casos e oportunismo nos piores. Tendo passado anos e anos a observar (quase sem intervir) os processos espontâneos da mente, chegamos a ter uma compreensão vaga, algo grandiosa e meio aterradora de nossas fluências profundas, com muito respeito e bastante temor por esse gigante envolvido em névoas: o ser humano. Mas, sem terçar armas com o gigante, ele se mantém, para nós, um eterno desconhecido e uma perene ameaça.

IMAGINAÇÃO ATIVA

Nesse ponto entra Jung e sua fascinante "imaginação ativa". Ele diria a seus pacientes, como digo aos meus, após observá-los bastante tempo: "Continue a sonhar de olhos fechados — continue. Mas faça o brinquedo mais bonito: transforme-o em aventura. Feche os olhos e deixe que venha à sua mente aquilo que vier. Você é um ator sem palco, sem comparsas nem história. Feche os olhos e deixe que o palco se faça e a cena se desenhe e surjam os personagens. Cabe a você atuar com eles ou contra eles, se parecer razoável ou necessário. Perambule pelo mundo de dentro, interrogue aqueles que encontrar, evite com cuidado o que parecer perigoso, enfrente o risco necessário. Faça na imaginação não só o que parecer agradável, mas também o que se propuser como necessário ou inevitável. Você é um solista sem orquestra nem coro. Feche os olhos, e a orquestra e o coro aparecerão. Mas não se iluda. Por vezes, o coro acompanha; outras vezes, não. Acompanhe com cuidado o que acontece e procure agir como na realidade você agiria se o sonho se fizesse realidade".

Com essa técnica sutil e bela, avançamos um grande passo. O paciente não é mais o relator que se limita a registrar, com pasmo ou indiferença, o que acontece em si — bem no fundo, alheio a si mesmo. Agora é ator, relaciona-se vivamente consigo mesmo, aprende a avançar e a recuar, a cantar vitória merecida ou chorar derrota merecida; interage consigo mesmo. É bom; é natural. Também nossos movimentos ditos reais se fazem primariamente sob a regência de nossos olhos. Natural, pois, quando queremos ou precisamos agir no mundo íntimo, que sigamos o mesmo guia, os olhos. Que atuemos *na* fantasia. Mas nem todos podem ou conseguem seguir esse caminho. É bom que haja outros.

Teoricamente, é fundamental a passagem de Freud para Jung: o primeiro, mais interessado em compreender o que acontecia; o segundo, mais interessado em modificar o que via. Mais clínico este e mais humano; mais cientista aquele, mais desumano certamente — basta ver os nomes que ele inventou para os nossos sentimentos.

Com Reich, demos mais um passo. Em essência e em resumo, Reich preocupou-se exclusivamente com a pergunta que estabelecemos muitas linhas atrás: que *fazemos* nós quando *contemos* o choro ou a raiva? Qual é, exatamente, a sequência de ações ou tensões musculares que se estabelecem ou se desfazem, transformando uma expressão em outra? Suas descrições clínicas são esplêndidas. Tudo aquilo que o psicanalista — o bom — se compraz em descrever como habilidade do inconsciente substantivado, Reich traduz e mostra no jogo de tensões e movimentos do corpo.

O EU É INTERAÇÃO

É no músculo e na propriocepção que aparece e se faz a repressão, e tudo mais que o inconsciente pode fazer. Mas agora deixemos de todo o papel de relatores impessoais dos próprios pensamentos e sonhos; deixemos até mesmo o palco e o drama épico do microcosmo, e passemos a atuar diretamente sobre, com ou contra o inconsciente. Alcançamos, em certa medida, o ideal de toda ciência: a manipulação à vontade de seu objeto de estudo. À vontade do ser humano, evidentemente.

Como se manifesta em clínica isso de que toda repressão se dirige a atos e não a atitudes? De dois modos: positivo e negativo.

"O paciente, enfim, vencendo as resistências, manifestou seu impulso ou seu desejo" — que significa? Significa que ele *fez* ou *disse claramente* pretender realizar certa ação.

Encontramos a expressão negativa quando o paciente "está com resistências". Consideremos três etapas no processo, em correspondência com sua maturação.

Na vigência de uma onda ou de uma inundação afetiva mal configurada — muito tosca e primária —, a pessoa apenas "sente-se mal", desorientada, sem jeito ou confusa.

Numa segunda etapa, quando a atitude começa a se desenhar com mais nitidez, dado que toda atitude começa naturalmente pelo tronco, ela percebe apenas que vai ficando cada vez mais comprimida ou oprimida. É a hora das crises de ansiedade.

Numa terceira etapa, a pessoa consegue perceber, aos poucos — exemplifiquemos com a raiva —, que está tomada de um conjunto de tensões configuradas que tendem a pô-la, digamos, ao modo de um lutador *prestes a se defender*. Esse é o momento em que a "resistência" alcança sua clareza e força máximas. Por fim, a pessoa consegue entrever o "ataque" — uma ou mais ações agressivas — *contido* na atitude de defesa. Nessa hora o "impulso" se faz claro e ela, via de regra, luta para que ele não se realize — sem perceber que ao lutar está realizando aquilo que pretende suprimir.

COMO SEGURAR A RAIVA

Aprofundemos a análise, considerando a raiva. Imaginemos o filho de um pai grosseiro obrigado a ouvir gritos e desaforos todos os dias nas refeições, sem poder reagir — isto é, contendo todos os seus impulsos de protestar, criticar, esmurrar a mesa —, ou o pai... Além da atitude global, o que se observa visualmente na pessoa enraivecida e disposta a brigar (impulso) é uma expressão de rosto, sobretudo ocular, de convergência e concentração sobre o oponente (*direção* do ataque). Já aquele que, no mesmo caso, não briga (repressão) mostra no rosto, sobretudo no olhar, uma expressão vaga e despolarizada; fica meio apalermado, distraidamente "concentrado" no vazio. *Quem reprime um afeto comporta-se como alguém que abotoa um botão nas costas, momento em que os olhos não ajudam e é preciso sentir as coisas pelo tato e pelos músculos.*

Creio que não há repressão sem essa passagem do visual para o proprioceptivo, sem a passagem daquilo que vejo *diante* de mim para aquilo que sinto *em* mim. O que sinto em mim enquanto reprimo é a atitude que assumi para *não* fazer a ação que me veio à mente no primeiro momento. Dito de outro modo, fico atento ao trabalho espontâneo que se realiza em minha musculatura, trabalho que se destina a impedir a realização da ação impulsiva.

Se desejamos compreender bem em que consiste esse trabalho, devemos imaginar-nos segurando uma pessoa movida da intenção que tivemos originalmente.

A repressão nos "isola" do mundo; na verdade, ela *não nos deixa ver o* presente, aquilo que está diante de nós aqui e agora — a situação. *Atua assim porque nossa atenção, enquanto reprimimos, está presa à organização e à manutenção da atitude repressora, precisamente.* Por isso ficamos "deslocados", isto é, "fora de lugar". Na *situação de repressão*, a direção do olhar e a distância de convergência marcam exatamente nosso deslocamento geométrico, a distância e a direção em que nos pomos (virtualmente, é claro) ou pomos o outro.

Basta desarmar o aparelho ocular — desfazer sua posição convergente e focalizada — para que nossas forças percam sua estrutura dinâmica em relação ao objeto externo; ao mesmo tempo, no mesmo ato, dissolve-se toda intenção pessoal.

A repressão, ao mesmo tempo que nos isola do mundo, nos põe em contato conosco. E assim nos confunde, porque esse contato é incomum para nós e não sabemos como estar nesse mundo da *dynamis* pura, da pura propriocepção. Menos exata e mais concretamente, podemos dizer que ao reprimir totalmente — ao desarmar o aparelho ocular — nós nos situamos em um lugar *escuro*, sem orientação visual. Somos então só nós mesmos: eu, o corpo e a Terra.

Não raro, nessa situação, as pessoas dizem: "Aguentei calado..." Aguentou o quê? O peso das... palavras? Mais certo seria dizer: "Apenas aguentei a mim mesmo; percebi ou senti que estava ou era pesado. Fui a Júpiter!" Enquanto reprimimos, o que vemos e o que ouvimos não tem sentido para nós. Olhos e aparelhos da audição perdem sua disposição habitual "de contato". De regra, é muito evidente a acentuada *imobilidade* da pessoa enquanto mantém uma repressão. Quando "em defesa" — numa primeira etapa —, o afeto suprimido se posturaliza e com isso aumenta em nós aquela obscura forma de consciência ligada à nossa mecânica, ao nosso ser material e grávido.

Tal consciência é inerentemente obscura porque é *consciência do não eu em mim*, consciência de meu peso, de minha relação material e dinâmica com a Terra; de minha relação mecânica — *por isso impessoal* — com o cosmos.

Nessas horas, tudo nos pesa demasiadamente — assim sentimos; tudo que fazemos sai malfeito, o que indica assinergia funcional —

ineficiência — do aparelho motor. Multiplicam-se então os lapsos famosos, indicando o mesmo.

A fórmula é bastante útil. Em certa etapa da repressão — a mais primitiva —, passo do mundo do afeto e das imagens para o mundo do mecânico e do dinâmico em mim, a propriocepção: transito do pessoal para o impessoal, do vivo para o material.

Se a pessoa estivesse em tratamento, na medida em que se apontasse insistentemente a atitude de contenção, ela passaria a se apresentar de modo semelhante ao de um *equilibrista enquanto se equilibra.* É o momento em que a velha atitude começa a afrouxar, comprometendo o equilíbrio habitual da personalidade. *O paciente se mostra desconfiado, cauteloso, atento e vigilante o tempo todo — a angústia persecutória dos psicanalistas.* Seus sonhos trazem numerosas cenas e situações vertiginosas, cenas de alturas, grandes velocidades, situações de equilíbrio difícil, quedas bruscas com acordar sobressaltado. Apreciada de maneira ingênua, a pessoa parece lutar astutamente contra si mesma. Na verdade, ela está lutando a fim de permanecer em pé. Lutando para permanecer em pé de acordo com seus velhos hábitos e princípios, ela atua contra as atitudes nascentes, que são o "inimigo". É legítimo, ainda que não seja o mais importante, dizer que ela resiste ao impulso. Na verdade, resiste à queda. E, sem perceber esse fato, talvez sigamos aquele caminho segundo o qual o superego é uma estupidez e, o que é pior, sejamos levados à atitude terapêutica de espera entediada enquanto o paciente "resolve seus conflitos"; ficamos esperando, sem nada por fazer, que o coitado "se decida" a superar suas "resistências infantis".

O EU DESEQUILIBRADO

Espero que, depois dessa digressão, esteja mais clara a correlação entre o psicológico e o somático, vendo-se neste principalmente o aparelho biomecânico. Na teorização psicanalítica, esse aparelho biomecânico, dissociado de sua função primordial, aparece descrito quase sempre como "pré-consciente" de "intenção inconsciente" ou, mais vagamente, "desejo". Mas parece claro que a eliminação da função primordial desse aparelho desvirtua de maneira irremediável todas as interpretações que, mesmo quando relativamente verdadeiras, apenas apontam para uma perturbação de algo essencialmente ignorado. Em outros termos, ao construir sua interpretação, o psicanalista julga estar isolando *aquilo que perturba a consciência,* quando, na verdade, ele está apontando, de forma alegórica, para disfunções motoras que *perturbam a ação, a atitude e o equilíbrio do corpo.*

Façamos uma comparação ingênua a fim de esclarecer o ponto. Digamos que, antes de William Harvey descrever a circulação, certa escola psicológica, mediante observações e também medidas adequadas, tivesse chegado à conclusão de que a função *primária* do coração é sua influência no estado emocional das pessoas. Esses psicólogos, diante de um paciente cardiopata, concluiriam que ele apresentava um "quadro de emoção crônica". Seguindo a evolução do doente, concluiriam que a emoção crônica leva gradualmente ao edema, à dispneia, à cianose e à morte. Por muito ingênua que pareça a comparação, tenho para mim que é essa a posição em que se coloca a psicanálise diante do "órgão" psicológico denominado "superego".

Examinemos mais um aspecto clínico da situação — de novo, as já discutidas projeções e identificações. Vejamos como a consideração das forças musculares torna claro esse problema que em outros termos é sempre obscuro.

Claro que nenhuma identificação exclui o sujeito — ninguém é ou se faz inteiramente outrem. A motricidade própria do indivíduo sempre atua de algum modo — motricidade própria é aquela ligada às dimensões lineares e às proporções de massa dos vários segmentos do corpo, ligada também às suas propriedades tensionais e funcionais constitucionais e, enfim, moldada pela experiência passada do indivíduo. Essa motricidade própria interfere no ou colide continuamente com o esquema tensional e motor que constitui a identificação, e é por isso que esta não deixa o indivíduo em paz. Qualquer movimento que ele faça de algum modo se deturpa ou falsifica. A identificação forma-se geralmente dentro da e devido à relação olhos da criança-figura com a qual se identifica. *É vendo o jeito da mãe que a criança termina fazendo como ela — assumindo sua atitude.*

A ROUPA DO DEFUNTO

No final do processo, o indivíduo se comporta como alguém posto em roupa mal cortada ou malfeita. Podemos descrever o resultado final também em outros termos, bastante incomuns mas muito claros: uma pessoa identificada com esta ou aquela figura inconsciente comporta-se na gesticulação, na verbalização, no pensamento e na atitude *como se ao seu redor existissem paredes, obstáculos e buracos invisíveis, dos quais ela se desvia continuamente.* Sua ação não é fluente nem harmônica, mantendo-se ou derivando continuamente para estereotipias mais ou menos evidentes, que são a própria substância da identificação. A expressão "idêntico a si mesmo", sempre o mesmo, é melhor do que "identificado com". O paradoxo assim se apresenta: a pessoa de conduta estereotipada é sempre idêntica a si mesma, mas nunca é ela mesma...

Dado que a identificação se compõe com a motricidade própria do indivíduo, podemos estudá-la no modelo pessoa/muro; mais próxima da realidade seria a comparação pessoa/modelo ortopédico. Mas ambas valem no seguinte sentido: *todos os esforços, próprios ou alheios, tendentes a desfazer a identificação, assustam o indivíduo (produzem angústia); quando falha eventualmente a identificação — quando deixam de atuar certas hipertonias posturais inconscientes —, ele se desequilibra, como se a roupa malfeita se rasgasse subitamente.* Ou, permanecendo em nossa comparação, *como se o objeto com o qual estão compostas as forças do sujeito de súbito se desvanecesse. O susto provém desse desequilíbrio inesperado; é igualmente esse desequilíbrio que aviva incoercivelmente a tendência a retornar à forma primitiva.*

A MAIS GERAL E FUNDAMENTAL DAS
RESISTÊNCIAS À MUDANÇA DE ESTRUTURA
PSICOLÓGICA É O TEMOR DE QUEDA.

Mecanicamente, o que acontece é o seguinte: a posição e a movimentação habitual do centro de impulso, comum aos dois conjuntos tensionais em conflito, não se confundem com nenhum dos dois centros individuais — o da pessoa e o da identificação. *Quando um dos conjuntos se atenua ou desaparece, há um desequilíbrio súbito, de todo comparável a um empurrão.* Como no caso do empurrão verdadeiro, desatam-se então na pessoa, com grande velocidade e certa precisão, tensões musculares *opostas* à direção da queda potencial. A consequência final é que o indivíduo *retorna à posição primitiva*; chega até a ultrapassá-la. Psicologicamente, o equivalente desse jogo motor é o fato bem conhecido de todo psicoterapeuta: quando uma resistência está sendo trabalhada, antes de seu desaparecimento final ocorre quase sempre sua intensificação.

No curso mais lento do processo afetivo, o afrouxamento de uma resistência não pode ser comparado a um empurrão, mas a uma lenta e persistente inclinação do plano de apoio.

Essa modificação na dinâmica dos centros mecânicos produz outro efeito bem conhecido em clínica. Quando se afrouxa uma atitude, o indivíduo sente-se em maior ou menor grau "fora de si". Não sente mais — ou não sente bem — que é "ele mesmo". Até mesmo ações feitas nesse estado, por vezes mais genuínas que todas as anteriormente realizadas pela pessoa, são sentidas como estranhas e não próprias. Para mim, é muito convincente, como modelo dessa situação, aquilo que aconteceria entre duas pessoas que se conhecessem quando têm a oportunidade de dialogar no trem que faz a curva. Se o leitor pouco familiarizado com essas comparações desejar outra mais comum, lembro o mesmo diálogo entre dois ateus confessos e praticantes, conversando numa igreja à qual foram por motivos sociais. O "não saber como ficar" gera a mesma estranheza que se apossa do paciente quando sem uma identificação. O novo centro dinâmico da personalidade, incomum, gera a dificuldade.

Quando afirmamos que uma identificação é uma presença atuante mas invisível, estamos definindo inadvertidamente a propriocepção, nem mais nem menos. Esse é o nosso último argumento tendente a demonstrar que a identificação pode e deve ser considerada um processo biomecânico.

A psicologia dinâmica tem-se prendido demais e exclusivamente às identificações com pessoas, como se só estas existissem ou como se só elas fossem importantes, simplesmente. Não piso em gente, mas ando muito. Não manipulo gente, mas uso numerosos objetos. Não respiro gente, mas respiro sempre. Não vejo nem me relaciono só com gente, mas vejo continuamente centenas de coisas, e a elas me ligo de centenas de modos diferentes. Essas relações, "objetais" em sentido próprio, não são importantes? Serão, em essência, diferentes das relações pessoais? *Mecanicamente não*, como estamos vendo e veremos mais.

O SER HUMANO E AS COISAS

Defendo aqui a hipótese oposta às mais correntes de que as relações fundamentais do ser humano com os objetos inanimados ou com as propriedades materiais dos seres vivos moldam consideravelmente suas relações pessoais ou psicológicas. Seu corpo pesado, movendo-se continuamente através do e contra o campo gravitacional da Terra, determina essa moldagem básica. As coisas que usa, as próprias partes de seu corpo que se movem, as partes do corpo dos seres vivos ou seu corpo inteiro, com os quais entra em contato continuamente — todas essas relações só funcionam eficazmente segundo proporções bem definidas de força, tempo, distância, aceleração. *Ou ele aprende essas relações antes de mais nada ou é um natimorto.* Respirar é uma aspiração a vácuo: mamar, uma sucção a vácuo. Sem "saber" as leis dos gases perfeitos, o neonato morre antes do primeiro grito — que é insuflação gasosa sob pressão em um tubo acústico. Basta dizer as coisas desse modo exótico mas real para recordar vivamente que o vivo, no mesmo ato em que é vivo, é matéria. Por isso suas relações básicas são mecânicas.

A boca é viva e o seio é vivo, mas ou os dois se põem em certa relação espacial e dinâmica ou o mamar se faz impossível. Esse modelo simples mostra bem o fundamental: o fenômeno vivo e psicológico — nutrição, prazer, satisfação, "harmonia cósmica", "vivência oceânica" — só flui bem segundo um esquema de forças bem composto, esquema mecânico e por isso impessoal.

A PIRÂMIDE INVERTIDA

Em resumo, defendo a tese de que, no vivo, o primeiro é o mecânico; o segundo é o vivo propriamente dito, o afetivo; só o terceiro é o humano. A humanidade é o vértice e não a base da pirâmide. Essa, a tese geral — de todo razoável, como se vê. Ainda que razoável, é preciso dizê-la explicitamente, porque em psicologia dinâmica tem vigorado, como *princípio*, uma tese inversa, segundo a qual é o afetivo que molda as relações objetais, aí estando incluídas tanto as relações com pessoas como as relações com coisas.

Excluindo a mecânica e seu correlato orgânico, que é o músculo, a psicologia dinâmica excluiu no mesmo ato o objeto propriamente dito, que antes de mais nada é massa. A seguir exclui do homem o corpo, a carne, o concreto. Nossa relação primeira com os objetos, vivos ou inanimados, vai de massa material a massa material, evidentemente. Excluída essa relação, todos os parâmetros físicos de nosso existir se fazem incompreensíveis. E assim se afirmou de modo explícito: o inconsciente é alógico, atemporal, não espacial, indiferente à ordem de sequência, "deformador" da percepção. Eliminado o corpo e seus problemas inerentes de carga e equilíbrio, "o" inconsciente viu-se constituído e povoado exclusivamente de "imagens" cuja substância é o "afeto" ou "o" instinto. *Tornou-se impossível, teórica e praticamente, estabelecer a correspondência entre esse monstrengo sem dimensões e o mundo das coisas.*

O inconsciente das teorias psicológicas atuais é um verdadeiro mundo de espíritos a partir do qual a ação sobre o mundo só é possível por... telecinese, força do pensamento, concentração mental, "interpretações" e correlatos. Essa ciência tem por fim o desplante — só rindo mesmo — de se dizer "objetiva", "positiva" e "materialista"!

Recusada a massa por princípio — ou, talvez, apenas ignorada —, essa psicologia vê-se obrigada, em seguida, a usar expressões tais como "seio bom", "pênis do pai", "vagina dentada". Sob os termos esdrúxulos vão noções mais esdrúxulas ainda: esses nomes significam "partes" dos "objetos interiores" (sempre humanos!). Por que não dizer, como é certo, que a criança humana nasce com o mais complexo e delicado aparelho de movimento do mundo; que de início ela se move — por essa razão — da forma o mais incerta e confusa possível, tendo de aprender passo a passo as ações mais comezinhas, errando continuamente nesse aprendizado? Por que não dizer que, em paralelo com essa incapacidade motora de todo observável e evidente, corre a capacidade intelectual e afetiva de relacionar-se com as coisas, de se pôr no mundo, de orientar-se dentro da indizível complexidade da relação entre nossas forças complexas e as complexas forças do mundo?

Mas deixemos a crítica. Consideremos antes algumas consequências desse modo de colocar a questão.

EU E MEU APOIO — O MURO

Voltemos a um velho exemplo, eu e o muro.[14] Apoiado nele, não estou identificado com ele mas composto com ele, economizando certo esforço quanto à carga de meu corpo e simplificando meu equilíbrio. De outra parte, é evidente alguma espécie de complementação entre mim e a parede: minhas tensões musculares são tais que sem a parede eu não pararia em pé. Apoiado nela, algumas coisas se fazem mais fáceis para mim, outras mais difíceis: as ações em que o esforço ou a estabilidade são exigidos se tornam mais fáceis; aquelas em que se precisa de mobilidade se tornam mais difíceis. O mesmo acontece com identificações ditas psicológicas. Se elas fossem totalmente

---

14. A etimologia me... apoia. Conferir o latim *podium* e o grego *podion*. Em Portugal, o termo perde o *d* e alonga o *o*, revestindo a forma *poi* em poio (assento de pedra), donde poial, apoiar, apoio etc. (Góis, *op. cit.*, p. 260.)

inúteis ou sempre prejudiciais, não subsistiriam. Em sua ação sobre mim, o muro parece mais simples do que uma identificação com um personagem de meu passado, mas essa impressão é falsa. Se me movo variadamente, sempre apoiado no muro, meu aparelho muscular usa o apoio oferecido de modo versátil e engenhoso.

Voltei ao exemplo a fim de esclarecer esse ponto e, além disso, para alcançar os sonhos. Se, adormecido, assumo a posição de alguém apoiado no muro, a distribuição de tensões musculares determina no sonho o aparecimento de uma imagem visual concordante — princípio geral de interpretação de sonhos. Deitado posso, bem mais do que em pé, imitar consciente ou inconscientemente a posição em que me achava quando apoiado na parede ou quando carregava uma mala — porque, quando deitado, minha solidariedade com o objeto não perturba meu equilíbrio. Essa imitação não é fácil, porém; não faço, quando deitado, a mesma força que fiz na realidade, porque então não estou carregando ou equilibrando efetivamente meus 75 quilos. Deitado, as tensões atuantes em mim quando estou em outra posição podem manter entre si as mesmas *relações* quantitativas que manteriam se, em igual posição, eu estivesse em pé; mas o *valor absoluto* dessas tensões é bem menor. Desse modo, o esquema tensional pode se fazer *proporcional* ao seu análogo em ortostática. É muito provável que o sonho funcione como "modelo da realidade" ou campo de ensaio para um encontro de soluções novas, justamente por causa disso. Sonhando, posso experimentar atitudes e movimentos que, caso estivesse eu em pé, seriam de todo impossíveis, inadequados e sobretudo mal equilibrados. Mas, à custa de experimentar espontaneamente, posso ir corrigindo e aperfeiçoando esses esquemas até torná-los possíveis, isto é, realizáveis. Esse seria o fundamento motor da função terapêutica natural dos sonhos — está suposto nessa interpretação que, no sonho, algo em nós "estuda", "pensa" e "experimenta" soluções para os conflitos ativos no momento.

Encontramos evidência adicional para esse modo de ver os sonhos no fato de que, nestes, *quase nunca existe a sensação de esforço muscular*. Tudo que ocorre nos sonhos muito mais *acontece* do que *é feito*.

Raramente temos em sonho uma noção bem definida de intenção ou propósito. Mais do que isso, todo movimento e toda posição nos sonhos nos levam a crer, *por leves e fáceis*, que somos puros espíritos sem peso nem inércia. Enfim, quando a sensação de esforço cresce além de certo ponto, quase sempre acordamos. É o pesadelo, que contém no próprio nome a noção de *peso*. Quando o sonho se faz "pesado" — isto é, quando se aviva demais a sensação de esforço —, então ele deixa de ser sonho e se faz realidade. E vice-versa: quando a sensação de esforço desaparece de todo, com ela desaparece toda consciência — mergulhamos no estado de sono sem sonhos. *Sem a sensação de esforço não há "eu".*

PUROS ESPÍRITOS

Lembremos até que ponto a *alteração das forças musculares* durante o sono altera todos os parâmetros de nosso existir, as noções de espaço, deslocamento, aceleração, tempo, distância; lembremos também quanto esse modo de existir em sonho influiu sobre todas as concepções espiritualistas dos homens. O espírito — qualquer que seja a concepção considerada — é sempre "leve"; não está sujeito ao espaço porque se translada instantaneamente, passa através das substâncias materiais, paira no espaço (a rigor no vazio); não se move à custa de esforço mas sim de intenções e desejos. *Todos nós somos isso todas as noites.* Tudo isso se deve à hipotonia fisiológica do sono.

MUNDO PRÓPRIO

Aprofundemos um pouco mais o exame da confusão mecanoafetiva, assim como sua origem, forma e consequências.

Comecemos pela origem, que se sobrepõe à noção de "mundo próprio" — conceito desse simpático poeta que nas horas vagas se dedica à biologia, Jakob von Uexküll. Ele é o mestre da moderna etologia, escola alemã dedicada à observação e à experimentação de animais *in natura*, não no laboratório. Dela faz parte uma plêiade de talentos da envergadura de Konrad Lorenz, Nicholas Tinbergen, D. J. Kuenen e Claire H. Schiller. Uma coletânea de ensaios variados redigidos por eles encontra-se na obra *Instinctive behavior*[15].

O mundo próprio — *Umwelt* em alemão — é aquele delimitado pelo alcance sensorial da espécie considerada, *delimitação configurada, orientada e regida pelas formas instintivas de conduta*, pelos esquemas motores congênitos que salvaguardam a existência do indivíduo e da espécie. Desse mundo próprio consideraremos, como exemplo, apenas o "território próprio". Muitos animais têm, individualmente ou em casais, certa extensão territorial que "lhes pertence", que eles defendem, vigiam e guardam ciosamente contra toda invasão por parte de indivíduos da mesma espécie — aliás, invasão rara, pois a esse instinto de "propriedade privada" em cada indivíduo corresponde um outro que poderíamos chamar "instinto de respeito à propriedade alheia" nos demais. Esse território não raro tem "marcos" feitos pelo próprio animal, sinais gravados em troncos de árvore, fiapos de coisas, ramos quebrados etc. Outras vezes, os limites do território são tão virtuais quanto as fronteiras humanas, estabelecidas por convenção. É difícil ver um animal fora de seu território. O uso é muito comum entre aves, mas existe também entre mamíferos. Note-se bem que os limites do território nada têm que ver com o alcance máximo de translação do animal. Uma ave pode, por exemplo, voar quilômetros sem pousar; no entanto, seu território talvez não tenha mais do que, digamos, dez quilômetros de raio.

Por que assim? Logo nos ocorrem explicações deveras humanas e assaz plausíveis. A primeira, bem atual, seria "a divisão equitativa dos meios de produção". Muito antes de os seres humanos pensarem em reforma agrária ou regime socialista, o instinto já teria realizado essa organização. Claro que o território próprio diminui sensivelmente a competição entre os indivíduos da mesma espécie, competição que é, evidente e tristemente, o suicídio da espécie. Também se poderia

---

15. SCHILLER, Claire (org.). *Instinctive behavior*. Nova York: International Universities Press, 1957.

tratar — outra explicação palpitante de atualidade — de um "equilíbrio entre poderes antagônicos". Cada limite entre dois territórios seria uma espécie de "cortina de folhas" entre dois indivíduos ou dois casais. Todas essas explicações têm seu valor e ajudam a compreender o fato. Mas, na raiz de todas, creio entrever algo mais importante, ligado à motricidade. Mais explicitamente, à discordância relativa entre o ver e o agir.

Se uma ave enxerga em seu território tão bem quanto fora dele, então não existe razão *sensorial* para a existência desse território, e precisamos buscar em princípios ditos não sensoriais o motivo de tal fato. Mas uma coisa é ver a paisagem e seus elementos; *outra é mover-se nela. Entre os seres vivos que se movem, nenhum tem segurança, força e precisão nas primeiras vezes em que faz um movimento novo.* A afirmação parece óbvia ante qualquer observação. Ora, *um animal que se move tem de improvisar continuamente movimentos novos em função de uma situação que varia e é imprevisível a cada momento.* Essa variação imprevisível se deve à existência de outros seres vivos e móveis cruzando continuamente com o animal considerado; deve-se *aos próprios movimentos que o animal vai realizando, os quais o levam e opõem continuamente diante do imprevisível*; deve-se a forças cósmicas variáveis, como o vento, a água, o calor etc.

O INSTINTO E A ESTATÍSTICA

Na vida de um animal qualquer, quase tudo é acidental — não apenas os acidentes propriamente ditos... O instinto é a primeira estatística já realizada no mundo; atua sempre no pressuposto do mais comum e frequente. Ele é o primeiro esforço da natureza viva, no sentido de encontrar alguma ordem e regularidade nessa desordem irregular que é cada instante de vida de qualquer animal; desejo — ou necessidade — de segurança. Em qualquer instinto, até o das formigas e o das amebas, já opera o que seria, segundo Freud, algo próprio do ser humano e, neste, muito ridículo, além de patológico: a repressão e a fixação. Todo animal reprime o imprevisível e o irregular, isto é, comporta-se como se não visse uma porção de coisas que estão ao seu redor. Todo animal tem "escotomas psíquicos" consideráveis.

Repressão e fixação não são dois, mas um ato só. Dentro da riqueza ilimitada de experiências que o animal tem diante de si a cada instante, ele "escolhe" algumas apenas, ignorando por completo as demais — mesmo aquelas que lhe podem ser fatais. Tal escolha é feita pelo instinto, verdadeira estatística natural que representa ou retrata a relação entre as necessidades mais vitais dos animais e as possibilidades mais comuns de seu "entorno". Estas constituem, a rigor, seu "mundo próprio", que é, em outros termos, sua imagem estável do mundo, a soma de suas "fixações". Todas as demais qualidades e propriedades do mundo e de si mesmo são "reprimidas". *O instinto, como a inteligência e as estatísticas, é antes de mais nada a defesa específica do ser vivo ante a incerteza do viver.*

Nos seres vivos, existe universalmente uma profunda tendência a imobilizar ou automatizar as forças e as sequências de forças do mundo, a fim de garantir a sobrevida e a segurança. Nesse contexto, automatizar quer dizer tornar as sequências dinâmicas constantes, regulares e previsíveis.

PROPRIEDADE PRIVADA E SEGURANÇA

Falávamos do território próprio de certas espécies animais. Dizíamos que uma coisa é ver o mundo — tomemos a vista como modelo de receptor sensorial — e outra coisa é mover-se dentro do que a vista assinala. Em território próprio, uma ave, depois de algum tempo de exploração e exercício, move-se com segurança, conhecendo, reconhecendo e usando toda a sua geografia, toda a sua topografia, todas as suas grandes árvores, clareiras, cursos d'água, fontes de alimento, regiões perigosas e locais bem defendidos. Ela conhece, reconhece e até usa os ventos habituais, as variações de temperatura, o regime de chuvas e mais.

Então, e só então, a ave está "colocada"; sabe quase sempre *o que fazer ante o imprevisto*. Antes, ela conhecia visualmente seu território, pois a visão é um fenômeno sempre instantâneo, mas permanecia mal posta dentro dele, isto é, podia a todo instante voar para a pior direção possível, diretamente para a região — superposta à própria — de um gavião, por exemplo. Podia, como já vi acontecer, voar velozmente contra uma parede branca julgando tratar-se de uma clareira e morrer no impacto.

Em suma, depois de instalada em seu território, a ave experimentou muitos e estabilizou alguns *hábitos motores* eficientes. Essa estabilização motora, que só se consegue com o tempo, é o que garante a existência e os limites do território próprio. Fora dele, a ave, plausivelmente, sente-se insegura e, demonstravelmente, está mais exposta e vulnerável. Subjetivo (sentimento de insegurança) e objetivo (vulnerabilidade) aliam-se a fim de garantir a sobrevida e, no mesmo ato, consolidam os limites do território próprio.

A ave está "fixada" à região em sentido idêntico àquele em que o termo é empregado em psicologia dinâmica. Ao mesmo tempo, ela "reprime" tudo aquilo que está *além* de seu território próprio; reprime porque não há nenhum obstáculo material que a impeça de ir lá; tampouco a impedem suas aptidões naturais, seu raio de ação e seu raio de visão, por exemplo. Tudo se passa como se a ave *não visse* o que é óbvio — porque está "do lado de lá", do lado "proibido". Tudo se passa, tanto para a ave quanto para o ser humano, como se além das fronteiras conhecidas "existissem leões", no linguajar colorido dos antigos geógrafos.

Fixação e repressão antecedem em muito a infância individual e a família burguesa que Freud analisou. Antecedem até a existência do *Homo sapiens*. Quando analisamos uma repressão ou desfazemos uma fixação, não estamos apenas desfazendo um "infantilismo psicossexual" ligado a uma deficiência pedagógica acidental, mas tentando realizar uma *transformação instintiva*.

A ideia de território próprio nos leva de novo à noção de superego como função compreensível e razoável para seus fundamentos motores. Uma ave psicanalista ou racionalista, verificando que o território "proibido" é — *para os olhos* — de todo comparável ao lado de cá, certamente se "libertaria" do tabu irracional e entraria denodadamente no desconhecido. Até aí muito bem; tão forte quanto o anseio de segurança é, nos seres vivos, o anseio de mudança, de progresso e crescimento. Mas, ao achar que o lado de lá era *idêntico* ao lado de cá e ao dizer-se que as proibições eram superstições irracionais criadas pelo espírito fértil e pusilânime dos homens, nosso pintassilgo "liberto" poderia se sair muito mal.

Note-se como a noção de território próprio coincide notavelmente com o modo de operação do superego. Aquilo que este inibe aparece, na consciência, como um imperativo categórico negativo, um *vazio*. Sabidamente, o superego é uma colcha de retalhos, tanto quanto o freudiano — apenas proíbe, apenas diz "não", "você não deve". Se imaginássemos a ação desse superego no espaço, veríamos que ele se confunde com o espaço próprio — ou, mais exatamente, com a noção de espaço *além* do espaço próprio. Não se sabe o que existe lá; sabe-se apenas que é mau, perigoso. Bem no fundo, o superego apenas nos diz: "Fique onde você está porque aí você sabe como é, em outro lugar — ou de outro modo — pode ser 'pior'". Também o superego é feito de estatística, e nesse sentido é muito bom obedecê-lo, *porque nesse sentido ele tem sempre razão.*

O superego nada mais é do que um processador da experiência individual e da espécie. Aqui está sua força e sua fraqueza.

CARÁTER E MUNDO PRÓPRIO

Com um pouco de imaginação, podemos passar da noção de território próprio — ou melhor, de mundo próprio — para a de defesa psicológica, sobretudo aquela proposta por Reich. *O caráter é o somatório das defesas do indivíduo, e está sempre integralmente expresso e atuante em sua atitude e em sua conduta. Ele define com precisão, quando conseguimos ver, o mundo próprio da personalidade considerada.* Basta apreciar com vagar uma pessoa, seus modos de estar e mover-se, para deduzir duas coisas importantes: até onde vão os pensamentos e intenções dessa pessoa — mundo próprio subjetivo, aquilo que ela pode ou não fazer e até que ponto ela pode ir nas várias direções disponíveis — mundo próprio objetivo. Ninguém espera que um indivíduo empertigado, pausado e comedido dispare entusiasmada e atabalhoadamente em perseguição do que quer que seja. Ninguém espera de uma *vamp* cinematográfica, lânguida, pasmada e hierática — isso se vê na atitude — a capacidade de raciocinar com clareza ou uma aptidão pragmática bem organizada. Dito de outro modo, sabemos, ao ver uma pessoa, *em que mundo ela vive*; intuímos — obscuramente, sim — aquilo que ela percebe e aquilo que ela não percebe, o que lhe importa e o que não tem valor para ela.

"Aquilo que a pessoa não percebe" é "inconsciente" para ela. Aí vai o trabalho terapêutico, que consiste em ampliar o mundo próprio. Quando ampliado, ele se faz outra coisa, de todo incomensurável em relação ao anterior. O indivíduo se "defenderá" de tudo que o leve para fora de seu mundo próprio. Com esse fim, o superego opera nele como soma de hábitos motores, dentro dos quais a desgraça é a costumeira. Tudo que não for habitual fará a pessoa se encolher — vai deixá-la prevenida.

PARA ACERTAR É PRECISO INSISTIR NO ERRO

É preciso insistir nesse ponto, a fim de evitar tolices ridículas ou erros graves. Sempre que fazemos algo novo sentimo-nos mal durante ou logo após, *e sentimo-nos mal qualquer que seja o valor da ação que realizamos*. O criminoso nato e empedernido que pela primeira vez se enternece e o santo nato e consagrado que pela primeira vez xinga uma pedra na qual topou: ambos sentem um terremoto interior idêntico, algo assustador, amorfo e indescritível. O que mede o mal-estar imediato não é nenhum critério objetivo de bem ou de mal, mas sim o tipo e o valor relativo da *oposição entre o velho e o novo comportamento*. Os sintomas agudos nada dizem sobre o valor da nova ação para o indivíduo; só a continuação da nova atitude nos indicará algo a respeito. Essa é uma das muitas tragédias humanas. *Sempre* que o indivíduo faz pela primeira vez algo novo para ele, a consequência imediata é um bom susto ou uma boa preocupação. Na segunda e na terceira vez acontece pior, porque uma coisa é a reação dos velhos hábitos a uma quebra acidental, e outra, sua reação a uma ameaça sistemática de dissolução. O herói geralmente desiste na quarta ou na quinta tentativa, e de então para sempre o velho hábito — ou a velha convicção — ganha mais um defensor fanático. Não porque a convicção seja certa, mas porque deixá-la é muito ruim. Bastaria que se persistisse até a décima vez e o caso mudaria de figura — infidelidade conjugal, por exemplo.

TEORIA DE CADA UM

A teoria, como expressão da personalidade do autor e independentemente de seu valor de verdade, é o plano geral da batalha relativamente bem-sucedida que ele travou para organizar e ampliar seu mundo próprio. De regra, é apresentada como um todo, mas nasce de pequenas e numerosas escaramuças e guerrilhas — ao lado de grandes batalhas — que o autor travou ao longo das fronteiras de seu mundo próprio contra os mundos próprios vizinhos. Sua redação e publicação representam, subjetivamente, um apelo para a formação de um exército, ou de um partido; representam, ainda, o desejo de que os outros o acompanhem ao longo de um caminho novo, que o assusta ao mesmo tempo que o fascina.

Mais exata do que a analogia do caminho novo é a expressão "nova forma" ou "novo modo de existir". Também podemos dizer: outra fixação, diferente da anterior, novos limites.

Seria radicalmente libertadora, ante critérios lógicos, a teoria que ensinasse a viver sem forma — limite da sabedoria, nirvana. Para mim, nossos *limites objetivos* estão em correspondência ponto a ponto com nossa *forma física* (atitude), que está, por sua vez, em correspondência ponto a ponto com nossa *forma mental*. Pessoalmente, não sei o que é causa de quê; basta-me saber que existe a correspondência e que ela é sincrônica, isto é, a modificação de qualquer uma dessas três formas acarreta modificações simultâneas e correlatas nas demais.

A ESTÁTUA E A BAILARINA

ESTRUTURALISMO

O único modo de existir sem limites é existir sem forma. Existimos sem forma subjetiva ou sem forma cognoscível no sono profundo sem sonhos. Então não há mundo para nós, nem em torno, nem por dentro: as três formas se dissolvem simultaneamente. O nirvana é isso. Se podemos existir assim, não podemos viver desse modo permanentemente. Toda ação, ao exigir uma atitude de base, nos dá forma e ao mesmo tempo informa o mundo. A atitude determina as coordenadas do espaço em que a ação decorrerá; o ato determina o ponto de partida, a intensidade, o sentido e a direção significativos dentro desse espaço; ao se realizar, a ação define o tempo.

Porque agimos, percebemos o mundo de modo não homogêneo, e nele se definem, para nós, mundos diversos. A ação correspondente ao nirvana é... paralisia. Aquele que tudo compreende nada faz. É isso que "fazemos" ao dormir sem sonhar. Outrossim, já que criticamos o hindu e seu nirvana, critiquemos também o ocidental e sua mania de agir. O ocidental entra em progresso ilimitado — assim diz ele. A verdade é que esse progresso, quando se faz sistema, mata o sentido precisamente ao se fazer e porque se fez sistema. Todo sistema — ideológico, científico, social, religioso ou o que seja — tem a singular propriedade de, uma vez constituído, "fabricar" indefinidamente o semelhante, segundo uma tendência incoercível de multiplicação cujo paralelo é o crescimento de fungos em estufa ou a produção industrial em série. Com isso morre não só a individualidade dos seres humanos incluídos no sistema, como também cessa o tempo e o espaço se cristaliza, apresentando sempre a mesma forma. Em vez de dizer que o tempo cessa, poderíamos dizer que a eternidade se realiza. Não há então nem individualidade nem momento; a coisificação atingiu seu limite.

Esses reparos completam o que já dissemos sobre mundo próprio; são o complemento social e metafísico ao que estudamos sob uma luz biológica, fisiológica e psicológica.

Perde-se o hindu ao perder a forma; o ocidental se perde ao trocar de forma contínua e ilimitadamente; perde-se um na floresta, o outro no oceano. Perdem-se ambos quando se negam um ao outro. O contrapeso adequado da eternidade é o tempo — o momento; aquilo capaz de equilibrar o amorfo é a forma e vice-versa. Só tem sentido a eternidade que se realiza no momento e a forma que no momento emerge do amorfo. Quando é assim — e sabe Deus o que isso significa —, em vez de coisificar o humano as coisas se vivificam, se animam, se humanizam.

TEORIAS E TEORIAS

Voltemos às teorias psicológicas; nelas, o mundo próprio que se amplia é o das relações pessoais. Toda teoria psicológica representa não apenas o anseio pessoal do autor em ampliar seu mundo próprio, mas também seu anseio de melhor incluir-se nos mundos próprios dos outros, de seus semelhantes, que o cercam de todos os lados como a água cerca a ilha.

Mas há outra espécie de teoria psicológica, como é fácil de ver: é aquela feita para *excluir* os outros do mundo próprio do autor, ou excluir o autor do mundo próprio dos outros. Essa classe é analítica, redutiva, científica e lógica. Sua vantagem instintiva consiste em eliminar do mundo subjetivo o mais poderoso inesperado: o outro. Sua fraqueza depende precisamente de sua força, que é igual à do avestruz. As outras, as inclusivas, são sintéticas, construtivas, com muito de intuição condicionada afetivamente e uma capacidade grande de compreender (isto é, envolver, acolher) o indivíduo, ao lado de uma radical incapacidade de compreender estatísticas. As exclusivas são ótimas para controlar o outro; as inclusivas, excelentes para viver com ele. Não posso deixar de concluir: as inclusivas são frutos do amor; as exclusivas, do medo. Não pense o leitor, depois disso, que eu tome partido; acho ambas necessárias, conforme o momento. Por vezes a comunhão com o outro é divina, e impedi-la seria diabólico; outras vezes é vice-versa...

No ser humano em particular, creio se deva falar em dois mundos próprios, ainda quando as relações entre eles sejam estreitas. Se fotografo com exposições sucessivas sobre a mesma chapa fotográfica todas as posições que um homem pode assumir quando em pé, posso obter uma figura complexa a que chamarei "mundo próprio da ortostática", dentro do qual o homem permanece em pé e fora do qual ele cai. Esse mundo próprio tem forma extremamente irregular; um observador sisudo o denominaria, certamente, de muito caprichoso, muito "irracional". No entanto, essa figura marca limites de valor absoluto; comanda o desatar de forças cuja ação é imperativa. O valor absoluto é este: dentro desse mundo, em pé; fora dele, no chão. Aqui, nesse mundo próprio restrito, a extrapolação espontânea é impossível. Podemos deixar-nos cair, mesmo que o fato se mostre de realização difícil para muita gente. Todavia, enquanto cuidamos de outras coisas que não a queda deliberada, a queda espontânea, ainda que possível, tem contra si um fabuloso aparelho automático de notável precisão e de muita força. O mundo próprio maior se liga a esse mundo próprio menor por meio de relações bem estreitas e precisas, dependendo da própria organização de nosso aparelho neuromuscular. Ou, antes, nosso aparelho neuromuscular é a expressão concreta dessas relações.

AS PALAVRAS E AS CLASSES

"Deus sabe que, no dia em que dele comerem, seus olhos se abrirão, e vocês serão como Deus, conhecedores do bem e do mal" (Gênesis 3, 5).

Pecado Original: comer o fruto da árvore do Bem e do Mal.

Fruto, comer, boca, palavra.

Conhecer o bem e o mal: distinção intelectual, juízos, julgamentos.

O Pecado Original poderia ter sido invenção da palavra, de muito e muitos modos um pecado; é inerente à palavra ignorar o individual, pois ela vive do genérico. Com a palavra, nasceu no ser humano certo tipo de pensamento, aquele que, baseado na palavra, busca as essências universais e eternas. Onde existem essas coisas? Na palavra e no pensamento, que ao mesmo tempo gerou a palavra e é gerado por ela continuamente. Como tudo mais que existe no homem, exceção feita à palavra, varia muito e varia sempre. Com o pensamento das essências universais e eternas nasceu no homem, por vez primeira, o julgamento de si, a condenação de si e o pecado.

O pecado é a sensação que temos quando nossa essência universal e eterna encontra em nós — e no mesmo ato condena — o acidental, o particular e o transitório. Pecado é o que sentimos quando colidem em nós o genérico e o individual; o genérico nos divide em "pedaços" desarticulados entre si, mas integrados, cada um deles, a "pedaços" semelhantes que existem fora de nós, nos outros e no mundo ("masculino", "branco", "solteiro", "inteligente", "rico", "brasileiro", "médico" etc.). O individual forma um todo, unitário na forma e consequente na ação — a cada instante. É um integral existente, mas na exata medida em que é "inteiro em si mesmo" separa-se do genérico. Há, pois, dois pecados no mundo: a oposição do indivíduo ao genérico e a opressão do genérico contra o indivíduo. Talvez esses dois pecados sejam um só. O Pecado Original não foi o primeiro, mas o segundo. Ocorreu antes de Eva e Adão terem aprendido a distinguir o Bem do Mal — por que expulsá-los do Paraíso por esse motivo se, mais tarde, para tantos, o retorno ao Paraíso viria a depender precisamente dessa distinção?

Antes do Pecado Original houve outro, certamente mais grave porque irredimível: o de Lúcifer. Adão e Eva (Eva primeiro) quiseram aprender como se distinguia o Bem do Mal; Lúcifer, ao se opor a Deus, separou-se efetivamente dele, "distinguiu-se" dele. O que o ser humano (a mulher primeiro) quis em pensamento e intenção, Lúcifer realizou na atitude e na ação. Rebelde este, desobedientes os outros dois — mas irmãos na culpa da oposição.

Bem pode ser que o pecado luciferino tenha sido o momento em que o ser humano se pôs em pé. Em pé, com as mãos livres para criar novos mundos e libertar todas as criaturas, com a vertical como direção e dimensão primeira, ele alçou as mãos para o alto, para o céu, onde mora Deus, ameaçando tomar seu lugar.

Lúcifer não foi precipitado às profundezas, e desde que nasceu sobe inexoravelmente para e contra Deus. Hoje o homem começa a invadir o Reino de Deus — o espaço sideral das grandezas infinitas, da ordem eterna e dos limites desconhecidos. No começo e até hoje, o ser humano oscilou continuamente em torno da vertical, instável entre forças opostas, cheio de conflitos, de dúvidas e incertezas; não seria livre se não colidissem dentro dele todas as forças do universo.

LÚCIFER E A MECÂNICA

Teriam Lúcifer e o Pecado Original algo que ver com a coisificação do humano e, mais longe, com a nossa mecânica? Lúcifer, além de ser um demônio peludo, com chifres e pés de cabra, representa com certeza o orgulho humano, a mais legítima e a mais nefanda realidade do universo conhecido, a mais perfeita caricatura de Deus.

O orgulho humano é a caricatura da dignidade humana. Somaticamente, a diferença entre uma e outro depende apenas de uma dorsoflexão da coluna vertebral, um pouco mais acentuada no ser humano orgulhoso do que no ser humano digno.

O orgulhoso nega o outro, sua presença e seu contato à custa de uma afirmação inadequada de si mesmo. O povo, que pelo aprumo da coluna identifica facilmente o orgulhoso, diz dele e de sua posição que são do tipo "não me toques".

Para o orgulhoso, o outro não é um semelhante, mas uma "coisa", ou, na melhor das hipóteses, uma função — algo assim como "o carregador da almofada do rei", "o lacaio que cuida dos alfinetes da rainha". O leitor na certa ignora que o mais alto oficial de Bizâncio recebia o título de "fazedor de cócegas na planta dos pés do Rei".

O Rei é Deus; os súditos nem sequer chegam a ser gente. Assim viveram os homens por muitos e muitos milênios; assim vivem até hoje, se tivermos olhos para ver. Hoje, sempre que alguém pensa em fazer algo contra os bons usos e costumes estabelecidos — ou contra as estatísticas —, ato contínuo condena a si mesmo: "Quem sou eu para tanto?" Opor-se é um pecado. Ninguém tem a coragem diabólica de Lúcifer, a menos que essa vontade seja a de muitos (mas então ela é divina de novo e não diabólica). Por isso há tanta gente boazinha vivendo seu inferno particular e dentro do pan... demônio coletivo.

SOU MEDROSO, COM MUITO ORGULHO!

Só há um modo de engolir — e digerir — o orgulho, o próprio e o alheio. É preciso primeiro descobrir suas profundas raízes no medo; depois, sentir esse medo, essa angústia existencial tão falada. Aí a coisa se torna difícil. O medo não se vence, não se "resolve" nem se "analisa"; é possível só uma coisa: viver com ele. Parece estranho como o mundo se torna rico quando se aprende a viver com o medo (*com*, não *apesar* dele). *Viver com medo significa estar sempre presente, agir sempre com atenção, reagir sempre com cuidado.* Vivendo assim, tudo se torna importante, "tem sentido". Ao mesmo tempo que nos sentimos muito assustados, sentimo-nos muito vivos. Então não nos opomos mais às coisas, mas, finalmente obedientes ao medo, nós nos compomos com elas, pouco a pouco. Pouco a pouco nos integramos e nessa hora, por mágica, o medo começa a desaparecer.

Mantendo-nos sempre alertas, o medo nos ensina, melhor que qualquer outro sentimento ou instinto, a difícil arte de estar sempre bem presente ao presente. Negar o medo (defender-se dele) nos desorienta de todo, porque para sempre o medo é, foi e será sinal de perigo. Quem deseje não sentir mais medo deve educar-se a ponto de fazer-se extremamente sensível a ele; disciplinar-se a ponto de se tornar extremamente dócil e obediente a ele. O medo é nosso anjo da guarda.

A COISIFICAÇÃO DO HUMANO

Agora será mais fácil compreender o que significa coisificar o vivo e o humano. Ensaiemos várias expressões sucessivas do fato, até chegarmos à sua essência mecânica. A fim de não complicarmos inutilmente a exposição, atenhamo-nos apenas à expressão "coisificação do humano", que inclui a coisificação do vivo e, ao contrário, a vivificação das coisas e sua personificação. Já sabemos que esses processos são complementares e reversíveis, compondo um ciclo.

É bastante incômodo carregar uma criança quando esta, zangada, esperneia e tenta se livrar de qualquer modo. Com mais razão se faz difícil conter um adulto agitado.

É bela e terrível a descrição que Victor Hugo nos deu do canhão solto — enlouquecido — a correr, sem lei nem propósito, pelo convés da galera na tempestade. Nessa página imortal encontra-se a própria imagem do poder imprevisível.[16]

Se mudássemos de casa a cada dez dias, vários membros da família começariam a apresentar sintomas de descompensação psicológica. Muitas pessoas apresentam sintomas neuróticos quando têm de tomar várias decisões rápidas sucessivas, cada uma referente a um objeto ou situação bem diferente dos demais. Trabalhadores e trabalhadoras do mundo todo logo se irritam quando algo muito diferente do que estão fazendo se impõe à sua atenção.

O denominador comum é este: a maioria dos indivíduos reage mal ante uma situação móvel, que exige a cada instante um reajuste intencional e um reajuste motor. Não é possível um reajuste intencional sem estar presente, sem "tomar consciência". Parece, pois, que as pessoas não gostam de "ter consciências". Difícil dizer aqui, como alhures, se a dificuldade motora se retrata na consciência ou a variação mental precede a variação motora. A primeira parece mais viável. É pelo ouvido ou pelos olhos que nossa atenção é chamada. Levados a prestar atenção a um objeto, desde o instante em que giramos os olhos (ou a cabeça) para vê-lo já estão atuando tanto o sistema de vigilância quanto o postural, ambos inconscientes. Muitas "intenções" — muitos conjuntos de tensões musculares — se formam desse modo em tal momento. Além de inconscientes, ambos os sistemas operam quase de modo instantâneo. Daí meu pensar: "tomo consciência" sobretudo *do que aconteceu* e não do que *eu fiz por querer* ou do que *pretendo fazer*. Nesse contexto, a consciência teria a função de me levar a *perceber melhor* o que acontece, a fim de que a ação subsequente seja mais finamente ajustada.

---

16. O autor se refere a um dos capítulos de *Quatrevingt-treize*, de Victor Hugo, publicada em português com o título *O noventa e três*. A obra retrata um dos anos mais sangrentos da Revolução Francesa: 1793. [N. E.]

Em todos esses exemplos aparece, em negativo, a necessidade que quase todos sentem de agir dentro de um plano definido, de coordenadas relativamente estáveis, de um ritmo mais ou menos constante. Dito de outro modo, assim se manifesta a necessidade de "fixação" ou coisificação. Tal necessidade refere-se à relativa permanência das coisas inanimadas. Sabemos, por experiência que se reitera milhares de vezes, que os objetos inanimados pouco mudam de forma e quase não mudam de posição. Em relação a eles, nosso agir, de tão seguro, se faz profundamente inconsciente.

OS QUATRO PARÂMETROS DO ATO

Temos aqui, em plano psicológico, a relatividade *realizada*: percebemos os seres vivos e os humanos, atuamos sobre ou reagimos a eles, tomando *sempre* como referência objetos materiais *relativamente* imóveis, a começar pela Terra, que nos suporta, e o horizonte, que nos dá, por sua perpendicular, nossa linha mestra, a vertical.

A primeira coisa que fazemos inconscientemente em qualquer situação em que agimos é definir: 1) a *direção* eu-objeto que logo estabelecemos, *no mesmo ato e na mesma inconsciência*; 2) a *orientação* dessa linha na situação, usando para isso as horizontais e as verticais da cena, tanto as proprioceptivas quanto as visuais. Em termos geométricos, podemos dizer que definimos dois pontos — eu e o objeto — e logo traçamos as coordenadas do espaço próximo. A seguir, esperamos que nosso computador ache a equação da linha que leva de um ponto ao outro.

Esse processo só acontece, porém, quando há uma ação potencial ou em curso. Fora desse caso, nem uma nem outra nos importam. Quando "não estamos fazendo nada", nem sequer nos damos conta da inexistência destes dois parâmetros: direção e orientação. Existir em ação e existir sem intenção apresentam-se como dois modos bem diferentes.

Além dos dois parâmetros descritos, mais dois se definem ao mesmo tempo: 3) posição; 4) conformação. Posição é a forma tensional assumida pelo corpo ante o objeto e dentro da cena. Da posição deriva a direção, como o ato decorre da potência. A *forma* da flor contém, bem clara, a direção de seu desabrochar, a direção do movimento que a fez como ela é. Já a conformação é a *forma adequada* da posição em relação à forma dinâmica do objeto. *Antes* de entrar em contato com uma cadeira em que vou sentar, com uma bola que eu vou chutar, com uma criança que vou abraçar; *antes* de entrar em contato com o objeto, o corpo se "pre-para", molda sua posição (ou forma) pela *forma da ação eficaz* com o objeto, forma que depende das propriedades mecânicas deste. Quando os neurologistas estudam as apraxias, eles se referem sobretudo a esse parâmetro.

É preciso compreender o seguinte: aquilo que estamos considerando como *quatro* ações *fundamentais simultâneas* é realizado pelo corpo num *ato só*.

DETERMINAR A POSIÇÃO É FUNDAMENTAL

Dada a forma tensional do corpo em um momento determinado (*posição*), podemos deduzir com bastante rigor a cena (*orientação*), a localização do objeto (*direção da intenção*), sua natureza (*conformação*). Isso é feito diariamente nos consultórios de psicoterapia do mundo todo — ainda que não nesses termos. Mas, em tais consultórios, a elaboração tende a ser inversa.

Para mim, o fundamental — o que se vê — é a posição, e dela deduzo o demais. Quase todos preferem o caminho muito menos seguro de estabelecer primeiro a cena (associações livres, fantasias, sonhos), descobrir depois o objeto (pai, mãe, terapeuta, esposa) e em seguida a conformação (ódio, amor, medo). No fim aparece aquilo que desde o começo estava visível: a posição do corpo. Cada um desses degraus se acompanha de uma melhora na consciência da situação, melhora que culmina na descoberta final: como *estou*, como *me sinto* e como *me percebo* aqui e agora. Os psicoterapeutas precisam aprender geometria. E aprender a ver.

Ilustremos com um caso clínico esquemático.

UM HOMEM DENODADO

O paciente, em poltrona ampla que permite atitudes à vontade, está sentado de modo peculiar (posição). O tronco torcido, a coluna na maior parte apoiada ao encosto inclinado da poltrona, a cabeça ao mesmo tempo fletida demais e o pescoço inclinado para a direita; a face — dada a orientação geral do corpo em relação a mim — acentuadamente voltada para a esquerda; as coxas sensivelmente fletidas em relação ao tronco, o que era possível e até confortável, visto que ambas as pernas estavam meio encolhidas e apoiadas no assento da cadeira; a bacia apoiava-se de flanco sobre o assento, realizando e completando a torção do tronco. O braço esquerdo atravessava o vazio da poltrona, indo a mão correspondente agarrar-se ao braço direito desta. O braço direito ficava constrangido e espremido entre o corpo e o braço da poltrona.

Seu corpo estava posto como o de uma pessoa puxada por várias cordas, amarradas em vários pontos e tracionadas em várias direções. A palestra do paciente era exatamente isso e, por fim, ele mesmo chegou, sem meu auxílio, a dizer pouco mais ou menos: "Sou puxado em várias direções simultaneamente e não saio do lugar". Havia também desenhos em que se via, entre outras coisas, a coexistência de vários centros ou grupamentos, de linhas ou de figuras — vários núcleos de atração e organização.

Levado por esses indícios, propus e realizei com o paciente, um rapaz de 30 anos, a seguinte situação: amarrei cordéis em seus pulsos e tornozelos; mais um cordel foi amarrado em seu pescoço. As pontas desses cordéis foram amarradas a cinco pontos diferentes do consultório, irregularmente. O paciente ficou em pé, estando os cordéis antes tensos do que frouxos.

Após ligeira estranheza inicial, o rapaz integrou-se à situação. Primeiro de forma tímida, logo com mais ânimo, começou a explorar os limites de sua limitada liberdade de movimento. Tive de animá-lo um pouco. Aos poucos, os movimentos, ainda que fossem limitados, mostravam-se também intensos, permanecendo o paciente deveras concentrado no que fazia; havia em seu rosto uma curiosa expressão de quem diz: "Agora estou compreendendo". Assim ficamos cerca de quinze minutos, praticamente em silêncio. Aproximando-se o final da hora, sugeri-lhe que procurasse livrar-se das amarras por conta própria. Ele tentou e, a custo, inclusive esfolando-se um pouco, conseguiu. Durante seu trabalho de libertação, havia em seu rosto uma visível expressão de esforço raivoso, deliberado e concentrado. Não era convincente a expressão final de vitória; parecia, antes, desejo determinado de vingança.

Durante a representação, trocamos vários comentários ligeiros a respeito da semelhança entre sua atual situação física, seu estado mental na última semana, seus desenhos e suas divagações intelectuais. Comentários ligeiros mas incisivos. Claros. Se o leitor se der ao trabalho de recompor mentalmente o que descrevemos, esses paralelos múltiplos logo se fazem evidentes.

Aí está um exemplo da aplicação de nosso princípio: a partir de sua posição e aproveitando sua descrição espontânea, imaginei uma *situação* de acordo com essa *posição*; logo se fizeram evidentes as *direções*, múltiplas no caso, entre as quais o paciente hesitava. A multiplicidade das direções respondia, compreende-se, pela *desorientação*.

Uma semana depois, o paciente voltou.

Ao contrário das entrevistas anteriores, que sempre começavam indolentes, ele entrou no assunto com decisão. Disse ter ficado deveras impressionado com a entrevista prévia; pensara muitas coisas ligadas àquela situação — pensamentos algo confusos e inconcludentes, mas significativos e úteis; quer prosseguir, mas de outro modo; imaginara-se amarrado, mas sobre uma superfície instável, à beira de um abismo talvez, talvez sobre uma perna só — em suma, instável. Procuramos ambos encontrar a realização mais adequada e mais realizável dentro dos recursos do consultório.

O leitor terá agora paciência e cuidado, pois devo fazer uma descrição minuciosa de pormenores de posição e situação — caso contrário, perde-se o melhor do exemplo.

O paciente ficou em pé sobre uma tábua grande que servia de "tampo" — como se fosse mesa — no divã do consultório; este se tornou oscilante em relação ao seu eixo maior, mediante a ação de uma alavanca (como vimos, meu divã é móvel). Começamos com o divã fixo. Posto sobre o centro do móvel, seu plano frontal coincidia bastante com uma das diagonais do referido tampo, um retângulo. Comecei por amarrar suas pernas uma à outra, pelos tornozelos, com uma folga que não ia além de trinta centímetros, no máximo, de tensão. Depois amarrei seu braço direito, posto na horizontal e ao longo dele, a um ponto fixo que ficava praticamente no extremo da diagonal em que o braço já estava; fiz o mesmo com o braço esquerdo, prendendo-o, horizontal e teso, ao extremo oposto da diagonal citada. Enlacei sua cintura, a seguir, com uma corda forte e pouco folgada, amarrei a outra extremidade a um suporte bem rígido, situado à esquerda do paciente, à altura da mesma cintura. Com essa corda, ele pouco podia movimentar os quadris para o seu lado direito. Aí me detive, mas o paciente comentou:

— E o pescoço?

— Olhe, acho perigoso. Você vai ficar muito instável quando eu libertar o divã; e como estou amarrando de verdade, poderão acontecer coisas desagradáveis se você perder o equilíbrio.

— E o risco — necessário —, como o senhor diz?

Diante do reparo do paciente, dito com firmeza e seriedade — talvez com um pouco de desafio também — amarro um cordel a mais em torno de seu pescoço; a seguir, fixo esse cordel firmemente no extremo da diagonal oposta à anterior. O cordel fica, ao final, preso no pescoço e caminhando para trás em relação ao paciente, à altura de seu pescoço mesmo.

— Posso soltar?

— Pode.

Aciono a alavanca e o divã se inclina de mais ou menos 20 graus para a esquerda do paciente (as travas impedem que o móvel se incline mais do que isso).

Logo a situação se fez tensa e aflitiva e fiquei perto, de prontidão. O acaso interveio: o paciente tirara os sapatos, mas não as meias. Como, sobre a superfície encerada do tampo inclinado, elas não per-

A ESTÁTUA E A BAILARINA

mitiam uma fixação segura dos pés, durante três ou quatro longos minutos o paciente ficou tentando subir a rampa sobre a qual estava; a cada movimento ativo dos pés — amarrados — se sucedia um deslizamento quase igual em sentido contrário, quase sinistro de se ver; o cordel do pescoço esticava-se... Não detive o ensaio por ver que, caso o paciente tendesse a escorregar para fora do divã, o movimento efetivo seria lento, devido à largura deste. Em tal eventualidade, eu poderia fazer o divã retornar rapidamente para a horizontal. Também estive atento à vontade do rapaz, que se afligiu mas não deu mostras de querer desistir.

Aos poucos, centímetro a centímetro, o paciente foi "subindo" o plano inclinado até fazer o divã oscilar em sentido contrário ao anterior. Mas a posição conseguida era instável demais, devido à corda que abraçava sua cintura; esta não permitia ao centro de gravidade do corpo ultrapassar o plano vertical, mediano e longitudinal do divã. A luta, lenta e sofrida, prosseguiu até o momento em que, pouco a pouco, o paciente foi aprendendo a usar precisamente o cordel do pescoço — enrijecendo este — a fim de estabilizar-se. Conseguiu então permanecer em relativa imobilidade, mais ou menos estável, durante vários segundos. Mas sua posição era visivelmente desconfortável, exigindo grande esforço e muita concentração para manter-se. Disse ele:

— Vivo assim. Coincidência ou não, sinto que me doem aqui exatamente os lugares que sinto sempre doloridos, tornozelos e pernas, braços [dá a entender que se refere mais à cintura escapular], garganta... Sabe, fiquei mais tranquilo quando aprendi a usar a corda do pescoço para me firmar.

— Eu vi. Repare como essas coisas agem. Adquirimos e durante algum tempo sofremos com as inibições neuróticas, retratadas nos músculos; depois nos acostumamos e por fim aprendemos a usá-las para viver; como que nos agarramos a elas. Se nos faltarem subitamente, levamos um susto e logo as recompomos. É isso que os psicoterapeutas chamam de resistência (o paciente lê coisas a respeito e se interessa); dão esse nome ao fato de a pessoa defender suas inibições. Como você se sentiria se eu cortasse de repente o cordel do pescoço?

— Muito mal! Estou me governando inteiro por ele!

O paciente perceptivelmente não gostou do meu reparo. Logo prosseguiu:

— Se não fosse cansativo, eu estaria quase bem. Mas é difícil tanto parar como me mover desse jeito. Se fico parado sinto-me seguro, mas é incômodo; se me mexo é mais agradável, mas me assusta...

— Sabe, com você aí, vejo uma viva imagem de sua vida, mais viva do que se você a descrevesse num livro inteiro. Há algo de trágico e algo de cômico nisso tudo. Perceba como as inibições se mantêm umas às outras. Qualquer movimento seu — como você disse — o deixa instável e o assusta. A imobilidade, por sua vez, constrange até a mim, que sou apenas espectador.

Passam-se mais alguns minutos, o paciente sempre fazendo pequenos movimentos com os pés, pequenos mas poderosos e cautelosos — tanto para se opor ao deslizamento contínuo, como para manter o divã equilibrado no plano horizontal.

— Creio que podemos parar. Você está visivelmente cansado. Mas vamos concluir aproveitando de certo modo a situação até o fim. Vou começar fazendo o que disse há pouco, cortando o cordel do pescoço.

Faço como havia terminado de dizer, cortando o cordel com um canivete afiado, a fim de que a liberação fosse instantânea.

Mal o cordel é cortado, o paciente oscila violentamente e permanece oscilando por vários segundos. Aos poucos se estabiliza um pouco, mas não de todo; tratava-se não somente do embalo à adaptação prévia, conseguida a duras penas, como também de uma peculiar disposição dos cordéis, do corpo e do plano de apoio. Segundo essa disposição, em certa medida fortuita, os braços de nada adiantavam ao paciente, pois podiam mover-se muito pouco; a corda da cintura, por sua vez, criava a impossibilidade já descrita; os pés, por motivos diferentes dos dos braços, tampouco podiam ajudar. Restava só o cordel do pescoço, com alavanca e incidência favorável. Quando este foi rompido, o paciente na verdade ficou quase pior do que de início. Resistiu bastante, fazendo o divã oscilar. Outrossim, era inegável certo alívio ligado ao desafogo do pescoço e à consequente atenuação de um temor vital. Agora era quase um brinquedo, apenas perturbado por certa sensação de ridículo.

Depois de dois ou três minutos, desamarrei a corda da cintura. *Instantaneamente o paciente se faz senhor da situação.* A libertação da região do corpo em que se situa o centro de gravidade permitiu-lhe deslocar este à vontade e tudo se tornou fácil.

Assinalei o fato ao rapaz, que o apreciou devidamente, realizando oscilações deliberadas com os quadris e verificando o efeito sobre seu equilíbrio.

Soltei depois os pés e então cessou o afã e toda a inquietude contidos de que ele fora tomado durante o tempo precedente.

O paciente estava, agora, ainda sobre a diagonal do divã, em pé e de braços estendidos na horizontal, prolongados pelos cordéis correspondentes. Mostrava-se calmo e sério, não faltando no rosto um sorriso meio parado, muito característico.

— Assim estou bem. Desse jeito, os braços parecem facilitar ou completar o equilíbrio. Dão segurança...

— Assim também são os conflitos psicológicos. Quando nos pomos no centro de duas forças opostas, em vez de ficarmos instáveis, nos estabilizamos; o mesmo conflito que antes nos dividia, e tendia a nos arrastar ou esmagar, agora contribui para consolidar a posição intermediária; sobre ser segura, essa posição é bela — como estou vendo em você. Não podemos nos desfazer de conflitos. Precisamos viver com eles. Quanto mais no centro deles estivermos, mais bem equilibrados nos sentiremos, mais seguros e tranquilos. Estamos então cumprindo nosso destino...

A AMBIGUIDADE CHAMADA NEUROSE

Prossigamos com a análise dos quatro parâmetros: direção, orientação, posição e conformação.

Na ação íntegra, as quatro coordenadas se confundem, como vimos; o mesmo não ocorre na ação inadequada, também chamada neurótica.

Por isso a posição do personagem se mostra "fora de foco", imprecisa, *de sentido ambíguo*. Por isso é passível de *interpretação*, isto é, além do que ela parece ser, podemos ver nela outros sentidos, ditos "latentes". As atitudes neuróticas são essencialmente comparáveis às de um indivíduo que procura apanhar uma borboleta que está caminhando sobre uma flor, enquanto abre e fecha as asas. Dado o movimento contínuo e irregular do objeto, o sujeito move-se junto com ele e toda sua atitude é incerta. Comparamos a ação neurótica a uma imagem fora de foco porque esta, como aquela, enquanto não se define como *essa* coisa, pode ser tida como aquela ou outra ainda. Nenhuma das insinuações latentes na atitude neurótica pode ser tida como "real", sem mais. *Ela é apenas uma soma de ações possíveis, nenhuma com organização suficiente para servir de base a uma ação definida.*

CONFLITO — É ISSO

Quando a ação decorre dessas atitudes — posições — imprecisas, a direção das ações consequentes, a orientação e a conformação sofrem do mesmo mal. A olhares superficiais, dir-se-ia que a pessoa está presente em dois ou mais mundos ao mesmo tempo. Daí a ideia freudiana, descritivamente satisfatória, da "coexistência do infantil e do adulto na mesma pessoa, ao mesmo tempo". Todo infantilismo psicológico é isso: atitude ambígua, coexistência aparente de duas atitudes (ou mais), de dois mundos, de duas intenções, de duas (ou mais) conformações. Um dos sentidos *possíveis* é tomado *arbitrariamente* como "real", e o outro é interpretado, com a mesma arbitrariedade, como "transferência". *Nenhum dos dois sentidos é real porque nenhum dos dois — ao modo como se apresentam — pode ser realizado.* Nesse sentido, ambos são "falsos".

Como em todos os demais campos do conhecimento humano, aqui também a *perturbação de uma relação adequada nos leva a "analisá-la"*, isto é, a perceber que ela não era a unidade simples que parecia, mas um complexo integrado de influências várias. Mais sim-

A ESTÁTUA E A BAILARINA

plesmente: só quando um fato não ocorre como se espera é que vamos investigar por que ele se "desviou", e então o decompomos num número suficiente de fatores — isto é, suficiente para que, ocorrendo outra vez, o fato corresponda ao que se deseja ou se espera.

Posição, orientação, direção e conformação: essas são, por excelência, as funções primeiras da motricidade humana. Só à luz dessas coordenadas podem ter sentido o volume, a delicadeza, a força, a complexidade e a versatilidade de nosso aparelho motor.

Quando os textos eruditos começam dizendo "os músculos servem ao movimento", não estão no prefácio, mas sim no epílogo. A análise da motricidade só pode ter nexo, clareza e unidade quando se afirma, antes de mais nada, que o músculo *é movimento e tensão*, e que ambos contêm aqueles quatro parâmetros sem os quais nada tem sentido, nem a ideia, nem o sentimento, nem o instinto, a imaginação, o sonho, a intuição ou o que seja.

Convém sublinhar a evidente sinonímia entre conformar-se e adaptar-se (assumir a forma ou responder à forma proposta).

É conveniente dar ênfase — e muita — à evidente ambiguidade dos termos posição, direção e orientação; eles valem para a geometria, para a mecânica, para o corpo e para a filosofia. Não creio que seja diferente a realidade básica nesses quatro campos particulares do conhecimento e da realidade.

A constância do comportamento humano deve-se sobretudo à existência da gravidade, que é a referência básica em torno da qual se organizam posição, orientação, direção e conformação. Tudo que é humano refere-se necessariamente à vertical. Por isso, talvez, as noções de subir e descer, alto e baixo, por cima e por baixo, superior e inferior, altura e profundidade estejam presentes na maior parte das frases que ouvimos.

Esses quatro parâmetros definem, a cada instante, nosso "modo de estar no mundo", nossa relação com o "entorno", nosso "mundo próprio". A cada instante — note-se. Cuidando da coisificação do humano e em primeira aproximação, poderíamos dizer que tal processo consiste na rigidez ou invariância desses parâmetros.

ESTATÍSTICA E COAÇÃO SOCIAL

No dizer pusilânime das quantidades, existiriam pessoas "muito rígidas" ou "rígidas demais", pessoas "pouco rígidas" ou "rígidas de menos"; e haveria, enfim, como em toda estatística, as "medianamente rígidas", os "normais". O problema da normalidade humana, sempre que expresso em termos de mais ou menos, simplesmente não tem sentido quando se considera o caso concreto na situação concreta. Numa situação difícil, uma "raiva média" de nada serve; em situação feliz, um "amor médio" é água morna; diante de um perigo grave, um "medo médio" ou "um pouco de coragem" atrapalham demais. A normalidade está, com certeza, muito mais na capacidade de sentir muitos sentimentos em todos os graus do que no permanecer dentro da média. Tanto quanto sentir variadamente estão a normalidade em sentir os *próprios* sentimentos e o ânimo de manifestá-los com clareza, é comum sentirmos aquilo que se espera que sintamos, e essa expectativa "média" da "maioria" atua em nós exatamente como a estatística. Diante de um parente morto "deve-se" chorar, diante de um desfile "devemos" nos sentir patriotas, durante uma festa "devemos" estar alegres, diante de uma mãe solo "devemos" nos compadecer (ou condenar). A estatística empresta números a essas variadas maneiras de o grupo impor seus padrões ao indivíduo. Entre estatística e coerção social existem mais relações do que as que o estatístico está disposto a reconhecer.

Tanto em política quanto em técnica de propaganda, em economia como em ciência (sempre falo de gente), a estatística é por excelência o meio de ação de grupos sobre grupos, duas abstrações personificadas; outras vezes é o meio de ação de uma ideia sobre um grupo; no limite, torna-se meio de ação de uma pessoa sobre um grupo.

A ESTATÍSTICA NASCEU DO GRUPO

Existe outra raiz para esse sofisma realizado. Todo grupo *é* uma estatística operante. Os elementos de um grupo nunca estão agrupados por uma afinidade *global* de cada um para com todos os demais. O que agrega as pessoas num grupo, transitório ou estável, é sempre um interesse, um desejo, um temor ou uma necessidade *parcial* em relação a cada elemento do grupo. *Em cada grupo de que participamos, só uma parte de nós está interessada.* As relações inter-grupais caracterizam-se pela crueldade. Prefiro pensar, diante do fato, não que os seres humanos são monstros natos e irremediáveis, mas que sofremos de uma moléstia profunda: a coisificação do humano. Cada grupo é incapaz de perceber que o outro grupo é feito de gente. Não consideramos crueldade a remoção de uma montanha a fim de abrir uma estrada. O "inimigo", o "estrangeiro", o "negro", o "judeu", o "outro" simplesmente não são gente, mas coisa. A estatística é o principal sintoma dessa moléstia grave — "somos maioria" —, sendo a opressão do humano pelo abstrato a última consequência.

Não haveria números nem estatísticas em nossa mente se não tivéssemos nosso aparelho motor e seu funcionamento, que *deve* combinar esforços e sequências em formas muito bem definidas, senão falhamos. Seria bom se aprendêssemos a não confundir nossa mecânica e nossa matemática com nossa humanidade.

Nosso aparelho motor foi feito para as coisas e para as pessoas — bastante diferentes, *não obstante serem ambas materiais.* É preciso distingui-las no movimento: umas são imóveis, insensíveis e não raro rígidas; outras são móveis, sensíveis e não raro macias. Se nosso gesto, ao se dirigir a alguém — gente — se parece com nosso gesto quando manipulamos um objeto, em nossa intenção, em nosso sentimento, nas sensações e nas ideias o alguém será apreendido — e tratado — como coisa. Enquanto o outro é uma ideia — o "inimigo", o "negro", o "outro" —, nós nos pomos diante dele como diante de algo impessoal — portanto, não gente.

Depois vêm os psicólogos fazer estatística. Não é preciso. Os medíocres já são estatística; *foram feitos assim por terem sido trata-dos assim.*

Falávamos de normalidade psicológica e da insolvência da estatística ante o problema.

OS HOMENS IDEAIS

Existem estatísticas de números e outras, mais sutilmente sofísticas, de qualidades. São os ideais humanos, os vários *Homo* descritos por muitos: *o Homo economicus, o Homo naturalis, o Homo catolicus, o Homo psicanaliticus, o Homo liberalis* e quantos mais nessa galeria de impessoais personificados. Separar a normalidade estatística da ideal é um erro. São a mesma coisa: amontoado de atributos impossíveis de reunir em um todo vivo e atuante.

De todos estes *Homos* só aceito um: o *Homo plasticus*, termo que não define nem sequer descreve. Apenas diz que o homem *não tem* forma determinada — "eterna" —, nem natural, nem artificial. É impossível definir esse *Homo*. Embora ele não tenha *uma* forma fixa, ele tem *sempre uma forma perfeitamente definida, viva e operante em cada momento e em cada situação*. Pedir a ele que seja coerente é desmaterializá-lo no mais profundo sentido da expressão; esperar que ele não seja contraditório é assassiná-lo no berço. Querê-lo estável, "de princípios", "reto" é impedi-lo de ser o que ele é, Proteu que se forma, deforma, informa, conforma e transforma a si mesmo, ao que o envolve e aos que o cercam.

A mais profunda e a mais tétrica das aspirações humanas é transformar o mundo em museu — morrer de pânico. Esse é o limite do medo, que é a base do homem.

O problema da normalidade psíquica só se resolve, pois, em termos de *capacidade de assumir muitas formas* em função do aqui e do agora. Vale quase o mesmo dizer: capacidade de *não ter* forma própria.

Esse conceito abstrato de normalidade encontra paralelo e base no corpo. O corpo humano é capaz de assumir um número ilimitado de formas — posições —, nenhuma delas podendo ser chamada de "natural", em prejuízo das demais. Todas elas são naturais. Apesar da indefinição de base, é evidente que, a *cada momento*, cada forma do corpo é clara e funcional. Essa analogia parece-me sobremodo inspiradora.

A sensatez impõe dois reparos a uma tal definição extremista de normalidade. O primeiro é este: parece difícil que ela exista, mesmo transitoriamente, sem forma alguma — difícil ou de todo impossível.

Na existência subjetiva, contudo, todos temos a experiência, todas as noites, desse ser sem forma alguma — é o sono sem sonhos. Qual é a minha forma subjetiva — a forma da consciência — nesse estado? Mas, como se vê, na única oportunidade que teríamos de estudar a questão não há "eu" para estudá-la; e, se houvesse "eu", então não haveria a oportunidade...

O segundo reparo é este: nossas adaptações — as formas que assumimos — podem ser facilmente repartidas em dois grupos: as que fazemos ao presente como tal, ao momento que flui, e outras — todas as outras — aparentemente mais estáveis, baseadas em pressupostos indutivos mais ou menos plausíveis mas indemonstráveis, tais como: minha casa permanecerá com a forma que tem e no lugar em que está; minha renda se manterá suficiente; meus amigos, namorada, esposa, filhos durarão indefinidamente; a Terra não se desfará sob meus pés; não faltará oxigênio na atmosfera terrestre etc. É fácil ver que o único apoio definido dessas pressuposições e hipóteses — pois são puramente hipóteses — está em nossa primeira forma de adaptação: agora essas coisas existem. É totalmente impossível saber quanto durarão. Dizemos, com otimismo, que nos sobra coragem para ignorar essas incertezas. Mentira: há razões muito sérias — clínicas — para crer que todos os temores assim chamados neuróticos são basicamente medo dessas coisas. Já tachar esses temores de neuróticos faz parte do sistema que começa dizendo que "o medo é uma bobagem"

Não creio que os homens temam e se defendam da morte — uma desculpa de bobos. Creio que os homens temem, aqui e agora, em todos os instantes e em todos os lugares, o momento seguinte e o próximo lugar; temem — dá no mesmo — o inesperado, o imprevisível, o incerto.

O DESCONHECIDO É O MOMENTO SEGUINTE E O PRÓXIMO LUGAR

Sobre o novo que ameaça nascer a cada instante, o homem logo põe uma aparência de velhice; ao dar ao novo um nome velho — mania de falar —, no mesmo ato o homem envelhece e, na verdade, mata o novo. Só pode depois esperar o Messias, "que virá um dia". O Messias nasce a cada instante. O problema está em responder a ele, não em esperá-lo. Na verdade, nem sequer responder é necessário; basta perceber o que acontece e seguir. Antes de começarmos a pensar na situação nova, já *tomamos posição* diante e dentro dela. Nosso aparelho de atitude — chamemo-lo assim — age por simples *visão* da situação. Nosso aparelho de atitude é sinônimo de nosso aparelho de movimento. Basta perceber como estamos e logo saberemos o que pretendemos, qual é a nossa intenção. Se fôssemos bastante finos em perceber e bastante destituídos de formas fixas, responderíamos adequadamente ao novo — ao Messias. Então nosso viver seria criação contínua, e como seres humanos teríamos realizado — ou estaríamos realizando continuamente — nosso destino: *Homo plasticus*.

Nosso aparelho de movimento — sempre em equilíbrio em relação à Terra e aos objetos com os quais está solidarizado — é certamente o protomodelo da criação contínua que *se faz*, mesmo sem querer. Mas antes de criar a resposta certa ao Messias incerto — exatamente um instante antes —, nosso escultor permanece um instante sem forma, incerto. Tememos, e então uma velha forma se põe no lugar da nova que deveria nascer. Morre o encantamento e a monotonia retorna. Nós nos repetimos. Quando me movo, altera-se o equilíbrio de 400 mil vetores. Só Deus mesmo para governá-los com acerto, um a um e todos juntos. Nosso menor gesto é sempre um milagre, demonstravelmente.

A fixação e sua variante, a coisificação, se opõe e se alimenta do temor de perder a forma. Todo temor é temor de mudar ou de se transformar. Todo desejo também.

Desse modo, incluímos a sensatez na definição da normalidade. Normal talvez não seja o ser humano capaz de existir sem forma; mas é normal, por certo, o homem plástico, adaptável e transformável em medida indeterminada.

Toda aceitação incondicional do "eterno", da "essência" e do "universal" — foi aí que começou o Pecado Original — é sintoma do medo de transformar-se. Tal aceitação é uma medida da cegueira do indivíduo, isto é, medida da soma de coisas — chamadas transitórias e incertas — que ele não vê, ou às quais não dá valor. Mas é dessas coisas fugazes e bobas que provém a destruição de Deus. "Que pode nascer de importante em Nazaré?", diziam os inteligentes insensatos que se chamavam fariseus ao comentar o começo do próprio fim.

Vimos que era assim com os animais. Na manhã ensolarada, a andorinha voa veloz para onde a luz mais resplandece, a brancura da parede branca. Um instante antes de morrer após o impacto, a andorinha diz: "Por que a parede *aí*, por que a parede *agora*? Não *deveria* existir a parede". Mas está morta.

Baixemos.

A COISA QUE SE CHAMA O OUTRO

Podemos agora ser precisos ao descrever o que significa coisificar o vivo e o humano. Praticamente a expressão quer dizer:

- esperar que o outro seja sempre o mesmo, esteja sempre no mesmo lugar ou apenas nos lugares "permitidos", que responda sempre do mesmo modo. Quando não ocorre assim, sentimo-nos ofendidos, indignados, enraivecidos, despeitados, ressentidos. Se fôssemos honestos, diríamos que quando não ocorre assim nos sentimos perdidos e desorientados; e se nossa percepção fosse fina, diríamos que, quando não acontece assim, nos desequilibramos;
- esperar que o outro se conforme, se molde e se disponha sempre em função de meus desejos ou necessidades a fim de que eu me "realize" — sem mudar de forma.

Assim se caracterizam a imobilização e a automatização do mundo.

Paradoxal e contraditoriamente, esperamos também do outro que não seja sempre igual e sempre o mesmo, pois nesse caso sobrevém o tédio. Mais do que verso de poeta solitário, o tédio é uma imensa e pavorosa realidade para todos os que põem a segurança em primeiro lugar e nela apodrecem lenta e inexoravelmente.

O que de certo modo torna plausíveis essas coisas más é sua estrutura análoga à de nossa mecânica.

Verifiquemos. Se eu fosse sentar em "minha" cadeira e ela, de movimento próprio, se afastasse no momento preciso em que largo o corpo, eu sentiria uma indignação tão cheia de perplexidade como a que sinto quando meu filho é reprovado na escola. Quando meu carro para na rua, eu me zango tanto quanto, e da mesma maneira, me zango ao encontrar minha namorada "azeda" ou lacônica. Essa semelhança do sentir aponta, para mim, na direção de outra semelhança mais fundamental. Creio que a estrutura formal em todos esses casos é idêntica, estando eu tão "solidarizado" à cadeira quanto ao filho, ao automóvel, à namorada. Em todos esses casos rompe-se uma sequência automática de movimentos, ou algo que deveria estar em certo lugar e não está, ou se altera meu ritmo ou minha posição habitual. Enfim, ou perco meu equilíbrio de inércia de movimento ou perco meu equilíbrio estático. Algo ou alguém entra em meu mundo próprio e o desorganiza, porque surge nele outra direção significativa.

Mas a coisificação, ultrapassando os fatos, chega às intenções.

Se meu filho não me recebe com a alegria que espero, fico amuado — e disfarço. Dentro da incerteza a respeito da atitude a assumir quando a esperada falhou, assumo a atitude mecanicamente mais segura: endureço e encolho (aí o emburramento). Em casos extremos, recolho-me a meu quarto e me deito (elimino a posição ereta). Faço o mesmo quando o patrão ou o chefe não reconhecem meus méritos e também o mesmo quando os outros "não me compreendem". Ou encolho e enrijeço (orgulhoso humilde), ou enrijeço e "me levanto" no gesto universal do orgulho ferido (fico mais em pé, "nada me atinge").

O mais cômico nessa tragicomédia cotidiana é que, muito, mas muito frequentemente, eu não saberia dizer quais são e como são — nem em palavras nem de outro modo — "minha esperança", "meus méritos" e "minhas intenções". *Sinto apenas que não houve uma resposta adequada.* Isso acontece sete vezes de dez, porque sete vezes de dez não se sabe por que surgiu o desencanto. Os estudiosos da frustração, ao *generalizar* o que encontraram em situações experimentais com animais, erram de palmatória. Com os animais o "fim" é sempre claro — quase sempre fome ou dor. Nos homens, sete vezes de dez, não sabemos dizer *o que* foi frustrado.

Podemos agora ensaiar uma definição da coisificação do humano: trata-se do processo segundo o qual as pessoas fazem *violência contínua* sobre o *mundo próprio, visual ou acústico*, a fim de pô-lo em correspondência com *o mundo próprio muscular* — os hábitos. A definição mais comum e mais vaga seria: a violência contínua que as pessoas exercem em torno de si, a fim de forçar a correspondência entre o "entorno" e elas mesmas.

Variante: o esforço que despendemos a fim de conseguir o acordo entre a geometria do mundo e nosso esquema tensional no momento.

O BAILARINO, O ATOR E A FALA

O mundo é apreendido por nós, sobretudo, como um conjunto de figuras e de sons (olhos, ouvidos). De regra, pretendemos atuar sobre esse mundo com algo análogo a ele, a figura ou a expressão de nosso corpo, o som e o sentido de nossas palavras. Agimos como atores procurando a pose e a entonação mais adequadas a fim de obter determinado efeito. Em geral, não há consciência, referência ou consideração pelas *forças* em jogo — nem as do mundo, nem as próprias. A pessoa não existe em função do que pode efetivamente fazer dentro da relação de suas forças em oposição, interferência ou concordância com as forças do mundo. Ela existe, antes, como o mágico que espanta os maus espíritos com uma máscara assustadora. Não realizamos ações eficazes; fazemos caretas, representamos papéis. "Pre-tender", etimologicamente, é sinônimo de "in-tensão". Pensamento e mundo mágico — tão falados — *são muito simplesmente o mundo das figuras visuais e das palavras.* "Realidade" é o mundo do calor e do frio, do tato, da dor e do prazer, das sensações de esforço, tensão e movimento. Pele e músculos. Este transforma; aquele impressiona...

Como não percebemos forças ou as percebemos mal e como nossa educação motora é 90% inconsciente e se refere nessa mesma proporção a objetos inanimados, acontece então que nossos gestos, nove vezes de dez, têm a estampa dos gestos que se referem a objetos inanimados em maior ou menor grau. Quando o gesto, formado por coisas, refere-se a gente, sentimos a pessoa como coisa; assim agimos sobre ela e assim reagimos a ela. Ficamos então com forma de gente, cara de gente e, em parte, intenção de gente, mas nosso gesto é de máquina e com ele fabricamos relações impessoais em série. Depois nos sentimos sós neste mundo sem alma. *O problema da mecanização do trabalho e o mito da máquina, muito antes de existirem como problema social, existiam já como problema subjetivo, organizando e governando a maior parte das relações interpessoais e o funcionamento da sociedade.* A *segurança* era o contrapeso instintivo — a vantagem que se obtinha — dessa despersonalização em massa. Nada mais seguro do que uma peça de relógio. Ou uma formiga. Os homens aceitaram, com certeza, o sacrifício da individualidade pelo benefício da segurança. Mas não perceberam até que ponto tal benefício é ilusório. Quanto mais estável uma organização biológica (o formigueiro) ou social (o matrimônio), mais desligada da torrente do tempo e do universo global. O grau de certeza e de segurança mede com precisão o grau de alienação do indivíduo, da sociedade e da espécie. As forças do mundo que desarticulam um indivíduo ou um grupo são, *ao mesmo tempo e no mesmo ato*, as forças que o transformam e, se quisermos, o "elevam".

GUERRA SANTA

Espero que o leitor tenha percebido a sinonímia fixação-coisificação-transferência. Fixação é o instinto básico que temos em comum com os animais e também com as plantas; nestas manifesta-se de forma modelar e nelas reside a muito provável origem desse instinto. Coisificação é o instinto de fixação quando opera na sociedade humana (isto é, quando dois ou mais seres humanos estão em presença). Transferência é o termo clínico indicador da operação do instinto em uma situação particular, a situação (ou a sociedade) terapêutica.

Necessária e inevitavelmente, o paciente e *o terapeuta também* lutam o tempo todo a fim de impor o mundo próprio de cada um ao outro. O mundo próprio dos terapeutas medíocres — e o dos principiantes — é a "teoria". Esta é, nove vezes de dez, o molde da fixação que prende o terapeuta.

Como se imagina, fixação a esse ou àquele quadro da realidade não implica posição falsa ou verdadeira. A realidade pode ser recortada em mil e um quadros diferentes, cada um com seu coeficiente de legitimidade, de valor e de utilidade; além disso, ninguém conhece a realidade total. Daí chegamos novamente a   conclusão já vista: a fixação é inevitável. Por isso, aliás, creio que a fixação é um instinto. A solução — definidamente moral — está em não pretender incluir o outro no *meu mundo como coisa*; está em permitir que ele desarrume o meu mundo e, ao fazê-lo, o destrua; ao destruí-lo, o transforme. Com ele eu me faço outro. O outro, por sua vez, que se acautele; agora o problema é definidamente imoral; vou fazer o que posso e um pouco mais para destruí-lo. A hostilidade tão falada. É o que experimentamos quando nosso mundo se vê abalado. Ela tende a reconstruí-lo e ao mesmo tempo destruir aquilo que perturbou meu mundo.

Dado que não existe nenhum critério "universal" para distinguirmos o bom do mau — por isso não pode haver Pecado Original genuíno —, no conflito passa a valer aquele que pode mais, o que sabe mais, aquele que é o melhor (ou o pior). Só pode haver moralidade autêntica onde existe amoralidade genuína. Sempre que nas lutas interpessoais os contendores — leais e cavalheirescos — admitem uma regra ideal, os dois se salvam, mas se perde a humanidade. A relação, dentro dessa regra, se despersonaliza — se desumaniza ou coisifica. Quanto maior o número de regras, maior o coeficiente de despersonalização. Quanto mais "eternas" as regras, mais vivem as "ideias" e mais morre a pessoa. A guerra "justa" é a mais atroz de todas.

Não se aflijam os moralistas, pois não estou pregando a imoralidade total. Estou dizendo que em *cada situação* e em *cada momento* deve ser encontrada *a norma certa*. *É pretensioso, falso e pueril* acreditar que existam regras válidas para tudo e para sempre, sobretudo quando se acredita que essa regra pode ser expressa em palavras. Em cada momento, o "melhor" deve ser encontrado, não pressuposto. Quem crê no contrário identifica-se com aquele Deus isolado e isolante, de que já falamos. É um orgulhoso; está assustado. O assustado merece nossa compaixão e auxílio, desde que não transforme seu medo em moral universal e não pretenda impor sua lei a nós; desde que, principalmente, não se ponha diante de nós como modelo ou ideal — como estatística! Sou normal! Sou como todo mundo! Seria bom se o assustado se impressionasse com o próprio susto em vez de tentar impressionar os outros com seu medo.

Quem acredita em regras eternas está continuamente fazendo violência a si mesmo e ao outro. Diante do novo que está aí a todo instante, a primeira coisa que o assustado faz é incluí-lo num molde "eterno", e então o novo envelhece instantaneamente. Vinho novo em odre velho. Jung dizia, com sua impiedosa sabedoria, que "o pior inimigo do melhor é o bom". O único momento divino é o presente, ou nada será divino para nós. O pior inimigo do presente — parafraseemos Jung — é o eterno; ainda: o pior inimigo do que se está fazendo é aquilo que já está feito ou se pretende fazer.

TERAPIA PELO MOVIMENTO

Parece evidente a aplicação clínica dessas noções: *o cultivo deliberado e cuidadoso da propriocepção (percepção de minhas forças) é o melhor método que se pode desejar quando se pretende atenuar ou desfazer as confusões mecanoafetivas entre sujeito e "entorno".* Dito de modo clínico: o cultivo da consciência de atitudes e o cultivo de ações finamente deliberadas (sensações e controle muscular) é um método que alcança diretamente os chamados mecanismos neuróticos, todos eles fundados na confusão mecanoafetiva.

Na verdade, isso não *deve* ser feito; *está sendo* feito em todas as variantes de psicoterapia que conheço. A eficácia relativa dos vários métodos psicoterápicos é determinada precisamente pela capacidade que se tem de levar as pessoas a perceber *como estão, quais são as suas intenções presentes, o que pretendem.* As intenções presentes das pessoas são, de novo, as tensões musculares que as mantêm como estão e lhes emprestam, aqui e agora, a forma, que têm e aparece — é visível.

A mais superficial das formas de consciência é a verbal. Menos superficial, porque mais naturalmente ligada à motricidade, é a consciência visual (exame dos sonhos e das fantasias); a mais fundamental das formas de consciência é a muscular — consciência das atitudes que é, no mesmo ato, consciência de intenções e pre-tensões. Não conseguiremos situar-nos diante da consciência de afetos se, junto com ela, não tivermos consciência muscular; o *esquema tensional (ou intencional) é aquilo que dá forma, organiza, exprime e realiza a consciência afetiva.*

Em termos que já empregamos: o ideal seria partir das posições e delas deduzir as direções (intenções); seguindo estas, encontrar o objeto e compor a cena, o contexto. Admito que às vezes o método inverso seja usado pelo terapeuta, enquanto toca o paciente — entretanto, esse caminho me parece precário para uso do próprio terapeuta. Estou dizendo que é melhor apurar a observação do que a imaginação ou a inteligência. Aquilo que as pessoas mais desejam não é compreensão, muito menos explicações; as pessoas desejam — e precisam — ser aceitas.

Se o paciente percebe que o terapeuta o vê *bem* e apesar disso não se afasta, nele se desenvolve rapidamente a *confiança* no terapeuta. Já quando este vagueia incerto no mundo das palavras ou no das hipóteses — tão falíveis —, o paciente certamente *resiste*, e com toda a razão.

A CULPA DE SER FELIZ

Primeira entrevista. A paciente mal me cumprimenta. Logo se senta e dispara uma série de explicações sobre seu atraso. Sem transição alguma de ritmo, tonalidade e forma de dicção, entra no seu problema, referente ao marido.

Este fazia horrores diariamente e o vinha fazendo há muito tempo.

— Nunca nos demos bem, nem no namoro.

O conteúdo de seu dizer é uma cachoeira turbulenta de "provas", tendentes a demonstrar que seu males são consequência direta dos desmandos, esquisitices e anormalidades do companheiro.

Mais do que o conteúdo do relato, a música da palavra e a expressão do rosto prendem minha atenção. A música da palavra mantém--se a mesma, monótona, durante quinze minutos seguidos. É um misto de veemência e lamento contidos, com uma tonalidade áspera adicional, que dá a esses sons as qualidades de um rosnado — nem rugido nem gemido. A expressão do rosto, em paralelo com a tonalidade da voz e a forma da fonação, é mesquinha, expressão de raiva impotente, misto de fúria e humilhação, uma tolhendo a outra.

Enquanto ouvia seu relato, procurava caracterizar para mim mesmo tais expressões vocais e fisionômicas. Ela continuava:

— Sabe, consultei o doutor A., o psicólogo B., a doutora C. Todos me perguntam por que não me afasto de meu marido; todos acham que ele é psicopata. Eu não sei o que fazer. Não tenho coragem de me separar...

Ela estava sentada na beirada da cadeira, pernas e pés juntos, mãos no regaço, fortemente crispadas, naquele mesmo misto inextricável de raiva e angústia. Estariam suas mãos prontas para esmurrar e esganar ou estariam apenas crispadas em desespero? O tronco bastante inclinado para a frente e bem encurvado. Tanto que, seguindo a posição da coluna, a paciente deveria estar olhando para o chão ou com a face francamente voltada para baixo. Mas não era assim; a face me contemplava (eu estava sentado de frente para ela). Seus olhos me olhavam — e me observavam agudamente —, postos ligeiramente de baixo para cima. O pescoço oblíquo e tenso era o último sinal do duplo afeto. Eu não sabia se era um pescoço que se submete ao jugo ou um pescoço que se levanta para despedaçar a canga.

Em conjunto, seu tronco parecia o de alguém esmagado por arrependimento e confessando uma culpa — mas profundamente ressentido pelo que fazia. Ressentido porque a paciente não estava inclinada apenas por depressão ou desânimo; estava inclinada e curvada, sim, mas também tensa e vibrante, pronta a todo instante a endireitar-se em seu amor-próprio ferido ou a saltar em raiva fluente.

Após os quinze minutos em que eu pouco ou nada disse, sua veemência abrandara bastante. Levantei-me e dei uns passos para lá e para cá. Depois, fiz um aceno com a mão e disse:

— Agora interrompa um pouco seu relato, mantenha-se do jeito que está e diga-me como sente sua posição.

Ela obedeceu com precisão, procurou perceber-se bem e avançou, hesitante:

— ... estou tensa, não?

— Sim.

— ... minhas mãos, aqui, apertadas...

— Sim. Que mais?

Estava incerta. Fui à sala próxima e voltei com um travesseiro.

— Olhe, imagine que este travesseiro seja um saco de areia. Veja.

Coloquei o travesseiro sobre sua nuca e ombros.

— Vê? Não lhe parece que seu corpo está pronto para carregar um fardo pesado?

— ... É... é mesmo...

— Que mais vê em si?

Incerta de novo. Com um gesto de indicação, fiz que ela se sentasse *no fundo* da cadeira e encostasse a coluna toda no espaldar. Começou a mostrar-se mais desafogada.

— Estou melhor.

— Que mais falta?

— ... as pernas?

— Talvez. Relaxe. Que mais?

— ...

Apoiei meus indicadores um em cada ombro dela. Seus ombros estavam duros, "espremidos", altos e algo para trás. Ante meu gesto, mais tato que força, a paciente largou os ombros.

Sentei-me em minha cadeira e esperei. Ela aproveitou, com alguma perplexidade, o evidente bem-estar que experimentava.

Visivelmente, não compreendia como é que tão pouco podia produzir tanto. Passaram-se alguns segundos.

Logo, um movimento quase imperceptível "subiu" da metade inferior do tronco para os ombros e a face. Esta se transmutou, ficando intensamente bela e luminosa: o rosto da felicidade. No mesmo ato, a paciente levantou amplamente os braços, num gesto de notável facilidade e leveza. Note-se, não havia nenhum propósito nesse movimento. Era pura expressão — de felicidade leve.

— Vê, doutor

A paciente estava de novo presente. Sabia que eu vira. Acrescentou:

— Vem subindo a angústia!

Mas seu rosto não estava angustiado. Eu disse:

— Angústia? Como assim? Não sei o que subiu, mas é certamente algo de bom. Seu rosto ficou feliz e você fez um movimento de braços extremamente gracioso.

Houve um lampejo de pesquisa em seus olhos, que logo se desviaram dos meus. Hesitou.

— O senhor quer saber no que eu pensei neste instante?

— Quero.

— Pensei no meu namorado. Ele é bom. Sou feliz com ele, apesar do meu marido.

Deteve-se um pouco mais. Sua felicidade murchou em melancolia. Quando, em poucos instantes, a melancolia foi se adensando em choro, ela, num repente, sentou-se na beira da cadeira, inclinou e encurvou o corpo:

— O senhor não acha que meu marido é doente? Acha que as coisas que ele vive fazendo são normais? Acha? Acha que eu posso me sentir bem com isso tudo?

Voltou aquela música que era rugido e gemido, voltou a rigidez da fonação, voltou o rosto mesquinho e feio.

O tempo caminhou ao contrário. A paciente estava como chegara. A consulta prosseguiu, mas importa-nos até aqui.

Antes de mais nada, reitero um esclarecimento: o cunho literário do relato não é acidental. Cada adjetivo foi cuidadosamente pensado e pretende fazer uma descrição exata. Se digo que o rosto ficou "intensamente belo", estou assinalando um fato muito claro, e daí o "intensamente" que um filme cinematográfico poderia evidenciar com facilidade.

Descrevo expressões fugazes, mas quando as qualifico é porque as percebi com clareza. São, algo antipaticamente, "sinais clínicos".

O mais difícil na comunicação dos estudos sobre psicofisiologia das atitudes é a descrição delas. Estamos acostumados a percebê-las e a reagir a elas, mas não a descrevê-las *para estudo*.

O leitor ou o ouvinte quase sempre acha o relato engenhoso ou literário. Fazer as pessoas se aterem a esses fatos é tão difícil em público quanto no consultório. Há em todos uma oposição inconsciente a perceber-se em ato, porque isso atinge de modo pessoal e compromete efetivamente nossa... posição; e, com ela, nossas convicções e nosso modo de viver.

Estou remodelando aquela afirmação dos psicanalistas segundo a qual todos têm "resistência" ante os complexos inconscientes. Espero que o leitor perceba a semelhança e as diferenças; para auxiliar seu trabalho, resumo a questão num exemplo simples que o próprio leitor se encarregará de generalizar.

Se digo para meu amigo, com o qual estou passeando, "você está andando", no mesmo instante ele hesita, oscila, talvez pare. Logo, perturba-o saber como estava. Logo, ele preferirá não saber como está.

Quando falo de oposição inconsciente ao perceber a própria posição, refiro-me àquilo que, no meu amigo, torna para ele difícil perceber que está andando. Como se vê, falo de algo simples, objetivo e objetivável. A meu ver, o psicanalista, afirmando algo semelhante, não é simples nem objetivo; tampouco se pode objetivar convincentemente sua afirmação.

Retornemos ao raso e à principal pergunta que ele permite — fim precípuo do relato, na intenção do autor: *a paciente sentiu-se feliz porque pensou no namorado ou pensou no namorado porque se sentiu feliz?*

Poderá haver alguma dúvida quanto à resposta?

Note-se que todas as minhas manipulações foram feitas praticamente sem explicação alguma, afora a mais evidente. Posta em palavras, essa explicação óbvia soaria assim: você está torta, tensa e trágica; ponha-se direita, à vontade, como se estivesse tranquila. "Expliquei" o caso de tal modo que posso descrever meu agir em termos da ação de esculpir: mudada a forma da estátua, mudou seu sentido, seu sentir — e seu pensar.

Tratava-se, é preciso acrescentar, de uma personalidade vibrante e versátil, com excelente integração afetiva e marcadamente extrovertida. Dito de outro modo: personalidade com bom contato pessoal, rapidez e boa adequação de resposta ao momento.

Nem todos são assim. Nem sempre é assim. Mas o caso aconteceu e a pessoa existe. E é gente. Por isso, posso fazer minhas perguntas de estudioso da natureza humana.

Claro que há imponderáveis atuando. Se eu não tivesse impressionado a paciente com minha atenção, com minha seriedade concentrada, com a força das convicções que me moviam, ela teria achado tudo muito estranho. O mesmo teria acontecido se eu, formalizado, a houvesse tratado como o médico que está aí para ouvir e "explicar". Era o tipo de pessoa que precisa de outras coisas *antes* da explicação. E que precisa já, senão foge — de medo — ou desiste — de descrença.

Achar que isso teria acontecido não é hipótese. É fato. A paciente já havia consultado quatro profissionais antes de mim, indiscutivelmente competentes, e o que ouvi — entremeado às invectivas legítimas contra o marido — foi uma enxurrada de palavras confusas e desconexas sobre "personalidade psicopática", "fixação paterna", "ansiedade de abandono", "sentimento de culpa", "rivalidade infantil" e outras coisas inoportunas.

As explicações prévias a haviam confundido e assustado; ela se encolhera. Falou comigo, de início, porque *precisava* falar — nem que eu fosse como uma parede. Não estava interessada e não sabia se eu a estava ouvindo ou não. Só quando comecei a me mover é que ela percebeu que eu existia — e viu que eu estava interessado nela. Por isso se sentiu feliz.

Posso contar com alguém que me vê. Ninguém me viu antes. Nem eu. Só ouviam. Como eu, que me perco por ouvir o que penso e não ver como estou.

Antes, todo o medo, a raiva e a mágoa da paciente eram sentidos por ela como ligados a outrem — ao marido. Quando, ao mudar de atitude, mudou também seu modo de existir, pôde perceber que *ela* era fator crucial da questão. Seu modo de sentir dependia de seu modo de se pôr.

MEDO DA FELICIDADE

Havia outro lado na questão. Todos os livros de psicologia dinâmica dizem que as pessoas escondem cuidadosa e afanosamente tudo que têm de mau; mais, que temem tudo aquilo que faz sofrer, magoa, dói. Duas mentiras totais. As pessoas escondem sempre o que têm de melhor e fogem sempre da felicidade.

Minha paciente, ao sentir-se feliz, disse que "vinha vindo a angústia". Meio minuto de felicidade foi demais para ela, que logo preferiu mergulhar de novo no pântano. E fez bem. Quem não está acostumado com a felicidade — e poucos estão — perde-se nela mais do que no sofrimento, para o qual fomos "preparados" de mil modos desde que nascemos.

Meus demais pacientes, sobretudo os antigos, que eram tratados de acordo com os livros, sempre me propunham essa dificuldade: quando minha "interpretação" era malévola — raiva, despeito, inveja, ciúme, ressentimento —, tendia a ser *bem* aceita, após alguma hesitação. Hoje instruído por Jung, faço de outro modo, dizendo coisas boas do paciente — delicadeza de sentimentos, fé, esperança, idealismo, dedicação, seriedade, confiança; e, sempre que a interpretação é boa, as pessoas duvidam, discutem, descreem.

Essa experiência é universal no mundo ocidental, devorado por amargura, ceticismo, incredulidade, desalento e indiferença.

Se as pessoas lutam tanto e tanto tempo *contra* o que é bom, concluo que o fazem por medo. Por isso, acho radicalmente falsas e profundamente maléficas aquelas duas "verdades", que são os pilares de quase todas as escolas psicoterápicas contemporâneas.

O que os homens mostram menos é aquilo que têm de melhor. Aquilo que mais temem é a felicidade.

PARTE II

Ação e reação, movimento e postura, ato e atitude

PROPOSITURAS

Vamos estudar as atitudes humanas e seu esqueleto mecânico, que é a postura. Comecemos dando voltas. Que quer dizer impostura? É o ato pelo qual alguém se faz ter pelo que não é. É uma falsa atitude. Outro significado do termo aparece melhor na sequência:

- *impor* — pôr à força;
- *imposto* — posto ou exigido à força;
- *impostura* — pôr-se à força.

Impostura é uma *atitude* falsa ou falsificada, por ser *forçada*. E, no homem, não será falso tudo que é forçado? Por onde se vê que toda reunião social e, no limite, toda exigência social é uma impostura.

E descompostura? O termo significa, em elucidações consecutivas:

- des — com — postura;
- desfazer — composição — atitude;
- desorganizar uma posição pessoal.

Todo psicoterapeuta, enquanto visa "alterar o ego", "analisar a posição existencial do paciente no mundo", "modificar a atitude", todo psicoterapeuta vive... descompondo... impostores!

Veja-se até que ponto a etimologia traz a noção do plano verbal e abstrato para o corpo, suas posições e configurações. Assinale-se quanto essas relações verbais servem de prova às ideias que vou propondo, se aceitarmos que as palavras são consequência de intuições primárias e ingênuas.

O valor da prova melhora se recordarmos os termos junto com as situações cotidianas para cuja caracterização eles servem. Todo impostor é alguém que mente ao forçar gestos e atitudes. Uma descompostura de chefe a subalterno, de mãe a filho, faz a pessoa "perder o jeito", "ficar sem jeito", "ter vontade de sumir", "ficar desarmado". Curto: desorganiza a atitude, "dissolve o eu".

A POSTURA DO OVO

Que quer dizer postura? Por que não dizemos que a galinha larga, deixa ou joga o ovo? Porque ele se quebraria. Ovo largado é ovo quebrado. A galinha o põe porque ele é frágil — o põe, isto é, realiza o ato *com cuidado*; eu diria mesmo com atenção: prepara o ato.

Prepara de dois modos: escolhendo o lugar, que deve ser fofo e macio, ou fazendo-o assim — o ninho; pondo-se agachada no ninho a fim de que o ovo não caia.

O ato de colocar algo frágil num lugar em que ele possa estar ou o de arrumar um objeto de forma peculiar em um nicho ou vazio preparado para recebê-lo é um excelente modelo simples para compreendermos o significado do termo postura.

"Pôr" é a ação que se faz a fim de não prejudicar o que é posto, para que não caia, não quebre, não fique torto, caiba certo. Para tanto exige-se cuidado, atenção, não raro delicadeza e precisão. "Pôr" é um ato de deliberação e escolha. Postura é o resultado da ação de pôr--se — pôr a si mesmo.

Um ser marinho, em geral, não tem necessidade de pôr-se. Basta--lhe estar, porque o meio líquido torna praticamente indiferentes (quanto ao esforço) as regiões do espaço criadas pelos planos coordenados clássicos.

Já os seres terrestres e aéreos não podem *estar* senão quando deitados. A gravidade os obriga a *pôr-se* com cuidado... Sempre que em pé, caem se não tiverem cuidado.

ESTAR E PÔR-SE

Desde o momento em que o animal levanta a cabeça do solo, depois de dormir, por exemplo, ele não mais *está no mundo* simplesmente; ele se põe. Existe na forma de sua postura. Sempre que no mundo, com o mundo ou contra o mundo, o animal está posto. Ao se retirar do mundo — sono, repouso, "devaneio" —, então ele simplesmente está ou é, como um objeto. (Há restrições a essa fórmula.) A postura é o sinal primeiro e o mais evidente do estar em relação com o "perimundo" — em relação ou em contato.

Como se vê, a postura pode ser tida como sinônimo de "vigilância", pois esta é sua primeira condição e seu sinal mais seguro. Falo das funções do sistema reticular mesencefálico, tão estudado nos dias que correm.

Ao analisar a postura, estou fazendo neurofisiologia, o que me leva a relatar a história pessoal de uma ideia.

A TRISTE HISTÓRIA DO JOÃO TEIMOSO

Ainda no primeiro ano da faculdade de Medicina, ao ler *The physiological basis of medical practice*[1], de Best e Taylor, deparei com uma fábula que se chamava "Os mecanismos nervosos responsáveis pela postura e pelo equilíbrio". Era uma fábula para mim, pois eu lia e relia o capítulo, sempre fascinado e sempre sem conseguir compreendê-lo. Entendia bem cada subtítulo e cada parágrafo, mas não conseguia perceber o todo. Se eu tivesse de dar nome à minha fábula, ela se denominaria "História do joão-teimoso", e o subtítulo seria assim: "Aquele que balança sempre e não cai nunca — ou quase nunca".

Hoje eu sei por que não compreendia. É porque eu não sabia que tinha um corpo.

Vi depois, anos a fio, dezenas e centenas e milhares de pessoas como eu, sábios e ignorantes, todos vivendo sem saber que tinham

---

1. BEST, Charles Herbert; TAYLOR, Norman Burke. *The physiological basis of medical practice*. Nova York: William Wood, 1937.

corpo, todos estranhando o joão-teimoso e achando que ele tinha fios demais para funções de menos. Os próprios autores da fábula — os fisiologistas — eram os primeiros a ignorar o que faziam. Best e Taylor — excelentes didatas — colocavam um capítulo de física antes de cada um dos de fisiologia. Antes da respiração, estudavam os gases; antes da circulação, hidrodinâmica; antes da visão, óptica, e assim consecutivamente. Antes de estudar minha fábula não diziam nada, não recordavam noção alguma de mecânica, não falavam de vetores nem de esqueleto, muito menos de estática ou de equilíbrio. Não recordavam, em suma, que temos um corpo.

Qual foi a conclusão de um neófito como eu? Temos dois terços do sistema nervoso para... ser estudados pelos fisiologistas. E para fazer provas. Ou nem isso, pois tanto no curso de Fisiologia como no de Neurologia (e este era bem puxado) jamais ouvi uma palavra que fosse a respeito de tal fábula.

Minha conclusão de neófito: gente grande não gosta de fábulas. Ou não compreende... Mas sem a fábula a realidade fica incompleta e, bem no fundo, inexplicável.

Para que servem dois terços do sistema nervoso, todo aquele exótico agregado de núcleos motores hiper ou hipotonizantes, todo aquele volumoso cérebro secundário chamado cerebelo, todo aquele complexo sistema "vestibular", todos aqueles feixes proprioceptivos?

O estudo do sistema nervoso, tão admirado por tantos, foi um desencanto para mim. Ninguém me explicou o joão-teimoso. Ninguém me disse que ficar em pé é difícil; ninguém lembrou que cair é mais difícil ainda — nem por quê; ninguém falou dos meus 400 mil vetores nem dos bilhões de neurônios que os correlacionam; ninguém assinalou que a regência desse mundo complexo cabe ao centro de gravidade do corpo e sua relação com o polígono de sustentação.

Por isso eu me desencantei com o joão-teimoso, mas não pude esquecê-lo. Depois consultei os psicólogos. Comecei com Freud, que havia sido neuropatologista mas, segundo parece, esqueceu completamente sua paixão prévia. Quem sabe ele tenha sofrido o mesmo desencanto que eu e por isso inventou uma nova lenda, o inconsciente — tão obscura quanto a antiga.

Wilhelm Stekel me ajudou de muitos modos. Deu-me coragem para pensar livremente; cultivou minha intuição; entusiasmou-me com suas historietas vivas; sobretudo, formou-me — curso primário — no inextricável problema dos contrários ou dos opostos. Dentre suas frases sonoras, ficaram-me algumas: "Constituição bipolar da psique", "Teoria polifônica do pensamento", "Em todo sonho há pensamentos de amor e ódio, de vida e morte, de tempo e eternidade, de bem e mal, de princípio e fim, de homem e mulher, de Deus e Demônio".

Com meu diploma de curso primário, comecei a frequentar Jung, o sutil e o esotérico. Sofri cada um de seus parágrafos; li tudo que ele escreveu; reli. Ao cabo de cinco anos eu havia completado meu curso secundário sobre o problema dos contrários, depois de várias reprovações escandalosas. Afinei a intuição e cultivei meus sentimentos.

MEU PAI BOM

Jung é meu "pai bom" e quase meu "pai do céu". "Consciente e inconsciente funcionam sempre, necessariamente, em oposição compensadora"; "O que não está na consciência deve ser procurado no inconsciente"; "O sonho não é uma soma de artifícios destinados a enganar o superego; é o parecer ingênuo daquilo que em nossa vida acordada não teve o direito de dar parecer". Suas quatro funções e seus dois tipos básicos de personalidade me ajudaram em mais de uma situação difícil, pessoal ou clínica. E o esquema gráfico dessa organização moldou o centro mecânico do joão-teimoso.

Aos poucos, vendo que ninguém tinha certeza, fui-me animando a enfrentar meus pacientes e minha vida, sem certeza e sem me envergonhar por isso...

A fachada profissional — aprendi com Jung — é um artifício de propaganda exigido apenas pela e na vida pública; em particular, pode-se viver em paz mesmo sem ter certeza de nada. Pode-se ajudar o próximo mesmo sabendo tanto quanto ou menos que ele. Podemos emprestar-lhe algum apoio mesmo quando nos equilibramos precariamente numa corda bamba. E quanto mais.

Mas não nos desviemos de nosso roteiro.

Todas as psicologias tinham sobre mim um efeito deprimente: sentia-me pouco médico. E, junto com essa sensação incômoda, havia mais uma: para que estudar vinte anos? Por que me apaixonei pelo corpo humano e sua misteriosa relojoaria de precisão? Para que serve o joão-teimoso?

MEU PAI MAU

Então o destino me apresentou a Reich, meu "pai mau". Áspero, panfletário, concretista e astuto, ele deu um corpo, o corpo humano, à alma etérea e insubstancial de Freud — o inconsciente. À tortura freudiana dos instintos, Reich contrapôs a velha e queridíssima tortura da carne. Não há conflito — divisão e oposição interna — sem... impostura, isto é, sem atitudes forçadas no corpo.

Absorvi seu conceito de *couraça muscular do caráter* como lactante que absorve leite. Aos poucos senti — verdade seja dita — que o conceito era mais meu do que dele.

Reich disse (mas não se deteve aí) que "atitude mental e atitude física são uma coisa só". Aí estava meu joão-teimoso, filho de fisiologistas, neto de psicólogo e irmão de físicos. Bastava saber que o homem se mantém contínua e ativamente em equilíbrio (de maneira física), opondo-se ativa e continuamente a muitas possibilidades de cair em todas as direções, para compreender imediatamente que o homem é um conflito vivo.

Até aqui, físicos e fisiólogos. Depois, Reich: todo movimento é expressivo e contém, real ou latente, um significado, uma intenção. Com Reich, o joão-teimoso, até então boneco, fazia-se gente. O sistema postural fazia-se psicológico também. O sistema nervoso permanecia com justeza no centro da questão e a gravidade — mãe do joão-teimoso — era seu parâmetro fundamental.

A ESTÁTUA E A BAILARINA

Só depois dessas voltas procurei os cinesiologistas, aqueles seres que estudam a física dos movimentos corporais, as alavancas ósseas e os vetores musculares, as potências e resistências do corpo, o centro de gravidade.

Gostei deles, mas tampouco falam de gente — tampouco compreendem bem o joão-teimoso. Suas descrições dos movimentos complexos — arremessos, por exemplo — não sei se são geniais ou ingênuas. Todo movimento é decomposto em "partes" e entre estas se estabelece uma sequência linear. Esquemáticos ao extremo; desumanos. Não veem no movimento senão sua finalidade objetiva. As ideias aqui propostas nasceram dessas voltas e revoltas.

AS ORIGENS DA POSTURA

Divaguemos agora sobre as origens da postura. De momento, consideraremos postura de um ser sua forma dinâmica ou tensional, aquela forma de estar que ele mantém à custa de *esforço ativo e contínuo*. Essa forma tensional não se confunde com sua *estrutura*. Esta é a soma de suas partes rígidas — ossos, carapaças, dentes, unhas.

Estruturalmente, podemos dizer que os animais têm *forma própria* para cada uma de suas partes rígidas. Mas, excluído o caso dos animais simples de carapaça rígida — alguns radiolários, espongiários —, os demais *não têm forma global própria*. A cada instante, o esquema tensional modifica a disposição estrutural e a forma de um animal só pode ser captada e definida à custa de multifotos. Aquilo que altera continuamente a disposição das partes estruturais em geral são tensões musculares; em menor grau, tensões elásticas; em animais minúsculos, tensões osmóticas.

É importante assinalar que os animais *não têm forma própria*. Sua forma, a cada instante, é sempre um retrato da *relação* entre o animal e o perimundo. Os animais têm formas de ação e formas de inação; formas de relação ativa e de relação passiva com o meio; formas de relação com o mundo e formas de relação consigo mesmos; formas de extroversão e formas de introversão. Um animal em repouso, amplamente relaxado, está *recriando-se*. "Recuperando as forças", diz-se, "refazendo-se".

Esse refazer-se não é apenas um voltar à forma anterior; é também um adquirir forma nova quando esta se impõe, seja porque o mundo mudou, seja porque mudou o animal. Quando me movo mais ou diferentemente do habitual, vou dormir cansado e acordo dolorido. Se nos dias subsequentes eu insistir na nova atitude, a hipertrofia muscular ocorre, ligada a esse "dolorido".

Uma vez estabelecida a hipertrofia (dias, semanas), *o mesmo* exercício não produz mais fadiga. Logo, não era só fadiga; era também um "convite à recriação", à aquisição de uma nova forma tensional. Não há fadiga "pura". Além disso, o muito de mistério que cerca a fadiga — desespero dos fisiologistas — se esclareceria em parte se a considerássemos não apenas reparação, mas também recriação.

(Incidentalmente, o que mais cansa é *obrigar-se* a fazer poses e gestos convencionais.)

POSTURA E ORGANIZAÇÃO DO ESPAÇO

Regulei os freios do carro e para isso permaneci cerca de meia hora sob ele, deitado de costas, trabalhando com as mãos e com a cabeça acima do solo. Cerca de vinte e quatro horas depois, senti os músculos do pescoço doloridos.

Na vigência dessa sensação, estando novamente deitado de costas, compôs-se em minha mente uma figura vaga, bonita e repousante. Era uma pérgola retangular, de colunas e arquitraves brancas, com trepadeiras floridas. Eu via apenas um ângulo ou dois do retângulo. O mais importante foi o seguinte: eu via a pérgola como se estivesse deitado *sob* ela, uns bons metros abaixo do nível do solo. Dito de outro modo: a pérgola estava "no ar" e eu a via de baixo para cima. Sua base era invisível.

Parece evidente que a posição da imagem moldava-se pela posição das peças com as quais eu havia trabalhado no dia anterior. Obedecia às tensões musculares incomuns a que eu me submetera.

A posição da pérgola era análoga, mas ela estava muito mais longe de mim do que as peças do automóvel. Logo, a organização muscular que respondia pela localização da imagem no espaço interior era semelhante, mas *mais frouxa* do que as tensões *reais* do dia prévio.

Se, acordado e em pé, vejo uma rua como um plano horizontal mais ou menos perpendicular ao meu plano frontal, ao deitar eu deveria vê-la vertical. Quase nunca é assim, nem na fantasia, nem nos sonhos. O que é que nos permite, então, desligar a imagem vista de sua relação real conosco?

Início de explicação: *quanto menor o tônus postural, mais indiferente o campo visual*. Deitados e deliberadamente relaxados, tudo *flutua* em nossa mente, como se cada imagem visual fosse um sólido imerso em líquido de densidade igual à do sólido. O *espaço perde consideravelmente sua estrutura*. Regra geral, a vertical subsiste mesmo então, mostrando que o tônus postural de algum modo se mantém. É raríssimo vermos, em fantasia ou sonho, um objeto "de cabeça para baixo", e nós estamos quase sempre "em pé".

É possível que o tônus postural, em estado de relaxamento, esteja presente no sistema labirinto/olhos. Os globos oculares são mantidos em posição por estímulos labirínticos e orientam pela vertical toda imagem interior. Quando o sono vem e um pouco antes de perdermos qualquer espécie de consciência, o espaço perde de fato toda estrutura; em estado hipnótico, faz-se muito difícil saber *como* estavam as imagens oníricas.

Prova: Nathaniel Kleitman demonstrou que o preâmbulo fisiológico do sonho é a atividade da musculatura extrínseca do globo ocular. Para ver o sonho, precisamos pôr os olhos "em posição de ver".

TODA ATIVIDADE É UM EXERCÍCIO

Qualquer atividade é um exercício muscular em substância, mesmo que a "atividade" seja estar deitado ou sentado o dia inteiro. "Atividade muscular" não é somente tônus e tensão; é também relaxamento e hipotonia.

Se filmássemos um indivíduo continuamente durante um mês, poderíamos fazer depois uma estatística de suas atitudes e atividades típicas. A estatística ainda não foi feita, mas tenho para mim que nos surpreenderíamos com o número *reduzido* dessas posições e movimentos e com o fato de que é invariável sua sequência. Qualquer adaptação nova compromete essas formas e sequências. É preciso que a pessoa remolde seus "clichês". A descrição motora da personalidade e da neurose vai aqui.

Está implícito que a cada forma de estar e agir correspondem motivos, significados e valores. Em nosso estudo, transitamos fácil e frequentemente da conduta para a mente e vice-versa.

"GARÇOM!"

— Doutor, o senhor não faz o que eu desejo nem me trata como eu preciso.

Era a centésima vez que eu ouvia coisas assim e não estava disposto a ouvir a centésima primeira.

— Sabe? Lidar com você é como carregar uma bandeja cheia de cristais.

— Isso mesmo, doutor! Eu sou uma bandeja de porcelana mesmo. Qualquer choque ou contrariedade "quebra" meu estado de espírito.

Ainda surpreso com a boa acolhida que o paciente dera a meu reparo, nem por isso deixei passar a oportunidade.

— Olhe, em vez de ficarmos conversando coisas já sabidas, vamos fazer uma pequena representação que pode ser útil.

Ato contínuo, tomei um caderno de desenho grande com capa de papelão grosso e fiz com ele como se fosse uma bandeja. Coloquei sobre ele um cinzeiro, um vidro de remédio, um isqueiro e uma caixa de remédio, vazia, alta e estreita. Passei a "bandeja" para o cliente, que a segurou sobre as duas mãos espalmadas.

— Olhe, ande por aí, à vontade; não deixe cair os cristais...

O paciente começou a agir sem relutância alguma, o que já era uma vitória, pois ele se opunha a tudo que se lhe propusesse.

Acompanhei-o, a fim de pôr em pé os objetos que porventura fossem caindo.

Nosso passeio singular me permitiu pôr à mostra com clareza para o paciente todas as suas maneiras de evitar o centro das situações.

Logo de início o isqueiro caiu.

— Viu, doutor? Eu não sou capaz de fazer nada bem-feito.

— Eu sei. Ao primeiro contratempo você desiste. Ninguém acerta na primeira vez. Você sabe disso, mas não usa.

Deu mais três passos e dois objetos caíram.

— Não consigo me concentrar em nada, doutor. Estou sempre pensando em outra coisa.

— Eu sei. Você vive falando para si mesmo e enquanto fala não vê. O que você não consegue é *ver*, não concentrar-se.

Avançou um pouco mais e logo caiu a caixa de remédio, no momento em que ele passava sobre o fio do telefone.

— Foi o fio. Por isso a caixa caiu.

— Claro. Você explica muito bem o que acontece *depois* que aconteceu. É sempre assim, não é?

— Mas a explicação está certa, doutor!

— Claro que está certa. Estou dizendo que ela é inútil e não errada. À custa de muitas explicações verdadeiras e inoportunas, você consolida a falsa posição em que vive e os falsos movimentos que faz. Você viu o fio antes de passar, não viu?

— Vi.

— Por que não parou e deu o passo com mais cuidado?

— Porque precisava ir depressa

— Ninguém mandou você ir depressa. Você é quem exige de si mais do que o razoável. Depois explica muito bem... o fracasso.

O paciente estava agora irritado com o que eu dizia e por isso, ainda que parado, lá se foi de novo a caixinha fatídica.

— Doutor, ela não para!

— É. Cai sozinha... Ela caiu, mas foi devido à raiva que você experimentou, não?

Ele prossegue e falha constantemente. Lamenta-se.

— Não consigo!

— Consegue, sim. Quando você não consegue controlar, então se faz queixoso. Passa de dominador a coitadinho.

— Eu não sou coitadinho!

— É, sim. Todo seu tom de voz e toda a expressão de seu rosto são de um coitadinho.

— Não! Eu quero apenas fazer as coisas direito e fico aborrecido quando não consigo.

— Não fica aborrecido, fica coitadinho. Não quer fazer as coisas direito; quer apenas evitar críticas ou parecer perfeito...

Os objetos caem continuamente. O paciente, confuso, não sabe mais o que fazer.

Mas, após algum tempo assim — confuso —, vai se refazendo. E, para surpresa de ambos, consegue dar três voltas complicadas pelo consultório sem derrubar nada.

— Viu? Quando você desistiu de explicar, de queixar-se, de exigir absurdos, de querer bancar o perfeito... a coisa se fez. Livre desses modos descabidos, você começou a prestar atenção à situação, à posição das mãos, aos objetos mais instáveis da bandeja, aos obstáculos do caminho. E então fez.

O paciente, visivelmente satisfeito com sua realização, olhou-me direto, entesou o tronco um quase nada e, num misto de desprezo e desafio, como que a rir da "bobagem" que eu havia exigido, empreendeu a quarta volta.

E no primeiro passo a caixinha caiu.

— Esta é a última. Conseguido o êxito, você se sente senhor da situação para todo o sempre, mergulha na própria satisfação e esquece as coisas. E as coisas se vingam!

GÊNESE DA POSTURA

A vida se iniciou na água. Entre outros, pelo fato de a água ser um campo antigravitacional para todas as substâncias de densidade unitária ou próxima. Na água, corpos de densidade igual a 1 — o que inclui a imensa maioria dos seres vivos — não precisam despender energia para estar e despendem muito pouca para mover-se.

A ameba flui como água, com a água e na água. É um pouco de água envolvida por uma membrana. Qualquer corrente térmica, osmótica ou elétrica move a água de dentro e com ela o ser inteiro. A ameba não se translada. Ela simplesmente se escoa dentro d'água. Vê-se bem na ameba até que ponto o ser vivo não tem forma própria. Ao emitir um pseudópode, no começo podemos falar em "pseudópode da ameba"; no meio, é difícil; completado o processo, devemos falar em "ameba do pseudópode", pois este se fez bem maior do que aquela. Mais do que ilustrar o polimorfismo de cada ser vivo, a ameba pode ensinar a Einstein a origem da *ideia* de relatividade.

Enquanto imóvel, apenas pulsando num meio homogêneo, o espaço é uniforme, indiferente e vazio para a ameba. É "nada" — sem sentido. Ao emitir um pseudópode, o espaço se faz imediatamente significativo, ao mesmo tempo que a ameba se divide funcionalmente e passa a existir *no tempo*. O espaço se faz "adiante", ou "para a frente" e "atrás". A ameba se divide em "fluência dirigida" — a que gera o pseudópode — e "massa inerte", o restante. A emissão do pseudópode criou um "sentido" no mundo, e tudo passa a ser "julgado" em função dele (adiante: futuro; atrás: passado); e tudo passa a ser vivido em função dele. Há um "lá" e um "aqui" *simultâneos*. Certamente a ameba se dirá, em linguagem própria, que "lá" é melhor — isso se for revolucionária; "aqui" será preferível se ela for conservadora. Durante a existência desse sentido, o espaço não é um vazio indiferente, como dizia o físico tradicional.

O espaço se faz "o lugar do possível". Como os antigos geógrafos, a ameba se dirá: "lá" existem leões — se for conservadora. Ela enche com suas "projeções" — agora fala o psicólogo — o espaço antes indiferente; projeta enquanto se move, porque se move em relação ao movimento que faz. Creio que a ameba jamais imaginará encontrar uma partícula alimentar "atrás".

O tempo é a medida da divisão. Ao se dividir em duas partes relativamente opostas, a ameba "sente" que existe, "sofre e luta" para reintegrar-se. Quando consegue, o tempo cessa novamente. Biologicamente, o tempo é aquilo que está entre uma forma ou regime estável e outra forma ou regime estável. O tempo, ainda, é a medida do conflito. À noite, quando dormimos sem sonhar, o tempo não existe para nós. Nem para a ameba, enquanto pulsa mansamente em seu meio homogêneo.

O espaço significativo e o tempo nascem juntos de um só ato vivo: movimento dirigido. Foi isso que Einstein disse, sem falar da origem.

O VIVO E AS DIREÇÕES

Para todo ser vivo existem direções que ele cria, assim como direções impostas pelo mundo ao qual ele reage. Num caso como no outro, há ou pode haver consciência da direção.

Só existe um modelo intelectualmente claro para a noção de significado: *direção* de um movimento. Direção real quando ele se executa, virtual quando está implícito numa atitude ou numa posição. Desejar, aspirar, amar, admirar e querer significam "ir para"; odiar, criticar, opor-se, firmar-se significam "ir contra"; temer, desprezar, abominar, ter aversão querem dizer "afastar-se de". Sempre há um ponto de referência, no mundo ou no ser — assim se diz. Mas digo eu que às vezes o ponto *se cria* no prolongamento virtual do movimento. Muitas vezes, o movimento vem primeiro e o ponto — o ideal, a meta, o objeto — são *vistos depois*, na continuação do movimento. Nem sempre é o ideal que me atrai; muitas vezes há *simplesmente atração*, e em função dela "vemos" o ideal.

Voltemos aos seres vivos — que nasceram na água, onde o princípio de Arquimedes anula a gravidade para todos os corpos de densidade igual a 1.

Nascida na água, a vida na sua origem não conheceu a ação da gravidade. Mas sendo material já era inerte, e seu primeiro aparelho motor foi a superfície hidrodinâmica e o jato. Na morfogênese do vivo, a inércia da massa foi o primeiro escultor, a hidrodinâmica o segundo.

O problema era: mover-se em um meio líquido. Ou muito me engano ou essa foi a influência que gerou a simetria bilateral, resposta exata às duas condições: inércia e água.

A primeira solução, porém, não foi essa; foi a simetria radial e a propulsão a jato, presente nas medusas e nos polvos. Mas o vivo não pôde nunca inventar a turbina ou a hélice, único dispositivo capaz de alimentar um fluxo contínuo. Aliás, o vivo não inventou nunca a roda, e foi num pequeno livro sobre movimentos animais[2] que encontrei a explicação.

Por isso a vida ficou no meio: move-se sempre em setores de círculo, pendularmente (patas em geral), ou em movimentos mais ou menos cônicos de alguns apêndices (cílios, flagelos, nadadeiras, asas). Ora, o jato descontínuo — vesícula que se enche devagar e se esvazia rapidamente — tem óbvias desvantagens: baixa velocidade, velocidade ciclicamente variável (o inimigo pode alcançar o polvo quando sua vesícula está vazia!) e sobretudo dificuldade de direção. Seriam necessárias seis vesículas para propiciar todos os movimentos necessários. Não conheço ser vivo algum que tenha mais do que uma. Parece que a experiência de jatos levou a natureza à conclusão de que tal sistema é ótimo para uso *interno*. Coração, pulmão, vesícula, bexiga, estômago e vísceras costumam funcionar muito bem assim, *mas o método é melhor para fazer circular o meio dentro do animal do que para fazer o animal circular no meio*.

Além do jato, a natureza experimentou *lâminas* ondulantes (cílios, flagelos, nadadeiras, patas de crustáceos, asas de insetos). Há limites para esse modo de movimento. Ele basta para animais de massa reduzida. Para os grandes seriam necessários véus grandes, e então o tema das superfícies hidrodinâmicas se faria insolúvel. Ou estas seriam semirrígidas e exigiriam "motores" poderosos; ou seriam flácidas e

---

2. GRAY, James. *How animals move*. Cambridge: Cambridge University Press, 1953, p. 5: "Quando comparamos a propulsão animal e a de máquinas notamos uma diferença surpreendente [...]: todas as invenções humanas dependem da rotação. No animal tal arranjo não é possível porque nervos e vasos seriam rapidamente torcidos e rompidos por uma rotação contínua".

simplesmente não funcionariam. O peixe-japonês mais se atrapalha do que se aproveita de seu excesso de véus. A solução deu certo até o tamanho dos crustáceos (camarões, caranguejos), que ainda hoje "nadam" à custa da ondulação de apêndices basicamente rígidos. Os insetos, quando voam, usam a mesma técnica, mas em geral são menores do que os crustáceos, porque o ar é incomparavelmente menos denso do que a água (relação de mais ou menos 1:800). Ainda assim, a natureza fez maravilhas com esse método, da vibração da asa do inseto ao bater de asas do beija-flor.

Porém, essas soluções todas não se referem ao ser humano. Se as lembramos foi com o fito de examinar a relação entre modo de propulsão e modo de estar, a fim de elucidarmos o significado do termo "postura". As membranas ondulantes exigem uma haste semirrígida, a fim de propulsionarem; também os cílios e os flagelos a exigem. Caso contrário, simplesmente a parte propulsora se moveria, de maneira indolente. O animal permaneceria imóvel ou seria movido pouco e de forma irregular. Podemos ver esse modo nas borboletas, ainda que exista nelas por motivos diferentes; algo semelhante vemos nas cobras, enguias, minhocas, que são "flagelos" puros. Só assim o movimento flagelado funciona: quando *todo* o ser é um flagelo.

O modo ciliar, flagelado, laminar e com nadadeiras ou patas nadadoras exige esqueleto semirrígido e desproporção marcada entre a força propulsora do apêndice e a inércia da massa do animal. Mas não exige posição *ativamente mantida*, que é a postura. Exige *forma adequada*, como nos aviões e nos navios. Nesses animais há duas classes bem diferentes: os micro e os macroscópicos. Nos ciliados, mastigóforos, tripanossomos e outros, não parece que haja uma propulsão a rigor. Há "movimento". Importa a esses bichinhos que haja *renovação do meio próximo*; a propulsão (pró: para a frente; pulsão: movimento) é acidental, muito pouco dirigida e sobretudo não parece que importe a posição do animal quando em movimento; tanto faz — quase — que ele se mova de "dorso" para cima ou para baixo, com os "lados" ao lado mesmo ou não. Ele se move, ponto final.

Às vezes, existem nele primórdios de extremidade anterior e posterior, mais nada. Nem o movimento tem sentido estável, nem há direção rigorosa, tampouco posição do animal em relação à linha de progresso importa muito. Se quisermos, podemos falar em postura desses bichinhos, mas devemos dar-lhe o sentido de "em movimento irregular". Melhor será, visando à postura humana, falar apenas em "atividade" e "repouso". Termos curiosos: repouso, pousado de novo — "novamente em equilíbrio".

Já na classe macroscópica temos como exemplo os crustáceos que nadam com "patas" e os insetos que voam. Nos dois casos, o corpo permanece notavelmente rígido devido à estrutura material de sua casca. Os apêndices trabalham como remos ou hélices de curso cônico.

Haverá postura nesses animais? Sim, definidamente. Neles há três posições habituais: de repouso, "andando" e "navegando". Regra geral, eles se mantêm "em pé" nos três casos — "em pé" quer dizer dorso para cima e ventre para baixo. Mantêm-se também "orientados" — cabeça para a frente e cauda para trás —, a menos que haja razão evidente para uma marcha à ré, e sempre "começam" o movimento indo *para a frente* deles.

ENFRENTAR

No entanto, o caso difere bem nos animais aquáticos e nos aéreos. Nos primeiros, não existe tensão antigravitacional. Nos segundos, é um movimento só o que "carrega", propulsiona e orienta. A forma dinâmica de "pôr-se de frente" é muito típica em todos os animais. É não uma postura — estática —, mas um movimento postural, um "pôr-se". Creio que vai aqui a origem de atividades ditas superiores, tais como "enfrentar" ou "encarar" um problema, assim como a de outra atividade, bem mais intelectual, de "pôr um problema". Nesse caso, às vezes somos nós que nos pomos melhor diante do problema e às vezes pomos melhor o problema diante de nós. Ou se trata de um único movimento?

Esse movimento postural de pôr-se de frente completa-se com outro, bem mais difícil, que é pôr o objeto adequado diante de si, a fim de "pegá-lo" bem. Filmes de Walt Disney sobre a natureza mostram bem como os animais têm dificuldade de "pôr bem" o objeto diante de si. A águia ataca com precisão a cobra, mas logo depois perde minutos ou até horas antes de matá-la de vez; começa por vezes a comer-lhe a cauda enquanto a cobra, que também "se põe" como pode, ainda a ameaça com estrangulamento e veneno. Os carnívoros que dilaceram a nuca da presa e os insetos "neurocirurgiões", que picam o inimigo em regiões motoras críticas, são relativamente precisos no "pôr o objeto" adequadamente diante de si. Os demais "se põem" bem ante a presa ou o inimigo, mas têm grave dificuldade de "pôr bem" o inimigo diante de si.

Aqui vão duas colaterais fundamentais desse tema. A primeira está no valor das mãos, que põem bem o objeto diante do sujeito. A segunda é o valor e a incerteza do "diálogo" — sempre que dois seres vivos se encontram, o diálogo é um problema.

Nossa digressão nos trouxe até as seguintes conclusões: a postura é um correlato essencial do movimento; é sua base. Quando o movimento é simples e regular, a "postura" se faz estrutura — ou esqueleto. Nos animais dotados de exoesqueleto, contidos em estojo caprichosamente configurado, a postura estática praticamente se confunde com a forma rígida. Um caranguejo ou um camarão podem ter certa "atitude", por analogia, mas certamente não têm expressão maior do que a de um boneco articulado.

O sistema postural do ser humano é sua "casca funcional"; nosso esqueleto é a essência de nossa posição básica. A postura não tem sentido estável ou permanente. "De frente" (posição) e "para a frente" (movimento) são significados essencialmente individuais e transitórios; só são *definidos aqui e agora*.

OS PRIMEIROS QUE FICARAM EM PÉ

Voltemos aos fatos naturais. Terão "postura" as medusas e os polvos? Neles há três estados: repouso, pulsação, ancoragem. No primeiro, mantêm-se "sem forma", seguindo os caprichos do mar como se fossem parte dele; no segundo, têm movimentos posturais típicos, rítmicos, com direção precária; no terceiro, é inteiramente acidental se o animal se move em relação ao apoio ou se este se move em relação ao animal. Puro problema de inércias comparadas. Falo do polvo enlaçado a um peixe ou a uma "árvore" calcária.

A simetria radial multiplica o sentido do movimento, que se faz inteiramente ambíguo.

Temos em nós algo análogo: não fossem as válvulas cardíacas, o sangue não circularia dirigidamente em nosso aparelho vascular.

Contudo, polvo e medusa não ficam de qualquer modo. Na medusa aparece, pela primeira vez na história da vida, o indicador de *posição*: o estatocisto. A medusa flutua e navega sempre "em pé", ainda que só Deus saiba o que significa "em pé" nessa forma de vida. Será mais útil dizer "orientada". Nesse sentido, medusa e polvo têm postura porque mantêm ativamente uma posição. A orientação se revela no mesmo fato como fator primeiro da postura, o modo primeiro de "estar no mundo".

Os seres vivos estão no mundo orientados, "postos". Anterior à inércia está, pois, o instinto de orientação. Não sei por que não se dá o nome de instinto a tal fato. Nenhum mais universal, nenhum mais "congênito" no mundo. Está aqui o Adão do joão-teimoso e a origem do ideal, que se encontra sempre no prolongamento de uma direção — já vimos isso.

A "direção" da medusa, já agora influída pela gravidade atuante nos grânulos calcários intravesiculares, é a vertical.

É hora de passarmos aos vertebrados.

Para a inteligência, os peixes são certamente a solução mais apta dentro da vida marinha. Mas guardemo-nos da inteligência. A verdade é que há no mar milhões de formas vivas absurdamente ilógicas e incrivelmente caprichosas. No entanto, todos vivem, vivem há muito e continuam vivendo. Qualquer evolucionista deveria considerar bem esse fato e desistir de estabelecer escalas. A inteligência é um dos modos de julgar e selecionar, não necessariamente o melhor.

Mais do que "certo", o peixe é elegante e veloz. Mas sua velocidade, ainda que certamente fator de sobrevida, não o fez mais abundante do que as algas ou os crustáceos; os peixes só "dominam" o mar na mente de alguns homens. Eles existem no mar simplesmente.

Parece que o problema crítico dos peixes foi o tamanho ligado à coesão interna suficiente. Com esqueleto externo há limites de quebra, de confusão interna e de movimento. O fato é que o maior animal cascudo é certamente a tartaruga, um velho habitante desse mundo. Mas, ao mesmo tempo, ela tem esqueleto interno. Este existe "subjetivamente" para garantir a coesão e ordenar as estruturas internas; existe "objetivamente" a fim de ordenar os esforços que movem o animal em relação a si mesmo ou ao meio, esforços que o dispõem e orientam.

A SOLUÇÃO DO PEIXE

A organização cefalocaudal, presente nos peixes (e antes deles também), parece consequência da hidrodinâmica. Depois de se fazerem fusiformes a fim de progredir melhor num fluido, parece evidente que convinha ter órgãos de sentido principalmente "na frente"; órgãos de ataque e defesa também. Daí o cérebro, os olhos, ouvidos, boca, narinas e organização dos apêndices anteriores em garras, pinças, brocas, perfuradores etc. O peixe é a solução ideal para resolver momentos de inércia em meio fluido e denso. É uma "fita ondulante" com superfícies de fluxo cuidadosamente desenhadas, como as dos aviões. O peixe "voa" na água. As nadadeiras — exceto a caudal — não são de fato nadadeiras, mas sim estabilizadores e superfícies de comando, tanto de posição quanto de direção. O peixe não *anda* com nadadeiras senão quando faz marcha à ré. Suas nadadeiras são a "primeira marcha"; a segunda é o uso da cauda e a terceira, a do corpo todo, em vigorosas ondulações laterolaterais.

Qual é a postura do peixe? Idêntica à dos insetos e crustáceos. Também ele se mantém sempre orientado e posto, isto é, mantém-se "em pé" e olha sempre para o objeto ou sai sempre "para a frente". Mas no peixe há olhos. Nele aparece o animal com duas direções cruzando-se: *a da gravidade, que o mantém posto, e a dos olhos, que o mantêm orientado.* Nos animais superiores e no ser humano os olhos serão os principais cofatores da postura. Mas a postura do peixe é fácil de manter; na água, basta um ligeira ondulação das nadadeiras e a quantidade necessária de ar na vesícula pneumática para o animal se manter em posição. Mas nele já se vê bem como a posição *precede* a orientação, pois o animal se mostra *sempre* posto (gravidade) e inconstantemente orientado (por um objeto, pela direção de seu movimento).

Dir-se-ia que o peixe *se sente* posto sem quase ter de *fazer força* para estar posto. Até mesmo seu equilíbrio é fácil, pois na água a queda é lenta. Quando em movimento, sua forma de fuso achatado garante-lhe a posição "em pé" igualmente com esforço mínimo. Mesmo dormindo ele mantém sua posição com pouca atividade, mas sempre com alguma. Durante o repouso, não cessa sua relação com o mundo externo. Conosco sim, quando dormimos sem sonhar.

O progresso do peixe, se comparado com as formas animais previamente examinadas, está na maior velocidade e na melhor direção, consequentes a uma melhor solução formal para o problema dos momentos e melhor "conhecimento" da hidrodinâmica, expresso na forma fusiforme com simetria bilateral.

Com o esqueleto e a nova distribuição dos músculos em torno de um eixo, o animal adquiriu inegavelmente maior *unidade* de ação. Sua postura estática — como a de um avião — depende da atividade dos poucos músculos das nadadeiras; sua postura cinética depende da sua forma achatada. A transformação de esqueleto externo em interno foi a nota básica da unificação do movimento; não se assinala esse fato em biologia. Um caranguejo pode mover uma pata apenas; nenhum vertebrado consegue fazer isso. A coluna solidariza tudo a tudo. Essa mudança motora foi, provavelmente, o fator básico para a cefalização — centralização do sistema nervoso.

Os sapos e as aves são outra resposta da natureza para o problema da locomoção em meio fluido. Trata-se da combinação de momentos, produzida por movimentos simétricos, cuja resultante é a propulsão.

Há a resistência do meio, mas a simetria motora simplifica considera-velmente o problema da orientação em movimento, tornada reta ou estável pela anulação dos momentos. Foi provavelmente esse paren-tesco dinâmico o que levou ao aparecimento precoce das aves no mundo. Um grupo animal do tipo do sapo e outro do tipo da ave aproximaram-se graças a uma modificação da qual não cuidamos nem cuidaremos por ora: a termorregulação, regime termodinamica-mente mais rendoso que deu às aves a rapidez de movimentos neces-sária ao voo no ar.

Entretanto, a base mecânica estava pronta. Era necessário, ape-nas, outro motor... A ave teve, contra si, a oviparidade, verdadeiro limite evolutivo. Era preciso um útero a fim de poder fazer novas experiências, com limites bem mais amplos do que no ovo, quanto à nutrição, respiração e permanência em meio líquido. Em voo, o equi-líbrio da ave é bem mais fácil do que o nosso; sua forma, como a dos planadores, é inerentemente estável. O ar é um fluido extremamente elástico, permitindo erros graves de movimento sem consequências desastrosas, pois facilmente corrigíveis nos movimentos seguintes. Como nós num barco. A essência do voo é a simetria do movimento. A da prece também.

Da reptação do peixe na água parece ter nascido a alternância do movimento das patas dos lagartos — alternância que se manteve depois em todos os quadrúpedes e, de certo modo, nos bípedes tam-bém. Não se dá a essa alternância o valor que ela tem. A estrutura osteomuscular, assim como a forma histológica do sistema nervoso, é bastante simétrica. No entanto, seu funcionamento é quase sempre assimétrico. Vai-se insinuando aqui um problema fundamental que mais tarde abordaremos outra vez.

Voltemos aos terrícolas, a fim de aprender com eles os dois últimos e, quantitativamente, os mais importantes elementos da postura.

O animal terrícola mantém-se "em pé" fazendo força contra o pró-prio peso. Vai nesse esforço um consumo considerável de energia, um trabalho "estático" muito frequente, ao qual se liga outro, mais sutil: o equilíbrio. Para este, faz-se necessário manter a projeção vertical do centro de gravidade continuamente dentro do polígono de sustentação ou, quando em movimento, a cuidadosa combinação de impulsos, anulação de momentos e antecipação de apoios. O movimento animal é, antes de mais nada, um espetáculo fascinante quando visto dessa ótica. E tão fácil! Vai nele toda a saga do joão-teimoso — dois terços do sistema nervoso e dois terços da energia de que dispõe cada animal.

De nossa longa divagação podemos colher uma descrição assaz precisa do termo *postura*, superficialmente definida em termos eruditos como "posição habitual da espécie considerada".

PRIMEIRO ESTAR EM PÉ

Quais são os componentes dessa posição habitual?

Primeiro, estar em pé, componente antigravitacional da postura que inclui, inextricavelmente reunidos, um problema de carga e outro de equilíbrio, *a ser resolvidos de instante a instante*. Poderíamos chamar essa componente de orientação telúrica ou antigeocêntrica. Ainda, instinto de posição (pelo resultado) e instinto de antiposição ou de oposição (pelo processo). Um animal anestesiado e flácido, deixado a si mesmo, aplasta-se sobre o solo — posição passiva; é preciso muita energia e habilidade para que isso não aconteça, daí o termo antiposição. Note-se que o equilíbrio implica *opor-se* a desvios em *qualquer* direção do plano horizontal. Essa oposição, pois, é complexa e não apenas antissolo.

Veja-se como esse fato é sugestivo para a psicologia: nós sempre nos *opomos* ativamente no... apoio, quando em pé. Nos braços vigora lei diferente. Com eles e com as mãos *agarramo-nos* ao apoio, não nos opomos; deitados, também deixamos de nos opor; sentados, meio a meio: do pescoço para baixo largamo-nos, mas a cabeça deve ser ativamente mantida ereta; "curvar a cabeça" é o gesto final de entrega.

Neste estudo, postura é isto: *a soma de tensões musculares mecanicamente necessárias para nos manter em pé e equilibrados*.

Prefiro chamar de *atitude* a integração da postura com *outras* formas tensionais que se combinam a ela.

Um animal apenas em pé é uma estrutura "sem sentido", ou de sentido puramente negativo — anti. Antigravitacional. Não é algo especificamente *para*; é algo genericamente *contra*. Essa vertical eterna, sem a qual nenhum outro sentido tem sentido, é nossa única coordenada *fixa*: os labirintos nunca "dormem"; emitem *continuamente* oscilações elétricas para o cerebelo e para o cérebro; dão o parâmetro ou a nota básica permanente para todo movimento e toda posição.

Concretamente, essas afirmações abstratas querem dizer o seguinte: são bem diferentes uns dos outros os movimentos que faço ao colher uma fruta, se ela está numa fruteira sobre a mesa e eu sentado, se ela está numa árvore e eu em pé, se ela está na árvore e eu trepado na árvore. Para esclarecer, lembramos o caso do copo: em todos esses casos, a única relação constante é a oculomanual — o "eu" daquela história.

Além de posto, um animal está sempre orientado por um objeto externo ou uma necessidade interna; está "em busca de" ou "fugindo de". Regra geral, o alvo é visual, ainda que possa ser acústico ou ligado a outro sentido externo. No homem, ele é muitas vezes verbal (acústico).

Além disso, quando já próximo do objeto, o animal está *conformado* pelo objeto, isto é, com forma tal que o contato se faz possível e relativamente eficiente.

Posto, orientado e disposto, o animal ou o homem estarão *colocados* em *atitude* unitária, dentro da situação. Estarão prontos para a ação.

O INSTINTO DE COLOCAÇÃO

Definamos de vez o "instinto de colocação": é aquele conjunto de dispositivos sensoriais e neuro-osteomusculares que governa e regula as relações espaciais e cronológicas entre a personalidade psicossomática e o *entorno* psicofísico. "Entorno psicofísico" é o mundo físico próximo da personalidade, nele estando incluídas, ou não, outras personalidades; mas estas, se presentes, são tidas como "objetos" em sentido próprio, "coisas" com forma e disposição definida a cada momento.

"Próximo" quer dizer, primeiro, "ao alcance dos sentidos externos", auxiliados ou não por dispositivos que ampliam esse alcance (binóculos, rádios, televisores etc.); segundo, quer dizer também "ao alcance da voz e dos gestos", ainda auxiliados ou não por dispositivos ampliadores, "ferramentas" e "sinalizadores a distância", rádio, megafone, armas de fogo etc. Didaticamente, o instinto pode ser decomposto em: 1) função de orientação ou direção; 2) função de posição; 3) função de disposição.

O termo colocação parece bom. *Co-locare* faz supor *dupla* localização, ou localização de dois objetos simultaneamente, como de fato ocorre: é a localização do objeto que regula minha colocação. Além disso, estamos ambos "co-locados" em relação ao centro da Terra, desde que todo objeto material é atraído para esse centro e contra ele reage.

O abstrato da definição causará menos espécie se examinarmos o *resultado* da colocação, a *expressão* ou manifestação do instinto: a *atitude* ou a *conduta* a cada momento.

A atitude abrange, mesmo nos animais inferiores, elementos definidamente "psicológicos", desde que a orientação se faça por objetos que são "desejados", "temidos", "odiados" etc.; desde que ela se faça, grandemente, em função de apetites e necessidades instintivas. Mesmo na hidra existem a atitude de espera e a conduta de fuga.

O termo *conduta* bem merece ser retido como complementar ao de atitude. Estão relacionados entre si como dinâmica e estática. Mas lembremos sempre que no ser vivo o estático não é passivo. Um animal em atitude de espera está despendendo energia; está *fazendo* a sua *imobilidade* continuamente.

O EU DIVIDIDO

É preciso esclarecer bem esse tema, de todo fundamental para a teoria proposta neste livro. O leitor lerá diversas vezes aqui, como pode ter lido em Reich, expressões assim:

- "os *lábios* do paciente apresentavam um muxoxo de amuo quase permanente";
- "os *ombros* do paciente estavam 'espremidos' de medo";
- "as *pernas* do paciente mostravam-se habitualmente flácidas e sem vida";
- "os olhos do paciente, sobretudo *o esquerdo,* exprimiam, na sua dureza fixa, um profundo ódio";
- "a *mão direita,* nervosa e inquieta; a *esquerda,* lânguida e tímida..."

São expressões incomuns mas, como descrições, de todo legítimas. Quando se olha bem para as pessoas, não é muito difícil observar coisas assim.

Refletindo um pouco sobre o tema, veremos como é estranha a localização das expressões somáticas dos afetos. Que alguém esteja triste, compreende-se. Que a tristeza seja *visível* apenas na posição dos lábios, enquanto os olhos estão atentos e o corpo move-se como se não estivesse triste, isso é estranho.

Que alguém seja tímido não surpreende; mas que a timidez se faça manifesta só na mão esquerda, numa posição do ombro direito ou numa ligeira inclinação lateral do pescoço, já é estranho.

Por que essa localização de determinadas expressões emotivas? Este livro aprofunda bem a questão, que se confunde, aliás, com esta outra: por que os sintomas psiconeuróticos se localizam ora no estômago, ora no coração, ora no intestino etc.?

De momento, quero apenas propor um esquema geral de orientação. Um afeto qualquer é uma comoção visceral que altera o nível energético da personalidade. O mais seguro índice objetivo de um afeto é a alteração que ele produz na atitude ou no comportamento da pessoa. Também se pode dizer: uma vez desatado, todo afeto tende a "armar" o corpo, alterando a distribuição de tônus previamente existente. Todo afeto tende a esculpir a própria imagem no corpo — digo tende a esculpir porque o corpo está via de regra tomado, ao mesmo tempo, por vários afetos, necessidades e instintos; *a atitude global exprime simultaneamente todas essas várias influências.*

Daí que um afeto que se desate aqui e agora entre em concorrência dinâmica com os demais já atuantes; por isso, raramente um afeto se exprime *inteiro*, isto é, tomando o corpo todo. Torna-se fácil, por essa consideração, compreender por que um afeto pode exprimir — ou aparecer mais claramente — apenas numa parte do corpo.

Outro pensamento nos leva à mesma compreensão. Tenho por axioma a seguinte afirmação: não existe atitude parcial em sentido próprio. Toda atitude humana alcança o corpo todo no sentido de modificar a disposição do conjunto. Também se pode dizer: no sentido de que ela altera o tônus de praticamente todos os músculos do corpo.

Segunda premissa: cada atitude humana é expressão de um sentimento, um desejo, necessidade, temor ou instinto.

Como — repetindo — estamos sempre animados de vários apetites e aversões, acontece de o corpo estar sempre tomado de várias atitudes *simultâneas* que se entrelaçam e se combinam, se opõem ou se compõem no sistema osteomuscular — ao modo como os vários instrumentos de uma orquestra integram a música sinfônica.

Nessa superposição *sui generis*, é fácil conceber que haja regiões particularmente tensas, em que várias hipertonias afetivas concordam; ou particularmente flácidas, em que várias influências afetivas discordam. Também é fácil conceber que qualquer movimento do corpo se deixe estampar simultaneamente por essas influências — mais por umas, menos por outras.

Assim, é fácil conceber que, na atitude global manifesta, algumas regiões se mostrem:

- particularmente imóveis — paradas, "frias", inexpressivas;
- particularmente móveis — "vivas", expressivas;
- em todos os graus intermédios.

Como a organização anatômica do corpo é o que é — única e a seu modo muito rica —, podemos observar nas pessoas coisas como aquelas que descrevemos no começo deste comentário.

CONFRONTO

Ainda que inesperados, aqueles fatos são pura descrição do que se vê. Descrições bem mais claras e próprias do que as seguintes, encontráveis em qualquer texto de psicologia dinâmica:

- "a parte masculina do paciente lutava contra a parte feminina"; "as tendências à independência estavam em conflito com os desejos de dependência" (duas "partes", "tendências" e "desejos");
- "sua identificação com o pai se opunha à introjeção do seio materno".

Não sei o que quer dizer "parte" psicológica; por isso, para mim, essas expressões sempre foram inerente e insanavelmente obscuras. Já "partes do corpo" é uma noção clara; olhos, mãos, cabeça etc. são coisas bem definidas.

Se eu falar na posição dessas partes, a *tendência* (ou o impulso) se faz também manifesta e clara. *Impulso é a força que mantém a posição da parte do corpo; tendência é o movimento que a posição sugere.* Pulso fechado sugere "conter-se" ou "murro". O impulso, que molda a posição, é a raiva; a tendência é ato "agressivo", contra si ou contra o outro.

FUNÇÕES MUSCULARES

Todos os nossos músculos — e sempre os mesmos — estão servindo contínua e simultaneamente a várias funções, algumas objetivas, algumas inerentes ao corpo, outras psicológicas. Dentre as objetivas, destacamos:

- o contato ativo de "ação sobre" os objetos do mundo; o corpo trabalha, então, moldando-se pelo objeto;
- manter-se ereto e em movimento através do campo gravitacional da Terra (função ou ação antigravitacional).

Dentre as ações denominadas inerentes, destaco:

- manter-se em equilíbrio; ainda que ligada à função antigravitacional, a função do equilíbrio é inerente ao corpo porque depende de sua forma atual e de sua estrutura tensional;
- manter a temperatura do corpo: função na qual os músculos desempenham papel básico;
- manter o ato respiratório, que é um movimento contínuo sensivelmente periódico que atua constantemente sobre todas as funções até aqui examinadas e sofre de modo contínuo a influência delas;
- realizar ou impedir movimentos que pertencem à vida vegetativa: mastigar, deglutir, evacuar etc.

Dentre as funções psicológicas, enfim, convém separar, de forma genérica, duas:

- exprimir e realizar a vida íntima (desejos, apetites, impulsos, afetos);
- alterar essa expressão ("inibi-la") e, no limite, substituí-la por outra.

Se é verdade que nossa musculatura realiza simultaneamente as funções há pouco resumidas e se, por definição, eu digo que *atitude* é a posição e a disposição do corpo no entorno, a cada instante, então se conclui: a atitude é a representação concreta da integração no tempo de muitas variáveis objetivas (ou do mundo), somáticas e psicológicas.

Vejamos como se entende a definição, que é a alma e o espírito deste livro.

ATITUDE É A POSIÇÃO E A DISPOSIÇÃO DO CORPO A CADA INSTANTE.

Por *posição* entende-se a situação do corpo em relação aos clássicos três eixos coordenados que representam o espaço físico ou objetivo. A pessoa está em pé ou deitada; sentada, de cócoras, de frente, de costas ou de perfil; de cabeça para cima ou de cabeça para baixo. Essa é a *posição* do corpo no espaço.

Por *disposição* do corpo entendo a posição relativa de cada parte em relação ao conjunto, ou a posição relativa de cada parte do corpo em relação aos três eixos clássicos, considerados agora como cruzando-se no *centro do corpo* e cada eixo do espaço superpondo-se a um eixo do corpo.

Exemplo: o corpo está na vertical e de frente para mim (posição); a perna direita está adiante da esquerda; esta estendida, aquela semifletida no joelho (disposição). Supõe-se, nesse exemplo, que as demais partes do corpo estão "nos seus lugares".

Dada a plasticidade dinâmica do ser humano — as mil posições e disposições que ele pode assumir —, a descrição objetiva da atitude pode por vezes se fazer insuportavelmente longa e maçante. Que alguém tente descrever, por exemplo, da maneira como fiz há pouco, a posição de um bailarino ao exprimir, digamos; "desespero".

Mais simplesmente, atente o leitor para si mesmo agora e procure dizer-se: "Estou sentado junto a uma mesa; o pé direito está trançado com o esquerdo, sendo que o lugar logo acima do calcanhar direito está em contato com a parte mais alta do peito do pé esquerdo, algo para fora (para a esquerda). Os dedos do pé direito estão apoiados por inteiro no assoalho; logo na raiz dos dedos, o pé direito deixa o assoalho e sobe para trás e para cima, formando com a perna direita um ângulo de mais ou menos 80°. O pé esquerdo, por sua vez..."

Chega? Se eu fosse descrever assim, com todos os detalhes — por vezes necessários — a posição em que estou agora, certamente eu encheria de quatro a cinco páginas. E ao leitor, também...

Por isso nós — todos — simplificamos sempre a descrição das atitudes. Eu diria simplesmente no caso em apreço: "Estou escrevendo, sentado normalmente, com os pés cruzados sob o assento da cadeira; a cabeça algo inclinada para a esquerda e os dois antebraços sobre a mesa; uma mão imobiliza as páginas e a outra escreve".

Mesmo modificada, essa descrição ainda é longa. Qualquer pessoa, no meu lugar, diria apenas: "escrevo" ou "estou escrevendo".

Basta, no caso, um verbo para definir aproximadamente uma atitude. E, regra geral, não descrevemos atitudes senão desse modo deveras sintético: um verbo. "Estou descansando"; "sorri"; "cumprimentei"; "sentei;" "fiquei zangado" etc.

Como se verá, a descrição sumária põe completamente de parte o essencial deste livro. De dez pessoas sentadas não há duas que estejam sentadas do mesmo modo. A uma só ação correspondem dez atitudes diferentes, quando descritas com todos os pormenores. É a soma dos pormenores que individualiza a pessoa, assim como o momento e a intenção atualmente operantes ou preponderantes. *São esses pormenores, ainda, que transformam uma posição numa expressão.*

Para conceber e descrever esta última, importante do ponto de vista psicológico, devemos redefinir atitude assim: *atitude é a forma do corpo, num instante dado, apreendida significativamente.* Significativamente, aqui, é algo objetivo: *é o movimento que a pessoa faria a partir da atitude em que está.* Uma atitude — estática — não é promessa nem ameaça para ninguém. *O ato que ela prepara* ou que nela se contém potencialmente, esse sim pode dar, agredir, acolher, ameaçar. Tal ato é o significado da atitude que, sendo complexa, costuma ter mais de um ato latente.

Esta descrição, talvez obscura, é na verdade deveras exata. Como modelo que evidencie essa exatidão, lembro uma luta viva: a cada momento, olhando-se bem nos olhos, cada um dos contendores procura avaliar como, por onde, com que ímpeto virá o próximo golpe. E isso captando a figura inteira do corpo do outro, assim como pressentindo, a cada ligeira mudança de atitude, uma nova ação agressiva. Na conquista e no abraço amoroso, algo de muito semelhante acontece — agora em "câmera lenta". Esse é o diálogo *efetivo* entre dois ou entre mim e um objeto. Bem diferente — vê-se — do diálogo *verbal*.

A atitude contém, pois, mais elementos além da postura.

ATOS SEM OBJETO

Há ações "sem objeto", como a dança, o andar à toa, o sorrir, o chorar. Não há, nesses casos, objeto concreto a exigir modelagem exata de movimentos. São as ações ditas expressivas. Mas nós sabemos que toda ação é expressiva em certa medida, mesmo aquelas tidas primariamente como eficazes. Não há duas pessoas que usem uma serra ou uma tesoura do mesmo modo; em dias diferentes, não fazemos o *mesmo* gesto da mesma maneira. Tais fatos demonstram que a eficácia não é o único padrão do comportamento. Mais: há ações deliciosamente ineficazes, assim como há as estupidamente eficientes, conforme a pessoa, a atividade, a situação.

Enfim, existem ações desviadas e deliberadamente "negativas", sendo estas de duas classes: o negar-se a fazer e o deixar acontecer. Vai, neste parágrafo, toda a clínica das neuroses. A criança que, empurrada por uma igual, corre para a mamãe, executa uma ação desviada, em vez de prosseguir no que está fazendo ou revidar. Também comete uma ação desviada o subalterno oprimido que, em vez de mudar de emprego, se exalta como um louco contra o "juiz ladrão" do futebol. Está "deslocado" ou mal colocado na situação, não está bem-posto ante o objeto principal. Exerce uma ação desviada a mamãe que, descontente com a diarista mas temerosa de perdê-la, vocifera contra o filho.

Exemplificando também as condutas negativas.

Primeiro o tipo "não fazer deliberadamente". Caem nessa classe os sete últimos mandamentos e todos os "deveres" negativos que o homem já inventou a fim de não cair de sua dignidade.

NÃO FAZER E DEIXAR ACONTECER

"Você não deve" é o refrão das ações negativas. Intelectualmente, elas são *omissões*, e por isso inações. Mas, para a personalidade psicossomática, trata-se quase sempre de ações de contenção com aumento do "trabalho interno". Nem convém criticar os moralistas por isso, pois os cientistas e o povo todo cometem o mesmo erro, o de acreditar ingenuamente que *inação* quer dizer ausência de esforço.

Acreditamos, de modo implícito e irrefletido, que "inibir-se", "abster-se de", "não tomar atitude", "resignar-se" e outras expressões semelhantes caracterizam *ausência de esforço*. Já quando usamos as mesmas expressões referindo-nos à luta contra as "paixões" ou contra os "instintos", então se faz clara a existência de esforço.

Onde está a verdade? Há ou não esforço — dispêndio de energia, consumo de glicose, produção de calor — quando nos inibimos? Pode haver e pode não haver. E nessa alternativa se contém a neurose ou a integridade funcional da personalidade.

Se, a fim de "não fazer", eu despendo muita energia, sou neurótico; se não, estou bem integrado. A esse não fazer se refere Patânjali nos *Ioga sutras*, quando afirma: "Se somos virtuosos por medo do pecado, devemos pecar a fim de alcançar a perfeição".

Nove vezes entre dez, na prática, a inibição se faz com aumento do trabalho interno.

Chama-se "trabalho interno" — o conceito é dos cinesiologistas — àquele que se executa no corpo com aumento de tensão muscular sem movimento objetivamente útil. Não é um trabalho em sentido físico, porque não há deslocamento de forças, mas é um trabalho no sentido de consumir energia e aumentar a consistência do corpo, sua rigidez total ou parcial. O modelo objetivo útil para se pensar a respeito é o de um indivíduo que empurra — dando tudo o que tem — um objeto demasiadamente pesado. Pode haver um esforço brutal, mas "nada acontece".

EXPRESSÃO E IMPRESSÃO

Esta é, ampliada e clareada, a noção de repressão, segundo Reich.

Esta era a noção do próprio Freud, se considerarmos o termo que ele usou e se for o mesmo o sentido do termo alemão original: repressão. Repressão quer dizer *re-premire*, fazer pressão de novo; em geral, ao usar o termo em contexto físico, reprimir é sinônimo de comprimir, recalcar, fazer algo que aumenta a pressão de um fluido — melhor, de um gás — contido num recipiente fechado. É o contrário de *expandir*, termo físico cujo equivalente psicossomático é exprimir. Ainda, reprimir é premer ou pressionar *para dentro*;

exprimir é pressionar *para fora*. Que não nos passe despercebida a quase homonímia dos termos exprimir e *espremer*; os dois são sinônimos etimologicamente.

Não sei por que o contrário de "exprimir" se fez "reprimir". O contrário exato é "imprimir", devido aos prefixos *ex* — para fora — e *in* — para dentro.

A expressão do outro produz uma "impressão" em mim. Freud e a psicanálise usaram o termo reprimir — ótimo para gases — talvez devido ao predomínio verbal e à noção de reprimir... reminiscências. *Se o paciente fosse visto em vez de apenas ouvido, reprimir se faria termo impróprio. Com certeza os verbos mais usados seriam conter-se, coibir-se, controlar-se, segurar-se, disfarçar...*

Como se vê pela linguagem das... palavras, o fenômeno básico do aumento do trabalho interno — aumento de tensão muscular — não escapou de todo a nenhum dos estudiosos, nem ao povo.

Mas é preciso dar ênfase particular ao seguinte fato:

TANTO O EXPRIMIR QUANTO O REPRIMIR
SÃO MOVIMENTOS OU ATITUDES EXPRESSIVAS.

Quero dizer que os dois são *visíveis* e que os dois têm *sentido e estrutura psicológicos*, têm função. São visíveis e o termo exprimir refere-se "àquilo que o outro manifesta ou mostra" — manifesta na palavra, e ouço, ou manifesta no "jeito", e então vejo. Pode manifestar também no contato, e então eu "sinto" — sinto que o corpo ao qual me abraço está prevenido, por exemplo.

REPRESSÃO: NOVA EXPRESSÃO, NOVO SENTIDO

O paradoxo de que exprimir e reprimir são expressivos provém de um vício mental muito enraizado em todos nós de que inibir, conter-se, controlar-se, segurar-se é "não fazer nada". Nunca acontece assim. Uma atitude só "contém" o impulso no sentido de consumir certa quantidade de energia de um modo tal que não é o desejado, o esperado, o supostamente "normal". *Porém, formal e expressivamente ela nunca contém apenas; ela exprime outra coisa, altera ou modifica certa expressão tida como "certa" — e com essa modificação aparece nova expressão, que tem outro sentido.*

Desde Freud e sua comparação entre a repressão e uma barragem mantém-se essa noção — irrefletida e falsa — de que a "resistência" existe *apenas* para impedir o impulso. Se as coisas fossem assim, todo neurótico seria um catatônico — uma estátua. Mesmo nesse caso, ainda haveria algum sentido: o sentido sugerido pela estátua.

Um exemplo que já foi visto elucidará o caso. A criança é repreendida e, magoada, sente vontade de chorar. Vai amolecer e pulsar em soluços e começa a fazê-lo visivelmente. Logo lhe ocorre que "homem não chora" e então ela se endireita, se enrijece e se imobiliza. Está a figura do próprio Caxias em seu pedestal. Esse Caxias — resistência ao choro — não "diz" nada? Diz. Diz mais ou menos isto: "Sou superior às fraquezas humanas"; "estou acima das contingências da vida"; "sou forte". Se, ainda animada por essa... resistência, a criança vai ter com seus companheiros, para surpresa de todos ela assumirá a liderança em três tempos, mostrando uma energia e uma decisão incomuns.

Como se vê, a resistência não "se opõe" ao impulso, simplesmente. *Ela cria algo novo, igualmente funcional,* possivelmente útil, quiçá prejudicial.

É preciso liquidar de vez com a noção de que "inibido" significa "não fazendo nada". Inibido denota "fazendo diferente do que eu pretendia ou sentia".

Portanto, reprimir e exprimir são dois critérios que fazem parte de uma teoria de valores, e não de uma hipótese científica, muito menos da "realidade". O fato de ambos serem visíveis e funcionais *só não é visto pelo psicanalista* porque ele não olha.

Não nos enganamos muito a respeito desses fatos na vida comum. Sabemos sempre que alguém está "escondendo" ou "disfarçando" o que sente no momento em que o fato ocorre.

Já não vemos tão bem, mas sempre suspeitamos, quando a pessoa cronicamente "esconde" ou "disfarça". Mas então não falamos em disfarce; falamos no "jeito" da pessoa, que pode ser afetado, forçado, esquisito, arredio, agressivo, "de quem não quer nada", indiferente, superior etc. Todos esses modos habituais são expressivos, é claro; "dizem" algo sobre a pessoa; "dizem" para os nossos olhos e não para os nossos ouvidos. *São modos expressivos típicos ou habituais.* Seu conjunto é a *couraça muscular do caráter.*

O fato de não perceber que exprimir e reprimir são *ambos visíveis* levou a psicanálise a tudo que ela tem de construído e pouco convincente. Freud, na clássica "situação analítica", fazia questão de *não ver* o paciente, e por isso fez a confusão.

Li mais de uma vez, de gente que se diz séria, a sugestão de critério metodológico: "Sem divã não é psicanálise". Fiquei estarrecido diante desse bizantinismo. Lembrei todas as famosas querelas medievais. Só hoje vejo que sob a tolice inqualificável esconde-se algo importante que escapava às pessoas sérias: "sem divã" ou "com divã" quer dizer "sem ver" ou "vendo" o paciente.

Depois de feita a confusão — depois de limitar o diálogo pessoal ao diálogo verbal —, grande parte do que se elaborou subsequentemente foram... palavras. O existir inconsciente de Freud é sobretudo um existir no *mundo das palavras* — retorno do nominalismo, do idealismo, do "mundo onde não há espaço nem tempo", do "alógico", da "capacidade que tem o inconsciente de viver contradições sem estranheza": o mundo do "eu que percebe e fala", não o mundo do "eu que atua". Toda a teoria de Freud sobre a repressão refere-se à *memória,* ao recordar ou não recordar. "O neurótico sofre de reminiscências!" Não vejo sentido nessa afirmação.

PSICANÁLISE COM OS OLHOS

Reich acabou redescobrindo o que Freud escondeu — e sempre esteve aí. Se não mostro, disfarço; *jeito* de mostrar, *jeito* de esconder. Ao dizer "deite e *fale*", Freud escondeu tudo — não quis ver. Continuou a querer falar *de dentro* (do paciente) — como seu superego. Quis continuar a ser a voz da consciência.

Queria nos revelar...

O último dos Patriarcas — ou dos Profetas.

Hoje não adianta: Profeta — só serve Pró-ato —, aquele que faz. Mas deixemos a crítica e voltemos às expressões. Será que toda repressão crônica — como está insinuado em Reich — se acompanha de um aumento de tensão muscular? Definidamente, não. Há neuróticos cuja principal característica neurótica é a de terem cronicamente consistência de manteiga, mental e *física*. Apáticos, indolentes, "moles", "molengas", indiferentes, sonhadores, confusos, abúlicos, entediados, céticos, pusilânimes. O corpo retrata essas coisas com precisão. Poderíamos, com os retratos das personalidades descritas, fazer uma notável galeria de caricaturas humanas, havendo em todas elas os elementos comuns: atitudes e movimentos ondulados, lentos, pouco enérgicos, "largados". São as neuroses hipotônicas. Reich entreviu o tipo, namorou-o de longe, mas não o enquadrou a contento na teoria. Partiu do princípio — hipotético — das "camadas psíquicas" e achou que "lá no fundo" haveria hipertonia defensiva. Encontrava apoio para seu pressuposto no fato de que, *durante* o tratamento, o paciente *começava* a apresentar respostas tensas. Concluía, com Freud, que essas estavam *reprimidas*. Essa é uma petição de princípio. Como posso falar em "tensão muscular profunda" se *visivelmente* o paciente é um molenga de primeira? Freud, igualmente imaginoso, era mais lógico. "No inconsciente", isto é, sem nenhuma manifestação *objetiva ou visível*, "havia" uma resistência. Está errado quanto aos fatos, mas é coerente como hipótese. Reich não tinha o direito de falar assim. Devia ter dito como eu disse: *no curso* do tratamento *apareciam* atitudes tensas.

Voltemos aos atos desviados ou "negativos" e resolveremos a pendência, que é mais verbal do que parece.

O fato de alguém não reagir quando ofendido é tido por muitos como "negativo", errado, consequência de uma "repressão da hostilidade". Outros acharão sensata essa inação e elogiarão o autocontrole do ofendido.

Haverá critério definitivo para resolver o caso? Creio que não. Muito acacianamente digo: por vezes é necessário reagir, noutras é mais sábio calar — conforme a pessoa, o lugar, as circunstâncias, os motivos e as consequências. O que é "anormal" é a *constância da resposta*, qualquer que ela seja. Tanto os que *reagem sempre* ou *nunca reagem* estão errados, justamente devido àquele caleidoscópio de fatores que fazem de cada situação genérica — ofensa ao indivíduo — uma situação específica. Repitamos a velha verdade: cada momento da vida concreta é sempre único. Para cada situação concreta existem duas ou três soluções ótimas, quatro ou cinco aceitáveis, quatro ou cinco precárias e duas ou três péssimas. O que foi ótimo da última vez pode ser péssimo agora; o que foi precário com A pode ser satisfatório com B. *É a generalização das soluções — quaisquer que sejam — que transforma uma vida adequada em uma vida deslocada. O problema psicoterápico central está em reavivar a plasticidade do paciente, atenuando ao máximo todas as suas maneiras mais ou menos constantes de responder. Psicoterapia é a ciência dos meios condizentes com a formação e a transformação de hábitos, e a arte de cultivar a resposta adequada ante o inesperado.*

SEMPRE O MESMO — NEUROSE

Sabidamente, os estudiosos das ciências do homem e do vivo — história, biologia, sociologia, economia, política, psicologia — sofrem quase todos de um notável sentimento de inferioridade ante os estudiosos das chamadas ciências exatas. Não vou entrar na pendência, mas preciso elucidar um ponto já esclarecido por uma deliciosa pilhéria.

O ratinho entra entusiasmado na sua gaiola comum e incontidamente proclama à companheira: "Consegui! Cada vez que aperto aquele botão branco, o cientista me dá um pedaço de queijo!"

Aí está: todas as experiências feitas com os seres vivos não demonstram que eles são assim ou de outro modo; demonstram apenas que eles se adaptam sempre ou quase sempre — inclusive a situações experimentais. Quanto ao ser humano, a verdade é mais amplamente verdadeira. Quando o psicólogo, considerando o indivíduo diante de si, partindo do agora e *indo para o passado*, conclui brilhantemente a respeito das "constantes de reação" de sua cobaia, cuidado com ele! Seria bom, mesmo, que esse profissional tivesse cuidado *consigo mesmo*. Se ele é psicoterapeuta e se, a partir do que se repete no indivíduo, começa a *esperar* que a constância se repita, *sua atitude de espera desata efetivamente a velha resposta*.

Entendamo-nos bem: se um engenheiro espera que tal viga de concreto suporte tal carga, muito bem; seus ensaios prévios o levam a tal, e fazendo de acordo com a experiência anterior ele espera obter determinado efeito. No mundo dos seres inanimados, a constância de propriedades é grande e podemos contar com ela. Quer o engenheiro esteja ou não presente à fusão da viga, a resistência dela não se alterará.

No entanto, no campo das relações humanas as coisas se passam muito de outro modo.

Se minhas ideias científicas são convicção para mim, se de algum modo se integraram à minha atitude, obtenho o que espero, porque minha atitude influi sobre o outro e acaba *produzindo* nele minha teoria.

O fato é geral e inevitável. O único pressuposto que convém explicitar é este: as coisas acontecem assim se eu tiver com o outro um convívio mais ou menos amplo, assíduo e relativamente interessado.

De que modo essas afirmações se relacionam com as atitudes? De vários. Não há, primeiro, repressões. Há modos de estar e proceder. Dizer que tal modo é neurótico ou "normal" é tão "objetivo" quanto dizer que um é bom e o outro é ruim. Tanto um como o outro juízo podem ser verdadeiros *dentro de circunstâncias concretas* — nunca *in genere*.

Existe um "bom" absoluto, que é relativo. Aqui e agora posso ter certeza e convicção inabaláveis de que foi bom agir assim ou de que foi ruim ter assumido tal atitude. Mas no próximo *aqui e agora* meu juízo pode girar 180 graus. A inteligência não foi feita para "ditar" leis eternas; foi feita para *descobrir* o que é certo em cada situação, para encontrar o *logos* ou a *ratio* dentro de cada constelação de fatos presentes agora, ao modo como os apreendo.

(Mestre *não* é quem sabe ensinar, mas quem sabe aprender.)

O SUCESSIVO E O SOBREPOSTO

Todo o dualismo impulso-resistência ou consciente-inconsciente ou id-superego se dissipa. Não há uns nem outros. *Há algo que se vê e, quando esse algo se desfaz, outra coisa aparece — certo. Esse o fato que serve de apoio a todas as teorias psicanaliticamente orientadas.*

Dizer que o novo modo estava "sob", "escondido", "reprimido", "no inconsciente" já não é mais fato. É hipótese. Na verdade, creio que são atribuições falsas que levam a complicações insolúveis.

Considero "anormal" aquilo de que o indivíduo *se queixa* ou aquilo de que os outros se queixam no indivíduo, se os outros têm algum poder efetivo sobre ele. E, quando tenho a pessoa diante de mim, digo-lhe: "Vamos tentar mudar coisas para ver o que acontece? A dois consegue-se mais do que sozinho. Tentemos". Passo então a ver como *ele se apresenta* segundo seu relato verbal e segundo o que vejo nele com os meus olhos. (É preciso dizer assim, redundantemente, pois em caso contrário muitos entenderiam "o que eu vejo" como "o que eu ouço ou penso"). Sei ainda, desde o primeiro instante, que estou influindo sobre ele não só com o que eu digo, mas também com o que ele vê em mim, com minha atitude visível para ele. Ao vê-lo, noto coisas, atitudes, gestos, modos. Procuro — é difícil — não julgar o que vejo senão dos seguintes modos: "gosto", "não gosto", "é bonito", "é feio", "funciona fácil", "funciona emperrado", "convence", "não convence", "é cômodo", "é incômodo", "é aprazível", "é penoso", "varia", "é sempre igual". Não penso em termos de resistência, recalques ou complexos que existiriam "no fundo".

Descrevo em detalhe o método de que resultou a teoria — essencialmente clínica — a fim de proporcionar ao leitor a reprodução aproximada da situação.

Não consigo nunca uma "atitude neutra" diante do paciente. Por mais que tenha me esforçado no passado, tampouco consigo anular-me diante do paciente a fim de que ele "projete numa tela em branco". Menos ainda consigo negar o que ele está *vendo* em mim — e me diz.

Com esses modos de agir, fui descobrindo aos poucos coisas e coisas sobre as atitudes humanas. Um resumo desses achados — a ser desenvolvidos pouco a pouco — nos ajudará na resposta a todos os problemas que deixamos propostos nas últimas páginas.

- Nenhum ser humano acordado pode estar "sem atitude" ou estar "não posto". Seu modo de estar, além de ser sempre definido, é sempre intencional, conscientemente ou não. Seu modo sugere ou insinua coisas e o outro — se atento — responde a essas insinuações com atitudes correlatas.
- Quando uma atitude se desfaz em nós, outra atitude se compõe. Enquanto acordados, não podemos existir "sem forma"; havendo uma forma, há nela implicitamente uma intenção. O outro — se atento — responde sempre com mudança de forma à nossa mudança de forma. Pode haver uma "análise" sem palavras, isto é, o desarmar-se de uma atitude no paciente quando alguma atitude minha se desfaz. Demorei três anos na terapia de uma psicose antes de descobrir que *minha* apreensão com o caso difícil estimulava a catatonia da paciente.
- Todo o problema da expressão está mal colocado. Dizemos: o movimento exprime algo. Não é assim. O certo será dizer: a expressão é o movimento ou a posição — sem mais. Menos obscuramente: se estou de determinado modo, há um movimento mais provável que farei, caso venha a me mover. O outro capta esse movimento contido na atitude, que é o "sentido" dela. Capta com os olhos e responde com *sua* atitude. A "transferência inconsciente" não é invisível; ela se *realiza* nesse plano do diálogo oculossomático, que é recíproco. Freud e Reich, numa elaboração solipsista — segundo a qual o paciente reage de acordo com suas "reminiscências" —, ignoraram ampla ou totalmente a influência da *presença* do terapeuta. Nem um psicótico totalmente imbecilizado responde *apenas* a seu "mundo interno"; responde, em um ato só, ao mundo de dentro e ao de fora.

O paciente jamais se defende *apenas* de si mesmo. Defende-se sempre do outro *também*. E, na verdade, a melhor análise verbal que existe — a boa "interpretação" — é aquela que o leva a perceber o *acerto* de sua defesa, não o absurdo.

O eixo das relações pessoais é a relação atitude-olhos; a atitude do outro é visível para mim; a minha, visível para o outro. *Somos espelhos conjugados.*

Proposto o esqueleto clínico, voltemos, para encerrá-la, à questão das neuroses hipertônicas e hipotônicas. Ambos os termos são fáceis e pouco úteis. Não importa saber se é muito ou se é pouco. Importa saber *como* é — em cada momento. Os deslocamentos do paciente — perturbações no seu instinto de colocação — devem ser alterados. Cada deslocamento habitual produz efeitos na recepção e na resposta. O problema não está apenas em desfazê-los; está em corrigi-los.

Exemplo: consideremos o paciente desdenhoso e superior. Ele se apresenta quase sempre com a cabeça "levantada", as sobrancelhas erguidas, olha-nos de cima para baixo e, digamos, da esquerda para a direita dele. Estou supondo que ele sempre apresente certa inclinação lateral da cabeça para a esquerda. A superioridade está na cabeça erguida e no olhar sobranceiro; o desdém, no giro horário da face. Sem este, o indivíduo não seria desdenhoso; seria apenas superior. Sem a cabeça levantada, ele não seria superior; seria apenas enfarado.

Essa posição habitual da cabeça dá à pessoa um "ponto de vista" ao mesmo tempo peculiar e constante. Tentemos reproduzir em nós essa disposição facial e depois vamos fazer coisas variadas. Muitas serão malfeitas, porque a hipertonia cervical perturba toda a colocação do corpo e o "ponto de vista" pode ser mau, quando se pretende ver bem certas coisas. Mais: se formos passear desse modo, veremos coisas ou teremos nossa atenção chamada "espontaneamente" para objetos, pessoas e situações que em outra atitude não veríamos tanto, ou aos quais não daríamos atenção. O "superior desdenhoso" fala-nos muito das coisas grandes que tem e das coisas pequenas que despreza nos outros, porque o humilham. Fala-nos muito da vileza do mundo, da insensatez dos outros, do servilismo dos pobres e da vaidade dos grandes. Ao dar um passeio, coleciona fatos que se encaixam bem com suas reflexões.

Ora, essa atitude, primeiro, não é necessariamente *muito tensa*; *não implica* obrigatoriamente grande trabalho interno; segundo, nem sequer é necessariamente neurótica. Em certas circunstâncias de vida, uma superioridade desdenhosa pode ser excelente resposta. Mas não serve para tudo, nem serve sempre.

A análise dessa atitude pode se fazer de modo assaz lógico.

Primeiro, deve-se estabelecer o fato; o paciente precisa ser levado a perceber que se põe assim e a frequência em que *está* assim. Já nessa etapa, que o psicanalista denomina "apreciação objetiva dos próprios mecanismos neuróticos", mostra-se a vantagem do uso dos olhos, de dois modos.

Da primeira vez em que o paciente sentou-se diante de mim, no consultório, vi nele as *maneiras* de um "Sr. Marquês" ou de "Sua Majestade". Não precisei de seis ou doze meses para saber dos "sentimentos megalomaníacos" do paciente.

Na primeira ou na segunda entrevista, pude falar *diretamente* a esse respeito. Se eu fizesse interpretações ou explicações sobre sua "megalomania infantil", ele poderia "resistir" interminavelmente. Se falo *do que vejo nele*, o fato básico foge a toda discussão. O paciente pode, claro, discutir minhas ideias, mas não pode, por outro lado, discutir o que eu vejo. Pode dizer que não percebe, que não é bem assim, que não sente nada disso, mas não pode contestar o fato.

Prosseguindo: deve-se mostrar ao paciente "até que ponto a maneira o toma, ao invés de ele tomar a maneira"; quanto ela se estabelece e perdura por *força* própria, involuntária ou automaticamente.

Terceiro, deve-se *discutir* com o paciente caso por caso em que a atitude aparece mais viva, convidando-o a avaliar os benefícios e malefícios dessa posição, que é posição diante da vida, modo de ver as coisas e condição habitual de resposta. Ela é um de seus modos preponderantes de influir sobre o entorno e responder a ele. Nós lhe mostraremos como esse deslocamento o põe *longe* e *acima* dos fatos e das pessoas, das ideias e dos sentimentos.

Às vezes poderemos apontar ao vivo os inconvenientes desse modo de se pôr. Se ele pretende conquistar o amor ou o negócio de alguém, perguntaremos se é um bom jeito. Diremos, na mesma frase: "Garanto-lhe que esse modo é muito antipático. Se eu fosse sua namorada, você estaria perdendo tempo. A primeira vez que você veio aqui foi uma luta manter-me tranquilo. Para mim, seu modo é exasperante".

A dois, o exame de um fato bem estabelecido vai, regra geral, afrouxando a superioridade desdenhosa. E então o paciente começa a *ensaiar novas maneiras* que *eu* posso entender como regressão, e então ele se faz criança; *porque eu me fiz pai*, com receio de tê-lo *como igual*. Mas posso entender as novas maneiras como "ensaios para se fazer de outro modo", "tentativas para uma remodelagem da personalidade".

As resistências existem, mas não são *as*; são *a*, porque só há uma resistência: a resistência à mudança. Cada vez que o indivíduo se abranda (quando é duro) ou se crispa (quando é mole), imediatamente após o movimento, *novo para ele*, há um susto.

Não é um medo "velho", já sentido ante papai, mamãe ou vovó. É um medo *novo*, que em palavras assim se expressaria: "Que será de mim?" Mais precisamente: "Temo aquilo que poderei vir a ser, que não sei *como* é, mas sei que é diferente do que eu era".

Qualquer nova atitude, absolutamente qualquer, *quando se estabiliza*, tende a ser maléfica em certa medida, simplesmente porque *não existe uma atitude humana boa para tudo e boa para sempre*.

E por isso o trabalho continua. Praticamente, basta muitas vezes afrouxar certas atitudes para que a vida se faça melhor e o paciente se dê por satisfeito. A esse curso de fatos eu chamaria psicoterapia breve (mas nem por isso superficial).

"À BEIRA DO ABISMO" (CASO CLÍNICO)

Ele entra e se senta. Sério. Mais do que sério, triste. Senta-se forçando a parte alta das costas contra o encosto da cadeira. Pescoço duro, com forte tendência contida a levantar a cabeça. O esforço mais a contenção mantêm a face quase em nível, apenas um pouco voltada para baixo. Chama de imediato a atenção uma expressão muito característica no rosto: a sobrancelha esquerda bem mais alta que a direita, ambas

A ESTÁTUA E A BAILARINA

retas e em continuação uma da outra, traçando juntas uma oblíqua sobre a fronte. Essa posição das sobrancelhas — é preciso imitá-la para compreender — sugere logo algo de vilão, bandido ou "gângster". Guiado pelas sobrancelhas, logo percebo na fala o queixo duro; há certa expansão persistente nas asas do nariz, e o conjunto dos lábios, algo apertados, também tende para um esgar hostil com desvio do ângulo direito dos lábios para fora e para baixo. Olha obliquamente, sem mover a cabeça, com um olhar duro e desconfiado. No entanto, não é antipático. É muito jovem — 23 anos. E todas essas linhas hostis ressaltam de um "fundo" depressivo. Seu modo global de corpo também é antes desamparado que ameaçador. Vê-se logo que ele faz muita força para manter a "pose" hostil.

— Preciso dizer tudo, não é, doutor?

— Convém.

Logo apresenta uma queixa de incapacidade sexual. Há dois anos. Pouco a pouco. Está muito desanimado. Pensou em suicidar-se — e me convence ao dizê-lo. O outro médico, que o enviara a mim, havia dito que era bobagem pensar essas coisas; era melhor consultar um especialista. Lacônico. Ligeiramente confuso. Está obcecado com sua impotência, que é o começo e o fim de todos os seus males.

Dou voltas e voltas e não consigo localizar nada definido. Mamãe é cardíaca. Usou um pouco sua doença para conseguir obediência. Mas o paciente só reconheceu o fato quando perguntei. Fora isso, mamãe é boa, solícita, afetuosa. Papai é algo casmurro e quietão. Mas não parece má pessoa. Com um irmão mais novo, não se sente bem nem se desentende. Vários outros irmãos casados.

É torneiro mecânico, com diploma de especialização. Gosta do que faz. Teve e tem empregos bons, onde se sai bem e é querido. Começou um curso de desenho técnico há três meses. Por duas ou três vezes deixou o emprego por ter fracassado sexualmente com uma colega de trabalho.

Diz haver dificuldades econômicas em casa, mas quando fazemos as contas não se vê a dificuldade.

O resto da história tampouco elucida ou orienta.

— Sonha?

— Às vezes.

— Lembra algum?

— Sim. Ontem. Sonhei que estava na Lua. Havia uma encosta rochosa, uma estrada e depois um precipício. Eu tinha um medo louco de cair. De manhã mamãe disse que eu havia me agitado muito e tinha gritado de noite.

— Havia uma estrada ou uma picada?

— Uma estrada.

— Dava para veículos?

— Dava.

— Então por que o medo de cair? Não é nada fácil cair de uma estrada...

— É. Não é. Mas eu me encostava [e imita] à rocha e olhava o precipício lá embaixo [imita de novo]. Sentia uma coisa, chegava mais perto, as pedras começavam a rolar sob meus pés e eu recuava como podia.

Ao imitar o ato de encostar-se à rocha no sonho, o *paciente apenas acentua sua maneira de sentar-se* antes descrita; ao imitar o olhar para o precipício, *apenas se intensifica nele a maneira oblíqua das sobrancelhas e o olhar oblíquo* antes descritos.

O paciente é vítima de um intenso temor de cair para a frente — assim parece. Porém, o que existe nele de objetivamente verificável é *um evidente modo de corpo de quem, estando em pé, recua aflitivamente.* Ou, variando o tema, é o modo de quem procura de maneira frenético um apoio *atrás,* como diz o sonho. Alguém — digamos de outro modo ainda — que se sente à beira de um abismo.

Fiquei tentado a solicitar que o paciente realizasse de propósito a atitude, mas algo me impediu de fazê-lo. Era uma primeira consulta, não havia nele nenhuma confiança sólida em mim. O exercício poderia desfazer seu equilíbrio precário e temi que ele se perdesse. Sua ideia de suicídio não parecia nem um pouco superficial. E mais: sua cara de "assassino", ainda que posasse de moço, não era coisa que se pudesse menosprezar. Seria perigoso.

Disse-lhe coisas ligeiras e tranquilizadoras. Ele acompanhou bem e aliviou-se um tanto. Na segunda metade da entrevista, desfez-se a cara de assassino por várias vezes, e no seu lugar apareceu um riso jovem, simpático mas muito tímido.

Disse-lhe que ele me parecia acima de tudo meio tristonho e desinteressado das coisas — "na lua", na linguagem do sonho — e que considerava sua dificuldade sexual consequência dessa depressão. Que não sabia o porquê dela. Que remédios provavelmente não adiantariam — e ele concordou com convicção. Que deveria voltar outras vezes, quem sabe para encontrar um pai mais amigo do que o primeiro... Era um rapaz simples e ingênuo, muito necessitado de confiar em alguém e muito disposto a isso. A forma de sua desconfiança — o "gângster" — era tão caricata e "feita" que esperei vencê-lo sem lutar contra ele.

Na segunda consulta o paciente se apresentou bem-disposto, sério e visivelmente esperançoso, ainda que com reservas. Essas reservas — um certo ar de "é inútil", "nada adianta nada" — figuravam no *ambiente* de seu sonho prévio: "estava na Lua". Naquele sonho, o "inimigo" era impessoal: a situação com risco de queda. Seu problema, ao vir procurar-me, poderia ser dito assim: "Tenho uma vontade enorme de desistir — cair; e resisto como posso, crispando-me inteiro". A consciência sempre *inverte* a situação real, pois a verdade era, muito provavelmente, o contrário disso: o paciente vivia crispado, sempre defensivo, sempre com vergonha do que sentia e não conseguindo crer em ninguém. Ele captava o "impulso", vontade de abandonar-se; e não percebia a "resistência": atitude de dorsoflexão forçada do corpo.

Como se vê, a consciência "pensa" e "percebe" como os esquemas psicoterápicos: não percebe o que é evidente, "real" e primário, perdendo-se depois nas consequências. Toma o efeito como causa. Coloca-se "invertida" dentro da situação. Nessa segunda consulta, havia novo sonho.

— Eu andava por uma estrada no interior, com cercas dos dois lados. Havia um touro pastando e depois ele investiu. Subi na cerca para fugir dele.

— Com que jeito de corpo você ficava sobre a cerca?

— Assim.

E o paciente, de novo, apenas *acentua* a sua maneira habitual de estar sentado!

Aponto-lhe o fato e o convido a totalizar a atitude de corpo. Vamos para o divã basculante e ele se põe sobre um plano inclinado descendente, encostando-se à parede de costas. Experimenta bem a situação. Logo depois lhe digo o que havia pensado e visto na consulta prévia. Interessa-se e, em conjunto, reconhece a verdade do que digo, tanto no que se refere à atitude do corpo quanto à do espírito.

Dessa vez eu me animei ao fato e às explicações, porque vi sua confiança nascente em mim.

O restante do trabalho, sete entrevistas semanais ao todo, visou apenas afrouxar essa atitude de "à beira do abismo". Iniciou um namoro e foi bem-sucedido sexualmente. Aconselhei-o a "abandonar-se" ao agrado sexual em vez de "possuir" a mulher. Mostrei-lhe que o namoro não é exibição de virilidade, mas busca de um relaxamento biológico e de um "desarmamento" psicológico. O sintoma cedeu de todo ou quase. O que restou era mais bem aceito pelo paciente — restou, na verdade, o razoável. Movido pela sua inferioridade e pelos preconceitos de seu ambiente, ele exigia de si um rendimento sexual mirabolante. Consegui persuadi-lo desse exagero, em função do qual ele "se punha muito alto", incômodo e crispado. Era, como disse, um espírito simples que não pretendia de mim mais do que a cura do sintoma.

O QUE É O AUTÊNTICO?

Outras vezes, o paciente quer ou necessita mais, e então prosseguimos a "cascata".

Até quando? Até o paciente aprender a moldar-se e fundir-se sem susto, podendo então dizer-se que ele está "plasticamente moldável pela realidade". Não está "são" nem "normal". Está perfeito, no sentido de sempre aperfeiçoável, capaz de aprender com a vida, de crescer em graça e sabedoria.

Acho muito importante não dar nomes teóricos às atitudes humanas, nem "classificá-las" no tempo. É fundamental *não julgar uma* atitude como "neurótica" ou "normal"; é essencial não tachá--la de "regressiva", "repressiva", "pré-genital" ou "edipiana". É necessário, isto sim, aceitá-la como *ela se apresenta* e julgá-la — sim, certamente — *junto* com o *paciente*, nas relações que ela estabelece com a vida.

O leitor versado nessas coisas por certo deve ter percebido que, em plano verbal, a descrição sumária que propus segue muito de perto a técnica psicanalítica, no entender dos melhores. De momento, quero dizer que a semelhança na maneira de explicar não implica a aceitação teórica. Senti muito agudamente, e li de outros muitos que sentiram do mesmo modo, haver entre a teoria e a técnica analítica relações deveras precárias. Reich desejava a técnica mais bem orientada pela teoria, na "análise do caráter". E qual foi a conclusão de sua revisão crítica da técnica, com base na experiência que teve como diretor do Seminário Psicanalítico de Viena? "É preciso achar, *para cada momento* da análise, a melhor solução."

De minha parte, proponho uma *revisão da teoria* baseada na técnica, demonstrando que esta é, ao mesmo tempo, sensata e eficiente.

A teoria é a do "desenvolvimento libidinoso". Ela seria incluída do seguinte modo, no contexto em que estamos: admitindo que o paciente tenha modos rígidos de comportamento, ao se desfazer um ou mais desses modos, o que acontece? Acontece — todos concordam — que aparecem outros modos de conduta.

A pergunta crítica é esta: as novas maneiras seriam determinadas, previsíveis e rigorosamente ligadas ao desenvolvimento histórico da personalidade individual? Ou seriam imprevisíveis, indeterminadas, "espontâneas"?

Freud optou pela primeira alternativa. Reich, Alexander, Stekel, Klein, Fenichel, Abraham e Horney acompanharam-no. Jung, Adler, Moreno, os existencialistas e eu discordamos.

Além do que disseram meus cúmplices, acrescento argumentos pessoais.

De um ponto de vista filosófico: o vivo pode, efetiva e literalmente, repetir-se? Voltar a ser exatamente o que já foi? Certo que não.

De um ponto de vista clínico: o paciente volta a ser uma criança de 2 anos ou de 3 meses (Klein)? Claro que não. Sua conduta nova — ao longo do tratamento —, mesmo admitindo-se que seja semelhante a outra antes manifestada, será idêntica *na função*? O paciente quererá ou temerá do terapeuta exatamente o que ele quis ou temeu de mamãe ou papai? Deveras improvável.

O paciente "deseja amor" ou "teme a raiva" — certo, frequentemente. Mas há quem não deseje uma coisa ou não tema a outra *a vida toda*? *O desejo é genérico* e, nesse sentido, eterno, como é eterna a suscetibilidade do ser humano ao medo ou sua capacidade de odiar. Esses desejos não são "infantis" nem "provectos", tampouco "maduros". São perenes — isto é, *verbais*. Só o presente dá realidade às palavras e, no mesmo ato, às individualizações. Isto é, empresta, aos termos comuns e "universais", um significado que é único, válido apenas no contexto atual, real e global em que o termo está sendo pronunciado.

Isso sem contar que toda expressão límpida e direta de afetos é inteiramente semelhante à da criança. Por esse caminho, inverteríamos toda a meta da psicoterapia: "curar" alguém é fazer que ele *volte a ser criança*. O mal do adulto dito neurótico está em que ele é uma criança neurótica, não apenas "infantil".

O que pode ser tachado — muito, mas muito elasticamente — de "infantil" ou "maduro" é a *expressão* desses desejos, a *maneira* de manifestá-los, o jeito de comunicá-los ao "entorno", ao outro. E aqui não são só palavras nem sobretudo palavras, mas todo um vasto jogo sutil de distâncias, direções e posições. Posso dizer, sem violência aos fatos nem aos conceitos, que o paciente "coloca mal" seus desejos, ou "coloca-se mal" na situação.

GARRINCHAS

Comporta-se, por exemplo, como meu paciente desdenhoso e superior quando se propõe a vencer no basquete. A maioria de suas jogadas falha — é preciso ser vivo e móvel para praticar bem um esporte vivo. Ele costuma receber mal a bola. Mas, vez por outra, precisamente devido à sua má colocação e disposição no espaço, o acaso faz que uma bola chegue a ele na direção errada — e ele acerta! Fica famoso por causa disso! Como Garrincha. E então, adeus à mudança. A sorte grande faz de qualquer paspalho um senhor respeitado. E a má colocação se eterniza.

Dirá alguém que o exemplo não funciona por ser "muito físico", "não psicológico". Respondo:

1. aprenda a ver bem — e a ver depressa;
2. considere que o jogo de intenções num diálogo — de atitudes de espera, ataque e abandono, de frases dirigidas para esse ou aquele fim, de desejos que "buscam" seu objeto ou se desviam dele — *é muito semelhante* a um esporte.

Pessoalmente não creio estar propondo uma analogia; creio, isto sim, estar propondo uma *identidade formal*.

Fica assim estabelecido que a famosa transferência é um comportamento mais ou menos semelhante a outro pregresso, no que se refere à manifestação de sentimentos humanos genéricos.

Em tese, todos os terapeutas pretendemos — assim parece — modificar expressões afetivas, e não os sentimentos propriamente ditos. Ninguém pode "libertar" ninguém — nem a si mesmo — do medo, do amor, da raiva, da tristeza. O que podemos fazer, não *pelo* outro mas *com* o outro, é de algum modo treiná-lo a exprimir seus sentimentos ou sua pessoa de um modo mais direto, simples, harmonioso. *Como* conseguir esse resultado?

TÉCNICA PSICOTERÁPICA — O QUE É ISSO?

Essa é a pergunta crítica no que se refere à técnica. Prefiro respondê-la mostrando que o termo "técnica" não cabe em psicoterapia; melhor seria excluí-lo de vez, já que seu emprego e o da pretensa "coisa" que ele qualifica são frontalmente contrários ao propósito que se tem em mente.

Começo parafraseando Luís XIV: em psicoterapia, "a técnica sou eu". Leia-se bem: não está escrito que a única técnica certa seja a minha, e sim "a técnica sou eu". Mais precisamente, o único "instrumento" constante em todas as minhas relações psicoterápicas *é a minha pessoa inteira*.

Se eu usar uma técnica, a *mesma*, em duas entrevistas consecutivas, sou neurótico; coloquei-me do mesmo modo em situações bem diferentes. E, quando fosse descoberta a "técnica perfeita" para lidar com pessoas e transformá-las "sob medida", teríamos "um mundo só" — de autômatos.

É preciso começar assim, reduzindo a tese ao absurdo. É preciso mostrar depois que a técnica existe e é necessária para o terapeuta, não para o paciente.

Sempre que iniciamos uma atividade nova, será ótimo se houver alguém que nos guie — é o ideal. Alguém vivo, que nos acompanhe e comente conosco o que fazemos, cuidando de nosso desenvolvimento individual, a fim de rendermos o máximo — dentro de *nossas* possibilidades, não das do mestre.

Nunca vi citada uma das afirmações mais felizes de São Tomás: "Só há uma autoridade legítima: a que existe para o bem do subordinado".

Assim o mestre e o discípulo.

Quando confiamos em alguém já experiente no campo, começamos com mais coragem — ou menos medo — e nos animamos mais a explorar o desconhecido. É bom, no começo, que o discípulo pense: por ora acredito no mestre; logo mais terei tornado minha a sua técnica e então poderei dispensá-lo.

É essa falsa confiança de todos no método ou na técnica, antes que na pessoa, a força geradora e aquilo que mantém o mito da técnica. O mestre jamais poderá me dar sua técnica, que é ele. Fará muito por mim — fará tudo — se me ajudar a cultivar a *minha* técnica; quer dizer, em psicoterapia, a cultivar a minha pessoa. A técnica, assim, é uma muleta necessária, enquanto não sabemos andar.

O mestre nos dá — na regra útil — um pouco de sua segurança; a segurança subjetiva comunicada pela regra vale mais do que o valor, dito objetivo, dessa mesma regra técnica. Mas no começo nós não sabemos que é assim. Evitando contatos pessoais profundos — quase todos nós os evitamos —, vemo-nos obrigados a usar "regras"; e, na mesma medida em que as usamos, nos despersonalizamos.

Como poderemos, depois, ajudar o paciente a personificar-se?

Ajudamo-lo, quando muito, a... regrar-se, a continuar dependendo de uma lei externa que, por mais sábia e benevolente que fosse, ainda assim seria veículo de um grave pecado; seria impessoal, sem sentimento, sem "gente" no íntimo, alienadora. Também seria, ante uma crítica intelectual severa, deformadora e, em longo prazo incapacitante e esterilizante. Quanto mais eterna uma lei, mais abstrata, mais remota do momento presente; e, quanto mais geral, mais parcial. Isto é, a quanto mais objetos ela responder, menos responderá aos aspectos *particulares* de cada objeto. No limite, a lei mais universal é, quando aplicada insensatamente sem consideração pelo particular, o mais absurdo dos guias. Porque toda lei eterna — e a técnica pretende ser "universal" — só vive em cada um de nós, *a nosso modo e com nossas medidas.*

Caso a argumentação pareça demasiado filosófica ou moralista, acrescento mais alguns argumentos clínicos a fim de fazê-la aterrissar.

Pode um terapeuta com três anos de experiência haver-se no consultório do mesmo modo que um terapeuta com trinta anos de prática? Essa pergunta tem cabimento? Onde está a diferença entre eles? "Na técnica", diz o homem do coro. Na pessoa, digo eu. Se em trinta anos de experiência uma pessoa não aprendeu a simplificar as coisas, a ir diretamente ao essencial, a haver-se com segurança em situações críticas, posso dizer que ela "amadureceu"? E, se não amadureceu, que significam suas belas palavras sobre "desenvolvimento da personalidade"?

A técnica, pois, varia com a experiência do terapeuta. Não pode ser uma só. Varia também com o paciente, fato óbvio, sempre falado mas sempre negado na frase ou na ação seguinte, que mais uma vez procura ser "tecnicamente exata"...

Varia também com o contexto vital do terapeuta.

VIDA DE TERAPEUTA

Primeiro, a distribuição de seu tempo. Um terapeuta trabalha sete a oito horas por dia no consultório; sobram-lhe oito horas "de vida", das quais três a quatro são consumidas em transporte, refeições, banho etc. Das restantes, uma parte importante é consumida em palestras mais ou menos inconsequentes ou em atender a seus negócios grandes ou pequenos — o automóvel, por exemplo...

Além disso, suponhamos que o terapeuta seja casado e tenha filhos.

Dessa distribuição de seu tempo se deduz uma verdade incômoda: praticamente nenhum terapeuta dedica aos seus tempo comparável ao que dedica *a cada um* de seus pacientes. Note-se: a cada um de seus pacientes.

A que nos leva esse estado de coisas? Cada terapeuta pode dizer de sua vida: meu consultório é mais minha casa que minha própria casa; meus pacientes são mais minha família que minha família!

E que importa esse fato à técnica? Demais. Se me faço muito técnico no consultório, de duas uma: ou atuo "tecnicamente" também fora dele — é o mais provável —, ou passo a viver uma dupla vida muito difícil de harmonizar.

Não esqueçamos nunca que estamos discutindo exclusivamente *técnica psicoterápica* — aquela suposta maneira ideal de lidar com pessoas. Se a do consultório é boa, deverá ser boa também fora dele. Há pessoas que vivem assim — eu conheço. Quase todos os psicanalistas e vários terapeutas de minhas relações pessoais — mais de duas dezenas — são assim. Sempre psicanalistas, com sua "técnica". É praticamente impossível dialogar com eles; para mim, é. E, segundo sei de fontes por vezes fidedignas, também o é para as esposas e os filhos deles.

A sociedade psicanalítica não existe apenas para cultivo da ciência; existe também e sobretudo para o cultivo de relações pessoais, oferecendo a seus associados o único lugar no mundo onde eles podem dialogar e concordar. Concordar — sempre as palavras! — quer dizer *cum corde*, de coração.

Não estou criticando essa sociedade; estou apenas ensaiando mostrar que ela tem mais finalidades que as constantes nos estatutos; aliás, acho mesmo que tais finalidades extraestatutárias são de todo legítimas, se bem compreendidas e bem usadas.

Todavia, conversando com psicanalistas reais — gente de carne e osso —, sempre ouço algo semelhante àquilo que leio nos textos psicanalíticos: "O neurótico, eis o inimigo". A linguagem do terapeuta *fora do consultório*, ao se referir a seus pacientes, vai da vulgaridade da própria nomenclatura "técnica" da psicanálise ("delinquente", "fixado à mãe", "homossexual latente", "narcisista") à vulgaridade de comadres comentando os escândalos da vizinhança, quando não chega — e frequentemente chega — à grosseria. Kretschmer, em seus *Estudios psicoterápicos*[3], faz comentários semelhantes, tão cáusticos quanto os meus.

Isso, evidentemente, não é ciência — quero dizer, o que estou escrevendo. Porque a ciência pura é... pura! Mas tenho para mim que a família psicanalítica celebra seus rituais de uma humanidade superior em estreita correlação dialética com essa visão real negativa do paciente, que é o "gentio" ou o "pagão".

Quem acredita em técnica — verdade impessoal do agir — divide fatalmente o mundo em iniciados e não iniciados, isto é, aqueles que passaram pela técnica e os que não passaram. Uns serão a nova espécie de "bons"; os outros, de "maus".

Mas é preciso acrescentar mais elementos a essa análise de uma situação real.

CONSEQUÊNCIAS DO CONTROLE

Parece que muitos terapeutas, *agora dentro do consultório e diante do paciente*, se *contêm demais*, por amor à técnica da chamada neutralidade pessoal. Fazem-se *ativamente* indiferentes e reservados ante os sentimentos que o paciente exprime; essa atitude prevenida concorda

---

3. KRETSCHMER, Ernst. *Estudios psicoterápicos*. Barcelona: Científico Medica, 1954.

com a expectativa intelectual do terapeuta — "o que aparece" nunca é idêntico ao que a pessoa "de fato pretende". Essa atitude sempre prevenida gera, de modo dialético, certo abandono no terapeuta, à custa do qual se estabelece uma *participação compassiva* entre ele e o paciente. É refrão de muitos textos psicanalíticos — não todos — um curioso e incerto alternar, na consideração do paciente, entre algo patético, dramático, digno de compaixão porque "ele" (o paciente) teve um pai psicopata, uma mãe perfeccionista, porque "ele" (o paciente) foi espancado, brutalizado, seduzido, pervertido, e entre um algo que vai do desprezo à ridicularização, porque "ele" (o paciente) é infantil, pensa que pode enganar o terapeuta, alimenta fantasias tolas de grandeza, de ser amado, de odiar com fúria...

Em suma, o terapeuta evita a relação de igual para igual, seja fazendo-se "mãe" do paciente, seja fazendo-se seu pai.

TÉCNICA E CASTA

O que me choca, em todas essas situações, é o fato de o terapeuta, enquanto tal, negar categoricamente sua semelhança fundamental com o paciente; no limite, sua semelhança fundamental com o... semelhante, sendo reconhecidos como semelhantes a ele apenas os que conhecem a técnica.

A técnica torna-se, então, "aquilo que separa". É uma defesa contra a comunhão. Mais do que isso, é um protesto orgulhoso contra a igualdade de todos. Redunda, no fim, em uma supressão das *diferenças individuais*, as únicas que separam *legítima e efetivamente*.

Não sei se o leitor está percebendo bem a tese. Em plano social, ela corresponde a uma crítica a toda e qualquer espécie de classe ou casta baseada num critério *extrínseco e constante*.

Os seres humanos sofrem, e muito, de um sofrimento de certo modo artificial; de uma separação que não é real, mas... convencional, baseada em títulos sociais relativamente permanentes: rico, branco, engenheiro, brasileiro, católico, casado e outras coisas assim. Digo que essa distinção não é real porque jamais se fez efetiva; jamais alguém aceitou de todo, em seu íntimo, tais classificações. Nunca houve um escravo que se dissesse honestamente: "Sou escravo". Jamais houve um senhor que deixasse de dizer continuamente — porque duvidava sempre — "sou senhor, sou senhor, sou senhor..." Já as diferenças individuais separam de fato e atuam em qualquer circunstância — por isso as denomino *reais*. Atuam, quer eu as aceite quer não; atuam tanto quando o outro as conhece, quer ou deseja, como quando as ignora, se lhes opõe ou as nega. Nem teria força a lei convencional se não haurisse dessas diferenças de raiz totalmente inexplicáveis, "irracionais" no mais fundo sentido do termo. Toda técnica psicoterápica é expressão da vontade da maioria contra o indivíduo. Ela repete, quando usada, o "drama" infantil cujo resumo pode ser qualquer um dos seguintes: "a criança é um animalzinho", "a criança é boba", "criança não sabe o que quer", "criança precisa ser educada"... Do mesmo modo que mamãe dizia *sempre* "não pode", "é feio", o terapeuta diz "quais são suas associações?", "por que o senhor pergunta?" Quando não, mamãe e o terapeuta simplesmente ignoram o paciente "até que ele produza algo significativo" — *até que ele faça algo que caiba dentro da técnica*. No mais, tanto na infância quanto na análise, o indivíduo é ignorado.

De forma esquemática, as pessoas sofrem de "qualificativos sociais": "Mas eu sou chefe!", "mas eu sou mulher!", "mas eu sou um simples empregado", "mas eu sou homem"... É assim, pouco mais ou menos, que o paciente responde sempre quando apontamos nele uma aspiração nascente.

TÉCNICA E... TECNOLOGIA

E essa aspiração nascente leva ao último argumento contra a técnica.

O êxito evidente das ciências da matéria inanimada trouxe a fúria dos números para as ciências humanas. Os melhores dizem: "Pena que ainda não tenha surgido uma metodologia própria para o estudo dos seres vivos; temos de nos limitar — infelizes que somos — a descrever. Não podemos 'compreender' o vivo..."

Parecerá ingênuo o que vou dizer, mas é básico: para uma viga de aço, uma engrenagem, um transistor ou uma turbina, 10° de temperatura a mais ou a menos, 10 cm de mercúrio de pressão a mais ou a menos, um dia de chuva ou de sol, no mato ou no deserto, na montanha ou na praia, ao lado de outro engenho ou não, faz pouca ou nenhuma diferença. A coisa mais admirável da máquina é precisamente a constância do comportamento. Sabemos bem que tal constância não é absoluta; mas, diante da aferição e do controle ingênuo e imediato de nossos sentidos, ela parece absoluta.

As máquinas exercem sobre os homens — muito, mas muito mais do que se costuma reconhecer — um fascínio mágico, prometendo a todos um poder, uma força e um controle que seriam chamados, sem um instante de hesitação, de "divinos" por quaisquer gerações de nossos antepassados. A alma da revolução comunista — convém recordar — despertou ao ouvir, de longe ainda, a sinfonia áspera do aço que gira e martela incansavelmente.

Esta é a inspiração de toda técnica: produzir muito, fácil e rapidamente; vencer a força da pedra com a força do aço; vencer a sutileza do ar com a violência da hélice; vencer o desalento da distância com o fogo latente do petróleo.

A encruzilhada de nossa época é esta: a máquina ou o homem. Quem serve a quem? Depois da técnica do inanimado, aperfeiçoou-se muito a técnica dos grandes números: indústrias gigantescas, empresas monstruosas, propaganda, política, escravização sutil. Quando penso nessas coisas, inclino-me a crer que é legítima, ainda que deslocada, toda angústia neurótica; angústia — isto é, estreitamento, aperto, opressão — de um indivíduo diante dessas forças incomensuráveis.

Os terapeutas do mundo, assaz modestamente, se propõem a salvar o indivíduo. Com o quê? Com... uma técnica!

TÉCNICA E LÓGICA

Só há uma "teoria" para *compreender* o vivo: é a dedicação individualizada. Só existe uma técnica para cultivar a individualidade:

sensibilidade para as diferenças. Há milênios, desde os filósofos gregos, a humanidade vem exercitando-se na percepção das semelhanças, do regular, daquilo que sempre se repete — a lógica aristotélica. Foi esse treino bimilenar que floresceu na tecnologia contemporânea, que é uma imensa promessa de libertação, mas uma liberdade — lembremos —negativa em essência: liberdade de não se embrutecer, de não se animalizar no esforço físico extenuante, monótono, áspero e eternamente improfícuo — improfícuo porque tal esforço nunca deu, senão para alguns, a sobra ou a reserva salvadora de energia, de tempo, de variedade e de imaginação que são necessárias para a humanização.

Agora, estamos às portas do Paraíso — ou apenas um passo mais próximo dele, tanto faz.

É preciso vencer a sedução da técnica, que só pode produzir o igual. Só o igual se faz depressa, facilmente, em quantidade. É preciso cultivar a sensibilidade para as diferenças. Vejamos o que significa essa frase em clínica.

MÃE E FILHA

Certa pessoa, durante dez entrevistas a fio, queixa-se de sua filha, quase sempre nos mesmos termos, quase sempre com fatos iguais ou parecidos, sempre com o mesmo ar de desespero perplexo e desalentado.

"Resistência". Na qualificação da resistência posso ser genérico e formal, qualificando um traço de personalidade: "queixosa", "sensação crônica de injustiça", "sensação de ser perseguida". Posso também, seguindo mais o objeto da queixa, fazer uma hipótese referente antes ao impulso que à resistência: "hostilidade contra a filha, consciente ou não" ou "hostilidade contra a mãe" ou "hostilidade contra a própria infantilidade" e outras. Tudo muito vago, já se vê.

Eu poderia usar a técnica de Reich e repetir, semanas a fio, "sempre queixando-se, não?"; "a senhora é figura viva da queixa"; "que mais faz a senhora além de queixar-se?" Ou seguir antes Freud, testando pouco a pouco essas várias hipóteses.

Nos dois casos, eu estaria presente às semelhanças e procurando, além da semelhança manifesta, outras semelhanças hipotéticas "inconscientes", ligadas à infância da paciente, ou ligadas a mim como representante também hipotético dessa mesma infância (transferência).

Diante deste caso, como se usaria a sensibilidade para as diferenças? Afinando bem olhos e ouvidos, poderíamos perceber na situação (que, em palavras, parece sempre a mesma — "queixa contra a filha") um significado de cada vez, diferente dos anteriores e dos seguintes:

Na primeira — "o senhor não se preocupa com meu problema?" —, formal.

Na segunda — "ajude-me" —, uma súplica.

Na terceira — "o senhor não se incomoda comigo?" —, desafio.

Na quarta — "vê como meu marido não ajuda?" —, desprezo.

Na quinta — "estou próxima do desespero" —, angústia.

Na sexta — "ninguém liga pra mim" —, depressão.

Na sétima — "ninguém sabe nada, preciso me arranjar sozinha" —, estoicismo.

Na oitava — "se o senhor não me ajuda, desisto" —, intimação.

Na nona — "ajude-me" —, agora, sedutora.

Baseado nas *diferenças* de entonação de voz, expressão de rosto e atitude de corpo, posso separar os nove "significados" diferentes da queixa que parece ser sempre a mesma. Aí está a sensibilidade diferencial, pouco dependente da frase ouvida, pois esta é um conjunto de palavras com o mesmo sentido intelectual.

A captação do "significado inconsciente" depende dos olhos e dos ouvidos, não da "intuição", enquanto aqueles ouvem a música das palavras, e não o seu sentido literal. De novo Freud e seu divã: sem ver o paciente é bem mais difícil — isto é, demora mais e é mais incerto — captar o significado inconsciente; e faz-se muito mais fácil para o paciente enganar a si mesmo e ao terapeuta no mesmo ato. Lembremos quão pouco seguro é captar as segundas intenções das pessoas *por telefone* e quanto se faz mais fácil o mesmo ato no diálogo face a face.

Captado o significado inconsciente, que faço com ele? Posso ver-

A ESTÁTUA E A BAILARINA

balizá-lo para o paciente. Seria uma espécie de interpretação. Uma "técnica". Note-se como o termo é elástico — e impróprio nesse contexto. "Pôr em palavras" não é uma técnica especializada para modificar pessoas. É um modo de ser ou uma função humana, absolutamente geral. Quem está sozinho, sabemos, costuma falar sozinho, "põe-se em palavras".

Como se vê, o termo é tão impróprio aqui quanto seria usá-lo assim: "técnica da marcha", "técnica da respiração", "técnica da fonação". Bem sei que todas essas frases são comuns, e todas são usadas erroneamente. Dar um padrão mais ou menos fixo e geral a uma pessoa pode ser um excelente método para que ela se *individualize*. O padrão é bom como ponto de partida e péssimo se chegarmos a realizá-lo integralmente. "Técnica de marcha", como padrão *realizado*, é passo de ganso. Porém, se proponho a alguém como "deveria ser", essa pessoa, ante o convite, pode perceber como *ela é*. Basta isso para que corrija seus exageros *pessoais*, criando no mesmo ato seu *padrão próprio*. A técnica geral é um bom meio para vermos que nós *não somos* assim, mas diferentes. Note-se bem esse uso de padrões: ele é radicalmente o oposto do que em geral se supõe. Funciona exatamente ao contrário.

Sabemos que todas as técnicas citadas — de marcha, respiração, fonação — são usadas por duas espécies de professores, os bons e os maus. Os bons usam o padrão da maneira como eu disse há pouco; os maus *impõem* o padrão, e criam câimbras, espasmos e bonecos. A longo prazo, estes criam "suásticas", "Heil Hitler", camisas-verdes e outros... "uni-formes" (forma única).

Aqui vai a distinção básica — dirá assim o leitor ingênuo — entre a boa e a má técnica; esta impõe um molde simplesmente e por isso é definidamente má. Roupa feita. Herança do falecido. A boa técnica propõe um padrão, como o afinador de pianos usa um diapasão. O afinador não vai fazer todas as cordas soarem a mesma nota. Usa um invariável — arbitrário — para perceber melhor as diferenças. Não seria bom assim em psicoterapia? — continuaria o ingênuo.

Não, nem assim seria bom.

A TÉCNICA DO EQUILÍBRIO

Nas coisas humanas — visto que somos o material mais plástico jamais criado pela natureza —, a perda de plasticidade é sempre letal em longo ou curto prazo: perda de vida, de criação, de variação.

No prefácio do *Fausto* se lê (em tradução livre):

Criação, destruição
Da Mente Perene
Perene recriação.

Então? Caos permanente? Algum propósito nessa "recriação" eterna?

Sim. A cada momento, a descoberta e o cultivo daquilo que se cria; um pouco de respeito e tristeza pelo que se destrói. Do justo equilíbrio — a áurea lei — entre o que se destrói e o que se cria nasce a paz de espírito, a segurança genuína. Paz e segurança cujo complemento de sabedoria é este: nada é definitivo no homem; nenhum extremo pode ser vivido sem que se avolume incoercivelmente o extremo oposto, transformando a graça leve do equilibrista no espanto indizível do homem preso entre duas engrenagens gigantes. *É preciso ficar no meio.* É preciso achar o meio continuamente. Essa é a lei de equilíbrio do corpo vivo cuja posição ereta faz dele um corpo humano.

Achar o meio e permanecer nele, em equilíbrio, *nos é próprio e está acontecendo entre nós a cada instante e a todo instante.* O leitor talvez julgue que eu mudei de plano ontológico ou de ordem lógica. Não julgo ter mudado.

Para mim, o problema não é *criar* o equilíbrio, porque este se cria sozinho, bom ou mau, estável ou não, cômodo ou forçado. Cria-se sempre "sozinho". O problema, para mim, é *sentir* o equilíbrio que se cria e recria continuamente; é sentir se ele é estável ou não, cômodo ou forçado. Se o equilíbrio do corpo é estável e cômodo, então o equilíbrio mental também é.

Dessa lei eu gosto, porque ela varia sempre sem mudar nunca. Eterna de certo modo, mas elástica; universal certamente, mas tão

TÉCNICA E NATURALIDADE

plástica quanto as mil situações concretas em que posso estar e as mil posições que posso assumir.

TÉCNICA E NATURALIDADE

Para fazer clinicamente claras nossas duas últimas considerações contra o método — o argumento filosófico da destruição-criação e o argumento fisiológico do equilíbrio —, vejamos como essas noções se aplicam ao caso da mãe que se queixava da filha.

Vimos que eu podia verbalizar para ela os nove significados de sua queixa constante. Se ela fosse apenas uma voz que fala e eu uma voz que responde, seria melhor fazer assim. Mas ela é mais do que sua voz e seu pensamento. Eu também. Então, opto por um risco inevitável: respondo em função de como me sinto no momento, simples, séria e decididamente. O que posso garantir ao paciente é dar o melhor de mim na medida em que o momento permite — tudo mais me parece charlatanice autêntica, processo sem substância. Não posso garantir ao paciente que lhe darei sempre toda a atenção — posso estar com dor de dente... Não posso prometer a ele que estarei, em "sua hora", totalmente presente a ele — meu filho pode estar doente...

Se não gosto das imposturas do paciente, o melhor que posso fazer é não cultivar nele falsas expectativas dependentes de imposturas minhas, mesmo que elas sejam "tecnicamente" justificadas. Essa é a maneira mais eficaz que conheço para "analisar o superego", em vez de reforçá-lo. Nem creio que o paciente — vitalmente inseguro — acredite de verdade em minhas imposturas (atitudes forçadas), por maior que fosse seu desejo e sua genuína necessidade de crer. Ele há de crer e confiar em mim como sou; faço o que posso para não usar máscaras e técnicas. O resultado às vezes é brilhante; em outras, inqualificável. Mas em geral é bom — depois de algum tempo.

E que teria que ver toda essa vasta digressão com a componente expressiva da atitude? Foi daí que partimos, leitor, lembra-se?

Tudo. O paciente se mostra a mim de corpo inteiro; eu sou visível para ele de corpo inteiro. Não adianta me esconder. Palavras podem mentir; atitudes, não. E quem, como o paciente, está vitalmente inseguro, no fundo não crê nem nas mentiras que ouve nem nas que diz. No fundo acredita muito pouco em qualquer palavra. Mas nos olhos ele crê. Tanto nos próprios quanto nos do outro. Pode ser que ele veja horrores em mim, mas sabe ao menos *como* é o "inimigo"; e uma boa luta é uma relação pessoal tão boa quanto um bom amor.

As leis que nos regem — a mim e a ele — são as mesmas. Não há papai nem mamãe em jogo. Há eu e ele. Em nosso diálogo, oscilamos ambos *continuamente*; e, à custa dessa oscilação, vamos aos poucos descobrindo nossa posição *própria* de equilíbrio, um diante do outro, um em relação ao outro.

Em vez de usar um padrão teórico a fim de comparar desvios, nos desequilibramos *os dois frequentemente* até que, após tantas quedas e reaprumos, vamos redescobrindo aos poucos a saga do joão-teimoso: sempre em pé.

Voltando à senhora que não se entendia com a filha, exemplifiquemos como ocorreram alguns dos desequilíbrios do diálogo.

Quando, de maneira formal, ela "disse" sem perceber "o senhor não se preocupa com meu problema", eu respondi com palavras e com enfado, sentindo que a paciente girava sobre si em busca da própria cauda: "Desse modo que a senhora propõe, não. Isso, desse jeito, não tem saída".

Depois, súplice, ela prosseguiu — em outra hora: "Ajude-me". Então — era o começo —, eu sentia uma notável antipatia pelo jeito de cão sem dono da paciente. Disse-lhe isso, com palavras e com modos. Atenuei um pouco a dureza do impacto, acrescentando: "Antipatizo com sua habilidade de achar que a culpa é sempre sua e que a errada é sempre você".

Ela ficou muito deprimida. Depois, em desafio, disse sem perceber: "O senhor não se incomoda comigo?" Aí pude ser enfático de todo o coração: "Incomodo-me mais do que você mesma. Mas não vejo maneira de tornar útil minha preocupação".

Na quarta vez, de modo depreciativo, ela trouxe, como segunda intenção à queixa contra a filha, o comentário: "Vê como meu marido não ajuda?" Que lhe respondi? "Você é a primeira a mantê-lo iludido de que tudo está muito bem".

Na quinta vez, angustiada, ela me comunica "telepaticamente": "Estou próxima do desespero". Eu não disse nada, mas creio que minha compaixão a alcançou. No fim da entrevista ela disse (e via-se): "Vim aqui tão desorientada! Agora estou tranquila".

Na sexta vez, deprimida: "Ninguém liga pra mim". Minha resposta, tão lacônica quanto minha atitude, foi dura: "Nem eu".

Na sétima vez, estoica, havia na queixa o seguinte tom: "Ninguém sabe nada. Preciso me arranjar sozinha". Não respondi falando. Limitei-me a olhá-la como quem avalia as forças do outro, não faltando em mim certo ar de divertimento ante a maneira de menina amuada. Tampouco faltou em mim o modo de um torcedor de futebol quando pretende ajudar moralmente a vitória de seu time — o que também ajudou. Ela saiu com ar de quem diz: "Vou mostrar-lhe do que sou capaz".

Na oitava vez, esquecido o bom propósito anterior, ela insinuou a intimação de cliente para médico, que "tem a obrigação de curar": "Se o senhor não me ajuda, desisto". Novamente aborrecido e, bem no fundo, descrente de que eu lhe pudesse ser útil, apenas devolvi sua apreciação — invertida: "Se você não me ajuda, desisto".

Da nona vez ela veio com trejeitos sedutores para a conquista de um aliado. Parecia uma menina fazendo uma travessura. Mas havia algo bom nela. Se houvesse um aliado, talvez ela vencesse a batalha. Foi o que eu lhe disse, em palavras e gestos.

PSICOTERAPIA

Falta cumprir uma promessa. Que valor têm as famigeradas "fases" do desenvolvimento libidinoso da teoria freudiana?

Talvez tenham valor diagnóstico, mas em psicologia os melhores meios diagnósticos são os piores meios terapêuticos: os meios que se usam para conhecer a personalidade como ela é (diagnóstico) e os meios capazes de transformá-la são muito diferentes e amplamente antagônicos.

Todo diagnóstico é fruto de uma comparação que busca saber se a pessoa diante de mim é semelhante ou não — em certos aspectos — a outras pessoas já vistas por outrem — ou por mim! *Para diagnosticar, preciso desprezar as diferenças. Para curar, preciso desprezar as semelhanças.* São estas que constituem a doença, de vários modos; só posso cultivar o individual quando me baseio nas diferenças.

As fases clássicas, mesmo que úteis para o diagnóstico, são de valor terapêutico limitado.

Uma influência que se exerceu muito precocemente sobre a pessoa deixa sinais "mais fundos" do que se ocorresse mais tarde — eis uma verdade discutível mas plausível. Discutível porque o tratamento, a rigor, não *desfaz* nada; reintegra. A experiência passada nunca pode ser aniquilada, em sentido próprio, por "método" algum.

O que se pode fazer terapeuticamente é modificar a síntese atual da personalidade, de tal modo que as velhas experiências — boas ou más — mudem de valor e de significado; mudem de posição, de relações e de funções dentro da personalidade.

Uma pessoa maltratada por um pai tirânico na infância jamais poderá confiar ingenuamente nas pessoas. Nunca mais — diria o Corvo de Edgar Allan Poe. Mas poderá fazer, de modo esquemático, uma de três coisas.

Usar funcionalmente sua desconfiança na humanidade em posições onde ela se justifica pelo menos socialmente: policial, fiscal, promotor público, político, agente secreto etc. Digamos essa solução em nossos termos: ela nunca muda sua posição diante do mundo, mas se coloca em situações nas quais sua atitude é de algum modo adequada. Seu "ajustamento" se faz nessas condições.

A segunda solução consiste em *criar* em torno de si uma situação para a qual sua posição é apropriada. A maior parte das dificuldades domésticas — e dos casamentos — nasce desse modo. Costuma-se dizer nesses casos que o indivíduo quer impor-se ou impor sua "opinião", que ele quer "mandar". Essa não é a verdade principal do caso. O principal do caso é o esforço, em geral inconsciente, que o indivíduo faz a fim de moldar a situação pela sua posição, precisamente para evitar a reestruturação de si mesmo. Todos nós sentimos esse fato, de forma atenuada, quando mudamos de casa. De começo, não nos sentimos à vontade dentro dela — não desenvolvemos os automatismos motores que nos permitam perambular por ela "sem pensar". Temos, por outra, de "prestar atenção" a tudo que fazemos: à marcha, a fim de não esbarrar em móveis; às distâncias, para encontrar portas e não paredes; às voltas e às distâncias que as separam; às mãos, a fim de encontrar comutadores; às cadeiras, para não nos sentarmos no chão. Em casa nova, durante certo tempo, é preciso estar vigilante — ou erramos.

Todos temos, então, desejos de que a casa nova seja igual à velha. Não é "vontade de poder"; é vontade de "inconsciência" de ajuste automático.

A terceira solução, enfim, é tida como a mais nobre, a mais elevada. Muitas vezes de fato é. Consiste no cultivo, em mim, de todos aqueles modos, convicções e hábitos que se opõem à desconfiança. Ela não desaparece, mas se compensa. Se papai foi muito mau e a desconfiança se fez muito grande, é preciso tornar-se quase santo para contrabalançá-la.

Existe a quarta solução, é claro: a de seguir a desconfiança totalmente, fazendo-se um psicótico ou um marginal.

Aí estão as "soluções" para um traço de caráter, a desconfiança. Vê-se bem que a "análise" faz o que dissemos no começo, não aniquila o modo, mas reintegra-o de outra maneira, no próprio indivíduo ou na sua relação com o meio. Aí está por que o significado diagnóstico das fases freudianas pode, ele também, ser posto em dúvida. O uso dessas fases para classificar tipos humanos vale tanto, ou tão pouco, quanto tantas outras classificações caracterológicas. A classificação serve para o fim segundo o qual foi criada — mais exatamente, pode servir bem a quem a criou e a quem tenha feito própria a ideia do criador. Qualquer classificação serve para tranquilizar quem a usa, na certeza ambígua de que, "se eu errar, muitos erram comigo".

Aliás, tais críticas têm pouco de mim. Fui encontrá-las todas, algumas explicitamente, outras implicitamente, nos próprios psicanalistas.

AS FASES FREUDIANAS

Muitos se queixam, como Reich, da congruência precária entre teoria libidinal e "técnica". Todos mostram nos relatos clínicos essa precariedade. Ainda não vi um relato clínico bem-feito e convincente, que mostrasse correspondência satisfatória entre etapas clínicas da transferência e etapas do desenvolvimento libidinoso.

Todos usam, *ao sabor do momento terapêutico*, os chavões clássicos e obscuros: "agora víamo-nos a braços com um intenso sadismo anal, com cobertura — ou resistência — oral passiva"; "na análise da fase edipiana interferia uma intensa 'carga' fálico-narcisista"; "já prestes a abandonar-se à sua genitalidade plena, surgiu uma curiosa resistência anal passiva"... E quantas mais.

Cheguei por minha conta à conclusão de que, na descrição de um curso clínico, o terapeuta emprega os termos que qualificam as fases exclusivamente como *adjetivos qualificativos da disposição atual do paciente*; ou a disposição preponderante, ou aquela que mais incomodava o terapeuta na consecução do que ele julgava ser sua finalidade imediata. Todos os termos técnicos de inspiração doutrinária podiam ser substituídos — e com vantagens — por adjetivos não técnicos, preferíveis pela clareza e pela maior especificidade. Seguem-se alguns exemplos.

UM POUCO DE BOM PORTUGUÊS

"Carga fálico-narcisista" = orgulho, sobranceria, prepotência, pretensão, convencimento.

"Resistência oral-passiva" = jeito de quem espera lhe seja dado tudo como se fosse direito seu; "expectativa indolente de sinhá-dona, que espera lhe sejam adivinhados os desejos"; "mágoa sentida porque ontem — dia de passeio — choveu".

"Fase edipiana" = "sentimentos amorosos veementes e incertos"; "exigências amorosas apaixonadas"; "caprichos sentimentais"; "cigana", "princesa", "boneca" etc.

"Resistência anal passiva" = "jeito de menino bonzinho que faz tudo para ser amado"; "disposição a concordar sem discriminação"; "mania de agradar"; "gentileza compulsiva".

Como se vê, os textos ficariam mais limpos, mais claros e mais convincentes.

E não é só visando criticar que trabalhei nesses exemplos. Eles me servem de outro modo, que esclareço novamente em exemplo.

O paciente chega, arruma-se com cuidado na poltrona, buscando a maneira mais cômoda de estar sentado. Depois se recosta, relaxa e contempla o vazio, feliz de uma felicidade interior que só espera ser percebida para se fazer sentir.

"Sinto-me como se estivesse no colo de mamãe — mole, macio e quente..."

O paciente teria experimentado concretamente tal estado no colo de sua mãe real durante a infância? É possível. Digo apenas que já vi e ouvi algo semelhante de pessoas cujas mães não eram disso. Foi na fase oral, anal ou edipiana? Importa?

O mesmo estado de espírito e a mesma atitude poderiam ter-se acompanhado de frases assim:

"Sinto-me bem" — referência às sensações corporais imediatas; "estou em paz" — referência ao estado de consciência; "estou em paz com o mundo e com os outros" — quase filosófico; "Deus é bom" — referência religiosa; "creio que cumpri meu dever e agora posso descansar" — referência quase moral; "sinto-me um animalzinho feliz" — como a primeira; "não sei por que existem jornais" — crítica social; "gostaria que todos sentissem o que estou sentindo" — apostólica. E quantas mais.

Assim, para sermos "completos", teríamos de usar uma escala somática, outra biológica, uma social e outra moral, uma filosófica e mais uma religiosa. De todas elas, prefiro a escala da descrição da *expressão atual*.

PLENITUDE PRESENTE

Quando os indivíduos estão "em paz com o mundo", o rosto e o corpo se põem muito convincentemente como o de uma criança, no sentido de "sem máscara" e "sem forma". Toda a figura da pessoa é maciamente repousante e pode-se dizer, então, que a ela *é paz*, *é alegria* ou *é felicidade*. Facilmente acreditaríamos que ela não tem esqueleto — não tem nada rígido em nenhum segmento do corpo; as linhas todas transitam umas para as outras sem degraus nem ângulos. "Macio" é excelente descrição para o que se vê nesses estados. Há algo de "luminoso" também.

O desprezo — ou a cegueira — diante dessas coisas, o movimento geral de tantos no sentido de considerá-las "fantasia", "bobagem", "ilusão"; a erudita negação de tantos ao considerar tais coisas "não científicas"; a reação de todos contra o "sem forma", o "indefinido", o "indizível", tudo isso faz que se afaste esse ver imediato da psicoterapia, da ciência e da vida, substituindo-o por definições, esquemas e teorias verbais e verbalizantes. Em vez de "em paz", poderia ser "em fúria concentrada", "em tristeza ilimitada", "em medo puro"; mas nove de dez pessoas, diante dessas expressões, imediatamente começariam a falar de outra coisa, perguntariam por quê ou tentariam "analisar".

É porque quase ninguém se deixa experimentar plenamente esses estados — além de afetivos, eles são fecundos em sabedoria, decisão e firmeza —, porque quase ninguém se anima a experimentá-los que quase todos se propõem a explicá-los.

Eles não têm nome — nem tempo, nem lugar. São "o eterno atualizado". *Maturidade é a capacidade de experimentar tais estados sem perguntas nem explicações.* Terapia é aquilo que leva as pessoas à maturidade. Se o leitor conhece essas coisas, deve ter percebido que estou próximo dos orientais. Eles também, profundos que são na ciência do homem, dividem-se em escolas, cada qual com uma explicação própria. Não são suas teorias que admiro; são suas descrições e, em parte, suas "técnicas", estas também notavelmente diversificadas.

Porém, separo-me do oriental em um ponto determinante: ele tende para o monólogo, admitindo como diálogo apenas aquele que se estabelece entre o discípulo e o mestre. Tenho para mim que esse não é o caminho nosso, ocidental. O nosso, sob a cruz do "irmão" e animado pela caridade, é essencialmente o diálogo com o outro, diálogo inteiro, de palavra, corpo e alma. Diálogo com "o próximo", quem quer que ele seja.

Voltemos, para liquidá-lo, ao tema da teoria e da técnica. Em termos de atitudes humanas, pergunto: poderão nossas convicções — *quaisquer* — deixar de estar presentes *constantemente* em tudo que fazemos e, sobretudo, em nosso modo de estar, em nosso aspecto exterior, na impressão imediata causada pela nossa presença?

Uma das tarefas fundamentais em psicoterapia é a descoberta de um pelo outro e *vice-versa*. Essa descoberta *recíproca* se faz explorando aquela zona das influências obscuras que uma pessoa exerce sobre a outra e *vice-versa*. Aprende-se assim — e só assim — o que é "relacionamento humano"; só assim percebemos, aos poucos, a matriz primária que nos reúne em um só todo, e os arranques primários desse outro instinto — tão fundamental quanto o de comunhão — que é o de individualizar-se.

O essencial dessa afirmação pode ser mais bem apreciado no resumo de uma primeira entrevista que reproduzo a seguir.

O paciente entra. Jovem, alto, fino de corpo e de rosto. Finamente presente e sensível, seriíssimo, com um olhar penetrante, inquieto e desconfiado.

Senta-se.

Permanecemos uns bons três minutos sem dizer palavra, "medindo-nos" reciprocamente. Depois desse "introito" incomum, não resisto à situação e comento:

— Você devia ter outra cara.

Ele ouve, pesa e, bem sério, pede um esclarecimento, com a expressão do rosto.

— Seu rosto é muito mais velho do que seus anos.

— Já ouvi isso outras vezes.

— Então eu errei.

— ?

— Repeti coisa sabida. Isso ajuda a coisa sabida a repetir-se, e não se sai do lugar.

Eu já tivera notícia do rapaz antes da consulta. Sabia que ele era inteligente e comparecera à entrevista muito cético. A menor atitude formal de minha parte me exporia a críticas implacáveis — o que talvez não fosse importante — e a uma desistência do paciente — o que eu não gostaria que acontecesse.

Ele me interessava. Fiz questão de impressioná-lo. Seus modos me disseram, além do mais, que ele fazia muita questão de ser tido e tratado como inteligente. Continuei:

— Vamos estabelecer uma regra, se você aceitar. Sempre que me parecer que você está se repetindo, eu denuncio. Sempre que você achar que eu estou me repetindo, você flagra. Certo?

Ele concordou com a cabeça e o resto da sessão foi muito difícil para os dois. Mas foi um bom começo.

EXPECTATIVA DE COMPORTAMENTO

Um caso geral esclarecerá outros lados da tese.

Uma expectativa de conduta — expressão sonora e feliz — *é uma atitude, algo que atua porque é visto*. Se vejo uma criança tímida, automaticamente ajusto minha atitude, amacio a voz, abrando o gesto, afrouxo o corpo. Ou, se desprezo os "fracos", me levanto acima de minha altura, engrosso a voz e endureço o gesto enquanto digo "deixe de bobagens, menina; vá, o mundo é dos ousados!" Há, é claro, certa variedade de respostas ao tímido. Mas ele *sempre* encontra nos outros uma dessas três ou quatro expectativas de conduta, todas elas cuidadosamente calculadas *para alimentar a timidez,* seja por cumplicidade, seja por reação.

A primeira coisa a fazer, diante de um tímido, é *achar aquilo em que ele não é tímido*. Só assim tenho *eu* a certeza de não estar voltando para ele uma das tais expectativas de conduta. Só assim *dou a mim mesmo* a oportunidade de encontrar-me com ele onde ele é ele, e não onde ele é timidez.

A ESTÁTUA E A BAILARINA

Há outros caminhos, bem sei. Nem todos os outros são maus ou radicalmente ineficazes. Mas o melhor, quando se consegue, é o que aí está.

E com isso podemos encerrar nossa digressão sobre o método. O melhor método psicoterápico é o não método, quando é conseguido.

É fácil pôr essa regra em paralelo com o princípio básico do comportamentalismo. Sempre que respondo a atitudes estereotipadas, estou reforçando esse comportamento. A *única* resposta que *não* reforça o comportamento estabelecido é *a menos provável*.

Pode-se basear nessas proposições toda uma teoria e uma técnica de psicoterapia comportamentalista, apoiada apenas no controle do terapeuta sobre as próprias respostas. Isto é, o "equipamento" descondicionante/recondicionante é a pessoa do terapeuta.

AS ATITUDES E AS PALAVRAS

Chegamos aqui trazidos pela consideração da componente expressiva da atitude. Tentemos, retornando ao caminho, conceituar objetivamente essa componente. Expressão de uma atitude é o que se *vê* dela, principalmente; secundariamente, é sua descrição verbal. Lembremos bem a diferença enorme entre uma estátua vista e a descrição que se faz dela para alguém que não a viu.

Os modos mais práticos e universais de fazer essa descrição são dois. Um deles consiste em pôr a expressão da atitude em palavras, como se o sujeito da atitude estivesse falando. Foi o que fizemos no caso da senhora que brigava com a filha.

A "polifonia do pensamento" ou o "pensamento em vários níveis", de Stekel (Freud, em termos de "pensamento latente", descreveu o mesmo fato), explica-se desse modo. Já vimos que, regra geral, estamos experimentando várias inclinações *ao mesmo tempo*, e várias delas podem ser ditas em uma frase. Dependendo da situação ou do interlocutor, um desses "pensamentos" sobressai dentre os demais e acreditamos que a pessoa estava "pensando" exclusivamente esse pensamento. Os outros — que Freud descobriu — dizemos que são inconscientes. De fato, são mais ou menos inconscientes para o sujeito, mas não invisíveis para o observador. A expressão da atitude, que é a forma atual do corpo a cada instante, entende-se melhor discutindo junto outro tópico: o *sentido* da expressão e sua intenção. O sentido de uma atitude é a realização de sua intenção.

Voltemos aos termos. Quem está "com intenção de" está "em tensão para"; não apenas tensão genérica, mas sim conjunto de tensões organizadas, criando uma atitude definida, que predispõe a um ato específico. A direção desse ato *no espaço* define objetivamente o sentido da intenção. Convém, para simplificar, considerar o espaço dividindo-o em oito triedros ortogonais cujos lados, comuns três a três, são três planos perpendiculares entre si e cruzando-se no centro de gravidade do corpo: o plano frontal, o sagital e o horizontal mediano. Assim, ficamos com uma figura humana posta no centro de oito regiões do espaço, regiões de valor psicofisiológico muito diferente:

- região anterossuperior direita;
- região anterossuperior esquerda;
- região anteroinferior direita;
- região anteroinferior esquerda;
- região posterossuperior direita;
- região posterossuperior esquerda;
- região posteroinferior direita;
- região posteroinferior esquerda.

O leitor talvez se sinta confuso diante dessa geometria pouco útil na aparência. Mas vamos mostrar que ela é conveniente como esquema mental.

EU E MEUS FANTASMAS

É muito diferente a resposta motora, conforme a região do espaço onde está o objeto, dependendo de onde vem ou para onde vai ele — ou o sujeito.

Segundo: em clínica, quase sempre o paciente não está, na aparência, referido a objeto algum, mas simplesmente sentado e falando. Seu corpo, porém, está de algum modo orientado, e captar essa orientação pode ser fundamental. *É o caso de objeto virtual: o corpo se mostra disposto como se adiante, ao lado ou acima do paciente, houvesse algo que vai ou vem, como se o paciente fosse a, se afastasse ou passasse ao lado de.*

Regra geral, o corpo da pessoa está disposto como se houvesse na situação *mais de um objeto,* podendo esses objetos ser de coisas comezinhas e concretas, até pessoas, multidões, fantasmas, gases, líquidos etc.

Eu via uma paciente psicótica sempre em uma estranha posição: sentada, a cabeça apontava para baixo, fronte apavorada; as coxas mantinham-se fletidas em relação à bacia, de modo que seus pés não tocavam o chão. Um dia a atitude se esclareceu quando ela, apontando para o chão, disse: "Tem água aí". Seu gesto era o de quem evita molhar-se. Além disso, ela mostrava *os ombros* rigidamente espremidos — "se eu os largar, os braços podem cair no chão!"; *as mãos,* "bobas", de criança de três meses, manipulando coisas invisíveis; os olhos frequentemente estrábicos, sem ver os objetos próximos, mas vendo a "eles", frutos do delírio. A boca *tranquila,* cheia, sóbria e "real", a única coisa presente na paciente, a única resposta genuína ao aqui e ao agora.

Como se vê, de maneira esquemática, quatro partes do corpo estão respondendo ao mesmo tempo a quatro "objetos" e a quatro situações diferentes, de algum modo superpostas.

Baseado em uma boa observação, nos esquemas e exemplos que vou dando, o leitor será capaz, agora, de ver pelo menos duas aplicações importantes dessa conceituação da personalidade que a considera um "auto-móvel" no espaço e no tempo.

PROFUNDEZAS E CAMADAS DA ALMA

A primeira é a noção de "profundidade" de um impulso, o mais ambíguo problema da psicanálise; junto dele, a noção de "camada" psíquica, não menos ambígua. É curioso que o conceito mais ambíguo de uma teoria tenha sido aquele que maior voga e mais "respeito" incutiu: "análise profunda" — é o nome da psicanálise, seu distintivo, brasão e pendão. O "resto" é... superficial.

Quais são os critérios de profundidade de um movimento "interior", segundo a psicanálise? Primeiro, a prioridade cronológica, o mais falado em teoria e, na prática, o menos usado, por razões óbvias. O resumo abstrato do critério seria: o que vem antes explica intelectualmente e é a causa eficiente do que vem depois. No limite, o presente não existe senão para avivar o passado. Tomado ao pé da letra, esse critério reverteria a ordem da fluência vital, nos levaria para o passado, para os ancestrais, os deuses-lares, a tradição, a herança biológica, a história e a arqueologia. Como se vê, essa frase algo inesperada não deixa de ser um bom resumo das "interpretações" que constam nos relatos clínicos e uma boa recapitulação daquilo que Freud escreveu, sem contar sua inclinação pessoal pela arqueologia e as comparações que fez entre esta e o trabalho psicanalítico. A rigor, ninguém acredita nisso — espero.

O termo cunhado por Freud para esse fator de profundidade é o "topos" — o período ou o instante, no tempo, em que a causa agiu. Curiosíssimo que Freud falasse em topos e topologia (que significam lugar, forma e espaço), quando tinha em mente *uma distribuição no tempo*. Coerentemente, a topologia de Freud deveria chamar-se *cronologia*; ele chamou de topologia a "estrutura" da personalidade, representação espacial da sequência temporal. Creio que atuou em Freud o pressentimento de coisas que estou procurando tornar explícitas.

Nesse sentido, o critério cronológico-topográfico merece ser retido: a forma presente da personalidade é consequência de todas as suas experiências passadas, atuando cada uma dessas experiências como um golpe de cinzel de um escultor — fazendo, desfazendo e refazendo a forma. Para mim, a forma presente da personalidade é, por definição, a forma do corpo a cada instante — a atitude. Mas, sem o aqui e o agora — situação presente —, não sabemos nem podemos saber se essa forma é adequada ou não, "certa" ou "errada", "boa" ou "má", "normal" ou "neurótica". A dupla "figura" a ser comparada é a forma e a colocação *da pessoa na situação presente*. O que deve ser apreendido é a discordância entre as duas figuras, quando houver. Se pudermos resolver a discordância com outros meios, sua compreensão se faz inútil. Na verdade, o desejo de compreender é um sinal fino e seguro de que *não há concordância*. A sabedoria é filha da frustração; a ciência também. Quem está bem-posto não explica; vive. Sua "sabedoria", que existe, não é verbal; é ontológica.

Façamos uma comparação a mais para esclarecer nosso conceito de colocação, ao mesmo tempo posição, orientação e disposição. Nossa comparação serve, ainda, como teste.

OS DESEJOS, OS TEMORES E OS MOVIMENTOS

Um homem é posto no centro de um retângulo sensivelmente alongado, constituído por um muro de dois metros de altura com mais três metros de tela grossa de arame, acima da alvenaria. Em um dos cantos, há um vaso com flores artisticamente arrumadas; no outro, distante, uma arca aberta, cheia de pedras preciosas; no terceiro, e adjacente a este, uma jovem mulher, bela e nua; no quarto, um leão selvagem vivo. Há também um peculiar dispositivo para observação que mostra, à vontade, apenas o homem, ou este e qualquer um dos cantos isoladamente, ou o homem e dois cantos etc., até a cena toda. Última condição da prova: uma vez iniciada, o homem pode mover-se à vontade, enquanto os objetos móveis dos cantos mantêm-se imóveis durante dois minutos.

Vendo apenas o homem, enquanto ele se volta para cada canto explorando inicialmente a situação, poderemos, ao observar seu jeito e suas expressões, imaginar o que há nos quatro cantos?

Em parte, sim.

Podemos, logo, classificar os quatro cantos como "importantes" ou "sem importância" apenas pelo tempo que o homem demora *posto na direção* do canto considerado — direção, orientação. O que se "põe na direção", em nós, são primariamente os olhos, isso é claro.

Vamos supor também que o homem veja uma coisa por vez. Nosso exame será facilitado se, em vez de observar a cena, observarmos um filme do *homem* em câmera lenta, filme que evidencia seus mínimos movimentos.

Praticamente todos os espectadores do filme se sentirão de imediato apreensivos, pelo fato de que os objetos não aparecem. A observação apenas do homem — com suas voltas e reviravoltas, inclinações para um lado e para outro, preparação para o ataque, a fuga, a busca — despertará uma impressão curiosa em quase todos, misto de ansiedade de "ver o fim", perplexidade sobre "o que é que ele está fazendo?" e comicidade — "que bobo, mexendo-se tanto à toa". A maior parte das pessoas, instintiva e intuitivamente, criará objetos e comporá uma história partindo dos movimentos do homem. Se a cena toda aparecesse, pouquíssima gente se deteria na observação do homem. Quase todos diriam "que é que ele vai *fazer*?"; esperariam, dito de outro modo, movimentos definidos do homem em relação aos quatro objetos e, enquanto esperassem, moveriam os olhos constantemente do homem para os vários objetos, avaliando distâncias, acelerações, posições. Ainda que "movidos" aparentemente por imagens visuais e sentimentos, o que eles de fato fariam seria transformar-se em computadores mecanogeométricos. O sentimento vivo se converteria em telemetria e goniometria.

Esse jogo é "profundo" por ser o plano *eficiente*. Os sentimentos importariam pouco se as distâncias e os tempos não dessem certo. Pior do que isso, um sentimento inoportuno, influindo sobre essas grandezas de base, poderia comprometer o herói.

No entanto, um observador arguto e sensível poderia descobrir toda a história apenas vendo os dois primeiros minutos do filme. Mesmo sem argúcia especial, qualquer pessoa compreenderia toda a história, ainda que as quatro figuras dos cantos fossem apagadas do filme mas aparecessem todos os movimentos do personagem em relação a elas.

Poderia haver erros ligeiros, mas qualquer espectador diria, com base no que o herói *fez* em cada canto e em seu modo de pôr-se:

A ESTÁTUA E A BAILARINA

- Ali há algo bonito — o vaso, contemplação, admiração — e não é preciso fazer nada com isso.
- Ali há algo de valor — o baú, a ambição, a cupidez — que a pessoa quer para si, que ela acaricia e deseja; são pequenas coisas (gesto de dedos) que devem ser preciosas; devem estar contidas num "vazio" geométrico, pois os gestos se contêm dentro de um quadrado, que não está ao nível do chão.
- Ali — a mulher, desejo, amor, prazer — deve haver uma figura humana, algo que se acaricia e se deseja para si, algo que dá prazer — *deve* ser uma mulher.
- Ali — o leão, medo, luta, fuga — deve haver um animal feroz, forte e perigoso, há cuidado na aproximação, há velocidade na fuga, há posição de luta.

Esse exemplo, destinado a treinar o leitor nos modos de ver próprios do autor, é menos artificial do que parece.

Jung relatou inúmeros sonhos e publicou desenhos de pacientes seus nos quais o tema muito frequente era "quatro cantos", "quatro polos", "quatro objetos". No consultório, tenho uma lousa; quando o paciente relata sonhos e fantasias, componho nela a topografia do sonho. É comum haver nesses esquemas o tópico "quatro focos de influência" governando as andanças e hesitações do paciente no sonho.

Aliás, recomendo o "método" de desenhar a topografia dos objetos do sonho àqueles que pretendem conseguir experiência pessoal nesse campo. Obtemos desse modo uma noção do "espaço de sonho", que é bem diferente do espaço dito real, mas aos poucos vamos descobrindo correspondências peculiares e regulares entre o espaço onírico e o espaço físico.

Tenho por vezes o pressentimento de que a "transformação" de um espaço em outro obedece a leis constantes, algo assim como as várias projeções usadas no traçado de mapas. O mundo é esférico, mas podemos projetar seus acidentes em um plano, em um cone, um cilindro, um cubo etc. Há, com isso, violentas modificações de forma, mas pressente-se em ato que todas estão ligadas.

TOPOLOGIA PSICOLÓGICA — A PRÓPRIA

Dizíamos, comentando Freud e seu critério de profundidade, que o passado atua com exclusividade na forma presente até o momento em que o presente começa. E mais, que é a discordância entre a posição e a situação que "mede" a influência do passado no presente. Tudo aquilo *que não se compreende* pelo presente pode ser "explicado" — são hipóteses — pelo passado. Querem outros, com razões também ponderáveis, que o déficit se explica pelo futuro. Ambos, passadistas e futuristas, são igualmente lógicos e precipitados. O único *fato* demonstrável é que existe discordância entre posição e situação, sob certos aspectos.

O ponto é notavelmente delicado e deve ficar bem claro. A discordância não existe de maneira absoluta; existe "sob certos aspectos".

O primeiro aspecto é o do sujeito, que pode sentir ou não, perceber ou não a discordância; pode senti-la como sofrimento ou como satisfação; pode julgá-la boa ou má.

O segundo é o do observador, que pode sofrer as mesmas alternativas do sujeito.

Nosso teste pôs à prova essas afirmações. O que seria "certo" naquela situação? Há demasiadas variáveis em jogo para que alguém possa saber, *antes* do acontecido, o que vai acontecer. As situações de vida são quase sempre assim, complexas e incertas. O artifício matemático que consiste em resolver uma relação complexa tornando constante uma variável de cada vez só serve para matemáticos enquanto matemáticos. Na hora em que o filho do matemático lhe pede um dinheiro para comprar sorvete, o método já não serve mais.

O artifício matemático tem paralelo no mundo psicológico e social.

Todos nós agimos "fazendo de conta" que muitas variáveis são constantes. Todos os títulos e categorias sociais funcionam assim. Branco, brasileiro, casado, católico, médico... lembra-se, leitor? São artifícios. Também funciona assim aquilo que julgamos serem nossas características pessoais: "Eu sou decidido, enérgico, justo, forte"...

É à luz dessas falsas constâncias compulsivas — imposturas — que "julgamos" as situações. Para "o forte", se o homem de nosso teste simplesmente pulasse o muro, a solução seria péssima — a de um covarde. Para o pusilânime, o mais certo seria fechar-se no baú das joias. Para o eterno cavaleiro andante, o certo seria tentar sobrepujar o leão a fim de salvar a dama.

E basta.

A discordância colocação/situação está inevitável, indissolúvel e necessariamente ligada *ao observador*, que é parte essencial da situação. Falo do consultório e da psicoterapia.

Admitamos — é assim que acontece concretamente — que paciente e terapeuta, ou ambos, sintam ou julguem haver discordância. Como concebê-la? Estará o passado ou o futuro influindo no presente? Muito precária a hipótese diante desta outra, bem mais objetiva: *há* discordância, e isso quer dizer que o paciente, o terapeuta ou ambos *não estão inteiros* na relação; ou, mais simplesmente, *não estão adequadamente relacionados* entre si e com a situação.

Os dois sinais clínicos de relação adequada são o diálogo verbal vivo e significativo *para ambos*, ou o silêncio igualmente significativo *entre ambos*.

O QUADRILÁTERO DA MANDALA

Em terapia, não existe só o paciente e sua relação com o mundo; há também o terapeuta, a relação entre os dois e entre seus "mundos próprios". Este é o quadrilátero definido por Jung e de algum modo entrevisto por Freud. Há o paciente que mantém comigo uma relação consciente e outra inconsciente; de modo análogo, existo eu com uma relação consciente e outra inconsciente.

É sempre assim, para todos, a qualquer tempo e em qualquer lugar.

Ainda que esquematicamente, posso de algum modo objetivar o quadrilátero de influências recíprocas dizendo que eu falo e estou vendo o paciente, ao mesmo tempo que o paciente fala e está me vendo. O que eu vejo nele é sua atitude, a forma atual de seu corpo e suas variações (mais sua face); o que ele vê é minha atitude, a forma atual de meu corpo e suas variações (mais minha face). *Nessa forma atual e suas variações, vai o inconsciente atuante e vivo, em contraposição ao hipotético.* Às atitudes é preciso acrescentar a *música da voz,* que não se confunde com a letra. Dentro desse quadro, não existem atitudes neutras, no sentido de "atitudes que não influem"; não há atitude que não influa.

Com isso, passamos do conceito cronológico — dito impropriamente topográfico — de "profundidade" ao conceito rigorosa e literalmente topográfico, *forma e posição do paciente e do terapeuta dentro da situação.*

Junto com esse tema, vai bem o das "camadas" ou "estratos" psicológicos, que Freud amava comparar aos textos geológicos. Nas análises psicanalíticas e nas de Reich, vemos o ser humano comparado indiretamente com uma cebola ou uma alcachofra.

"Analisada" a "camada superficial" de "narcisismo secundário", surgia "do fundo" — "emergia" com clareza — o impulso para a dependência oral. Mas o leitor não se iluda, como não se ilude o psicanalista. Isso que emergia do fundo "logo se revelou" resistência contra o sadismo anal; era, pois, mais um "estrato psíquico" a ser "penetrado" antes de se chegar a "camadas mais profundas" do id.

Ao ler essas frases, não sei o que sinto. Sei que o sentimento é péssimo. No entanto, deve-se dizer a favor de Freud que o povo pensa e concebe, ingenuamente, do mesmo modo. São comuníssimas as seguintes expressões: "Por fora ele não mostrou nada, mas sei que no íntimo ficou fulo de raiva"; "ele não cheirou nem fedeu, mas sei bem quanto ficou magoado"; "o que será que existe por trás disso?"

Freud, o povo e o psicanalista fazem todos a mesma confusão lamentável. Confundem "visível" com "audível" ou "verbal". Dizer que "por fora ele não mostrou nada" já é taxativamente falso. A pessoa enrubesceu, seus olhos endureceram, assim como seu queixo e o corpo todo. Quando menos, variou o ritmo de sua respiração, acentuou-se certo ricto dos lábios, ele se virou na cadeira, acendeu um cigarro. Em suma, mostrou e fez coisas. No caso limite, o indivíduo permaneceu imóvel, mas seria fácil ver que ficou mais imóvel do que estava, mais duro.

Portanto, o que se passou "no íntimo", na "camada profunda", era de todo visível por fora. Como a pessoa *não disse* nada e, no limite, *nem se mexeu*, dizemos que ela não manifestou nada. Mas acabamos de ver que o fez. Portanto, o "profundo", no caso, estava na atitude, era visível; e, se eu tivesse sido a causa de sua reação, *bastaria o que vi sem perceber claramente* para que me sentisse preocupado ou satisfeito, conforme eu fosse amigo ou inimigo. Aí está todo o jogo consciente/inconsciente.

Freud subscreveu a mentira social que nos impede a todos de nos dizermos clara e simplesmente o que *vimos* no outro, e nos ajuda na ilusão de que conseguimos "esconder" do outro aquilo que experimentamos. Qualquer esposa sabe mais sobre o inconsciente do marido que qualquer psicoterapeuta existente, existido ou por existir. E não é "intuição feminina" — a misteriosa. São olhos; é ver. Como o marido importa à esposa de muitos modos, ela o vê bem. Mas ela não diz que vê — prefere manter a aparência da legendária intuição feminina.

A MULHER E A INTUIÇÃO

Façamos um parêntese repousante dentro da trajetória árdua. Por que se diz — e é genericamente verdade — que a mulher "tem mais intuição que o homem"? Porque a mulher — explico eu — tem maior consciência do corpo e, por isso, de atitudes. Tem mais consciência do corpo devido a vários motivos.

O primeiro são as roupas mais justas e o salto alto.[4] Bem sei que, de tão usados, esses apetrechos acabam por não ser percebidos. Mas influem sempre e podem fazer a mulher perceber coisas que ela talvez não percebesse com outro traje e de saltos baixos — outra atitude.

Exemplo: uma mulher, quando sai à rua bem-vestida, percebe melhor a admiração dos homens — mesmo que o vestido seja boni-

---

4. É preciso levar em conta que a primeira edição deste livro foi publicada em 1976. [N. E.]

to só para ela. O traje novo ou bem cuidado a obriga, ao mesmo tempo por elegância e por *força física* dos tecidos justos e elásticos, a se pôr mais ou menos orgulhosa, "alta", sobre um pedestal, do alto do qual aprecia e recebe melhor a admiração das multidões que aparecem lá embaixo...

Há, depois, o manter posições e poses harmoniosas, estudadas e treinadas, consciente ou inconscientemente. Há também o não expor esta ou aquela parte do corpo, o que a obriga, outra vez, a se manter sempre em contato com suas posições e em presença delas.

Enfim, coroando esses três fatores, existe o fato de as mulheres serem muito mais olhadas do que os homens, tanto por estes — admirativamente — quanto pelas outras mulheres — criticamente.

Toda pessoa muito olhada — como os atores, os políticos — acaba se fazendo teatral, isto é, começa assumir atitudes em função do auditório. Tanto os atores quanto os políticos, sabemos, são tão intuitivos quanto a mulher.

Prossigamos.

O SUPERFICIAL E O PROFUNDO

Diante desses fatos, pergunto que sentido resta ao termo "camadas psíquicas".

Há o que o paciente diz e há o que eu vejo nele ou ouço na música da sua voz. O que ele diz eu entendo, geralmente. Do que vejo, há coisas que sei dizer fácil e claramente; coisas que poderia mostrar a ele num filme ou — nele ainda — a um aluno meu. "Seu modo é orgulhoso." "Seu sorriso é cético." "Sua respiração é controlada." "Seu andar é cauteloso." "Seus gestos são aristocráticos." "Sua voz é áspera."

Essas coisas *que vejo e sei dizer o que são* eu chamaria de superficiais em sentido próprio: aparecem primeiro, estão à vista, são logo notadas. Mas não é isso o mais importante dessas maneiras; além de superficiais, elas são *bem formadas*, estruturadas; são "coisas" mais ou menos permanentes e aparentemente comuns a muitos, e que por isso já têm nome.

Releia a lista, leitor, e conclua comigo: mais superficial é aquilo que é ao mesmo tempo bem visível, bem formado e facilmente denominável. Bem visível: como é bem visível a árvore isolada numa campina em oposição à mesma árvore agora fazendo parte de uma floresta. Bem visível como laranja amarela entre folhas verdes. Bem visível como os olhos que eu olho em contraposição aos mesmos olhos quando há muitas pessoas em volta e eu não olho nos seus olhos. Bem formado: como é bem formado o embrião em relação ao ovo ou o feto em relação ao embrião; bem formado como o bolo cozido quando comparado com a massa do bolo. Bem formado como o cristal quando comparado com a solução mãe. Bem dizível: como é um "sorriso cético" contraposto a "seu sorriso foi divino"; bem dizível como "azul escuro" contraposto ao "azul do céu naquela tarde maravilhosa".

Agora que definimos "superficial" e "profundo", tudo se torna mais fácil. *Na forma atual do corpo — na atitude —, "profundo" é aquilo pouco visível, pouco formado e pouco dizível. Ou porque a atitude é assim, ou porque o jeito ou a expressão, que também podem ser profundos, são muito fugazes, instáveis e rápidos.*

O desfazer-se de uma forma bem definida é sua análise ou, mais propriamente, sua resolução, qualquer que seja o método ou a circunstância fortuita que produziu esse efeito.

Bela palavra, leitor. Arrisque seu latim; que quer dizer "resolução" e "resolver"? *Re* e *solvere* — dissolver de novo.

"Resolução" e "profundo" são muito afins. Profundo — já vimos — é "aquilo que leva à fusão". Fusão, solução — tão semelhantes!

Resolver um problema, um conflito, uma situação é... aprofundar-se e fundir-se na situação, a fim de adquirir sua forma e então entendê-la existencialmente, por participação, "de dentro para fora".

Resolver uma forma de ser, uma atitude ou traço de caráter e fazê-los desaparecer significa torná-los... profundos.

Bem dizia Jung que os alquimistas eram os psicanalistas da Idade Média. Queriam dissolver e fundir tudo para obter, no fim, a *lapis philosophorum* — o sinal concreto da imortalidade.

Como se vê, Freud também tinha razão — tecnicamente. "A análise deve proceder da superfície para a profundidade." "Deve-se analisar primeiro a resistência e a forma, depois o impulso e o conteúdo."

Meio certo, para sermos exatos. Porque só se analisam o impulso e o conteúdo quando eles se fizeram resistência, isto é, forma superficial, visível, estruturada e dizível. Só podemos analisar estruturas definidas. Quando estas se resolvem — dissolvem —, não há nem pode haver análise, que é precisa e exclusivamente a redução de uma forma mais complexa para outra mais simples. Acontece que, no vivo, o "mais simples" se faz fatalmente profundo porque não tem forma captável. E, nesse mundo das formas sem forma — energia e substância primeira do homem —, toda hipótese é ao mesmo tempo cabível e absurda, lógica e incoerente, certa e errada. Enquanto o vivo não reage com nova estrutura, tudo que se pode dizer é ocioso e inútil, a menos que tenhamos olhos para ver no escuro.

Pode-se ter olhos assim, mas tais olhos não são mais ciência. Aqui cabe a intuição. Jung pressentiu essas coisas ao definir a intuição como "percepção inconsciente". Quando as formas não são mais dizíveis, ainda podem ser perceptíveis. Há essa etapa no processo, que vai do amorfo ao estruturado: é a etapa das formas sem nome.

Dessas considerações, colho o que me importa: o essencial da terapia não é chegar a essa ou àquela forma estável, por mais perfeita que ela se apresente. É treinar o paciente a dissolver-se e a cristalizar-se até o dia em que ele descubra que pode morrer — e ressuscitar. Então estará salvo!

RELAÇÃO FLUTUANTE

— Sonhei. Um sonho só. Chato... Sonhei que tinha relação sexual com um antigo conhecido.

— Relação sexual.

— Não era bem. A gente tentava, mas não dava certo. Era num barco.

— Um barco.

— Desses de atravessar rio.

— Grande? De cabine e tudo mais?

— Não. Pequeno. De banco de sentar, só. Tinha alguma coisa que atrapalhava.

— Tinha mais alguém?

— Não. Era o balanço.

— Foi bom?

— Não. Eu queria, mas o balanço não deixava. Dava aflição.

— Quem era ele?

— Um velho conhecido. Desde menina. Ele era moço quando eu era ainda adolescente, mas a gente se agradava, só de ver e pegar. Quando ele queria mais, eu fugia. Durou vários anos.

— Será que isso influiu para que você se aproximasse mais da mulher do que do homem?

— É capaz. Um pouco. Tinha muita raiva dele — mais tarde, quando comecei a aprender. Dos homens todos. Mas não muita.

— E a sua cara feia, será que começou nessa época?

— O quê?

— Sua cara feia. Já lhe disse que você tem no rosto uma expressão meio misturada de desprezo e desafio — nos lábios e no jeito de pôr a cabeça. E que você tem um olhar duro.

— Sei. Não gosto quando o senhor me diz essas coisas.

— Nem eu. Mas precisa. Será que começou nessa idade?

— O quê?

— A cara.

— Como?

— Você fazia coisas talvez gostosas, mas meio proibidas. Quem sabe foi nessa época que você começou a olhar para os outros desse jeito, assim como quem diz: "Que é que há? Nunca viu? Faço o que eu quero, sim! O que você tem que ver com isso?"

— Ah, sei. Pode ser.

— Depois continuou — e piorou — quando você descobriu seu interesse por mulheres.

— Pode ser.

— Venha cá.

Vamos para a sala onde tenho certo equipamento para explorar atitudes. Peço que ela fique sobre uma plataforma de um metro por dois metros, "do jeito que ela estava no sonho".

Ela sobe na plataforma e fica *em pé*.

— Era em pé?

— Era.

— Você acha que alguém conseguiria fazer essas coisas em pé, sobre um barco que balança?

— Eu não consegui.

Solto a trava que mantém a plataforma fixa e ela, suspensa apenas por um eixo longitudinal, pode oscilar em torno dele.

— Procure equilibrar-se.

Ela tenta, com razoável sucesso. Tem no rosto, bem acentuada, a expressão de desafio e pouco caso. É claro que se põe na situação como alguém que foi desafiado para isso.

Voltamos para as poltronas.

— Acho que seu sonho está ligado a nós. Você já teve algum desejo sexual por mim?

— Não.

— Bem, não precisa ser exatamente como no sonho. Digamos que há entre nós uma relação viva e significativa. Concorda?

— Concordo.

(Depois de uma primeira consulta rápida, a paciente não pôde fazer o tratamento, pois morava em outra cidade. Voltou quase um ano depois, decidida e convicta, dizendo explicitamente que queria tratar-se comigo, devido à impressão que tivera da primeira vez.)

— Curiosa a nossa relação. É mais de desconfiança, de luta e de desafio do que amistosa, de simpatia e de amor. Você deve temer "cair" por mim, afinal de contas um homem?

— O quê?

— Você é durona e não se entende bem com gente do meu sexo — certo?

— Certo.

— Mas está convencida de que eu posso ajudá-la. Será que você não está começando a "entregar-se" a um homem? Ela me olha longamente, bem séria. Seu olhar concorda com o que eu disse.

— Tem mais. Quando você contou o seu caso amoroso com uma amiga e quando, hoje, recordou seu caso com o rapaz do sonho, você ia falando as coisas aos pedacinhos, a custo, olhando para mim às vezes com receio, às vezes, com aquele ar de desafio. Parecia que você receava constantemente que eu fizesse um sermão, passasse uma descompostura ou soltasse uma exclamação, escandalizado com você.

— Era justo isso que eu ia pensando.

— Ou eu não disse nada ou eu disse coisas a seu favor, lembra-se?

— Claro que eu lembro. Me deu um baita alívio.

— É isso. Eu não disse nada do que você temia, e isso te deixou aliviada mas *ao mesmo tempo* hesitante ou desorientada — flutuante.

— Não entendo.

— Diante do que você disse, as pessoas sempre fazem os mesmos comentários de horror e indignação. Seu rosto tem a expressão que convém para responder a elas. Se alguém não faz como você espera, você se sente meio insegura — como se o chão se fizesse líquido. Chão é o pensamento de sempre, aquilo que todos repetem, os comentários que a gente adivinha nos outros, porque são sempre os mesmos. Quem fala ou se põe diante de nós com um jeito que não é o de todos deixa-nos meio perplexos e até assustados. É um alívio e um problema. Uma relação flutuante. Ao mesmo tempo, incompleta... Difícil acertar com o que o outro pensa quando ele não pensa o que todos pensam.

Pausa.

— Sabe, você vive falando com sua cara.

— O quê?

— Falando com sua cara. Lembrando o que você faz, você olha para si com os olhos dos outros e fala para si aquilo que os outros diriam. Esse olhar e esse falar estão bem visíveis na expressão do seu rosto, na boca ruim e nos olhos duros. Sua cara não existe para você, mas para os outros. Ao mesmo tempo, ela é dos outros, não sua. É diante dela que você tenta continuamente justificar-se.

SEMPRE DE RASTROS

"Sonhei um sonho bonito. Estava no fundo de um buraco do qual não se podia sair. Havia várias outras pessoas. Mas não era ruim. Sabíamos que era um lugar de espera, e todos estávamos tranquilos. As paredes do buraco eram de pedra e tinham reentrâncias onde talvez se pudesse pôr os pés ou as mãos e subir. No alto, aparecia um céu azul muito bonito! Eu não tinha nenhuma noção de estar pisando no chão. Na verdade, não parecia haver chão.

A paciente, deprimida crônica, mostra sempre a atitude correspondente: ombros caídos, andar trôpego, relaxamento global, "tendência a cair". Em comparação alternativa, parece que se arrasta constantemente.

Estando em pé, ela se sente deitada — ou de quatro. Daí a falta de chão no sonho, daí as marcas na parede (se pomos uma parede na horizontal e se "subimos" por ela, estaremos de gatinhas, ou rastejando).

No céu azul, "lá no alto", está insinuada a vertical — direção da gravidade e da ortostática. "Fundo de buraco" insinua a mesma ideia e também a de depressão. Nem eu nem a paciente pudemos ver nada disso quando esse sonho foi sonhado; todos os nossos comentários só surgiram quando da entrevista na qual o último sonho dessa série foi relatado.

"Sonhei que eu e uma amiga, que se parece muito comigo, estávamos flutuando no espaço. Havia uma linha que passava por mim e outra que passava por ela. As duas linhas se dirigiam para a Terra, lá embaixo. Eu tentava demonstrar que as duas linhas deveriam se encontrar no centro da Terra.

A paciente conhece bem física e sabe muita coisa de astronáutica. Claro que as duas linhas são prolongamentos da vertical baixada do centro de gravidade; claro que a noção que a paciente tem do próprio contato com a Terra é muito "abstrata" — parece um sonho e uma teoria. Nesse sonho, como no anterior, a paciente se sente no ar. Também desta vez pouco e nada entendemos do sonho, mas o que eu fiz já foi determinado por ele.

A ESTÁTUA E A BAILARINA

Convidei a paciente a recostar-se e a tentar fantasiar, conforme Jung. Já vínhamos tentando algo semelhante havia duas ou três sessões.

Ela se deita e não consegue devanear. Está visivelmente tensa, e o que mais chama a atenção em seu corpo são as suas pernas, nas quais se desenham os músculos com muita nitidez, pois estão muito contraídos. O fato deve ter algo a ver com os sonhos e a falta de chão presente neles.

— Sabe, mesmo deitada você parece estar em pé.

— É capaz. Mas não me sinto bem.

Ponho uma tábua aos pés do divã e peço à paciente que desça com o corpo deitado até apoiar firmemente a planta dos pés na madeira que imita o "chão". Ela custa bastante a apoiar toda a planta dos pés; percebe que só apoia o arco plantar anterior e tenta corrigir, mas custa a acertar. Comporta-se talvez como uma criança que começa a apoiar os pés pela primeira vez no chão.

Enfim consegue.

Em poucos instantes, relaxa de todo, mostra uma fisionomia muito tranquila e feliz. Comenta:

— Estou me sentindo muito bem, muito bem mesmo.

Fica sentindo-se em pé — estando deitada! — por muitos minutos, bastante atenta. Ela é bem capaz dessa concentração prolongada.

Não temos muito a dizer e a sessão termina.

Na sessão seguinte, a paciente parece bem. Diz que está começando a fazer o que devia no trabalho, ainda que com dificuldade. Relata dois ou três fatos que parecem ligados aos sonhos que sonhou, e logo passa aos sonhos propriamente ditos.

— Sonhei que tínhamos de aprender a pegar cobras — com as mãos. Era difícil e perigoso, mas não tinha outro jeito. Uma delas assume a clássica atitude de ataque e nos assustamos. Outra, tida como cobra jocosa, enrodilha-se toda, com a cabeça no centro do círculo, e sai andando como se fosse uma roda. Depois sonhei um sonho pesado, meio de conspiração, de perseguição política.

— Esse eu acho que entendo. Da outra vez você se pôs em pé — na verdade, teve a sensação clara de estar em pé pela primeira vez. Sabe, quem vive se arrastando e se submetendo não tem nada que temer. Ninguém percebe nem se incomoda com a gente quando procedemos assim. Sofremos a exploração usual e nada mais. Mas, quando nos pomos em pé, o caso muda de figura. O orgulhoso facilmente chama a atenção sobre si; quem se põe desperta a oposição dos outros. Quem se opõe encontra resistência. Basta ficarmos em pé para nos fazermos centro de atenções e agressões. Certo?

— É...

— Talvez seu segundo sonho represente seu medo de começar a sofrer "perseguições" pelo fato de ter-se posto em pé.

— É possível. Sabe, a experiência do outro dia foi importantíssima para mim. Pensei muito nela. Depois da consulta, senti não sei bem o que nos ombros, parecendo significar que eu nunca mais vou conseguir andar de ombros caídos. Vou ficar orgulhosa...

— Faço votos. Desde a primeira vez que a vi, tive a impressão de que você andava de quatro — ou de rastros. De que você andava deitada... Curioso. Já conheci muita gente que, estando deitada, fica tão prevenida e tensa que parece estar em pé — e se sente em pé. Gente que, mesmo deitada, não relaxa. Mas essa agora é nova para mim. Nunca pensei que uma pessoa pudesse se sentir deitada estando em pé.

— Pois olhe, apesar da frase meio esquisita, acho que ela descreve bem como eu me sentia.

O sonho da paciente com a amiga, ambas no espaço, foi lembrado quando Margarida — chamemo-la assim — estava no divã com os pés apoiados na tábua.

Logo surgiu a noção de centro de gravidade, pois o sonho contém em forma figurada exatamente a definição de campo gravitacional e centro desse campo, que é o centro da massa em torno da qual o campo atua.

Quem nunca tenha tido ou quem tenha suprimido a sensação e a noção de pesar sobre a Terra e de estar em contato com ela através dos pés não pode saber que está no centro — no centro do mundo e no centro de si mesmo. O centro de si mesmo é o próprio centro de

A ESTÁTUA E A BAILARINA

gravidade; o centro correlato deste, mas posto "no universo" ou na situação, é o centro da Terra, e nenhum dos dois centros tem sentido sem o outro.

Não duvido que é sobre esse modelo que se constrói a noção existencial de ser e de estar — ou não — no centro do mundo. Os seres humanos criaram mil ficções a fim de se persuadir, cada um deles, de que são insignificantes e não têm influência nenhuma sobre os acontecimentos. Ao mesmo tempo sofrem todos, quando se aprende a observar e a ouvir nas entrelinhas, de um sentimento de grandeza já bem assinalado por muitos estudiosos do assunto. Quem diminui o próprio valor, com medo do próprio tamanho, acaba sem querer sentindo-se ampliado muito além dos próprios limites. A consequência é que o indivíduo não sabe nem onde está nem até onde atua. Facilmente se confunde com os outros, através daqueles mecanismos que a psicanálise descreveu — projeções, identificações, introjeções e tudo mais. Todos os processos alienantes acontecem depois da repressão, que é basicamente uma negação de si mesmo. Com isso — ou com ele —, saímos do centro de nós mesmos e nos perdemos.

Não somos nem tão pequenos como gostamos de pensar que somos — nas situações difíceis para nós —, nem tão grandes como nos supomos — nas circunstâncias que nos são favoráveis.

"Estar no centro" é a expressão favorita de Jung e de todos os hindus.

Veja-se a descrição do sonho: "Havia um fio que passava por mim..." O fio se dirigia para o lugar certo — o centro da Terra. A paciente, porém, situada sobre o fio, sem a sensação de contato dos pés com a Terra, não sabe a que altura se encontra. Em vez de estar com os pés no chão, sente-se em órbita! Sente-se perdida no espaço ou solta nele.

Dificilmente se poderia encontrar mulher mais inteligente ou mais honesta do que Margarida. Porém, sua vida e sobretudo sua sanidade física e mental caminhavam de modo inexorável para um mau fim, o fim da acomodação sem convicção por falta de iniciativa, qualquer que ela fosse.

Como pode alguém atuar fora do centro? Como podemos agir com os pés no ar? Qualquer projeto de ação, nessas circunstâncias, terá de falhar.

Reflexões desse feitio interessaram profundamente à paciente, pois respondiam a seu modo usual de perceber e conceber. Ela viu bem até que ponto se negara a ocupar o centro da própria vida.

Negação pueril e impossível; só podemos viver essa impossibilidade usando primeiro as mais falsas concepções e depois suprimindo nossas sensações mais fundamentais. Para convencer-se de que estava fora do centro, a paciente precisava sentir-se no ar...

Mas por que as cobras, aparentemente tão importunas no contexto? Digamos primeiro que as cobras não têm pés nem pernas e que seu contato com a Terra, sendo continuamente global, deve gerar nelas a noção de que vivem no espaço! Elas deslizam como peixes na água e devem, pois, conceber mal a noção de vertical — exceto quando se põem prontas para o bote. Andam de rastros — como a paciente!

Mas o sonho propunha uma tarefa específica: apanhar serpentes com o risco inerente ao ato e com a habilidade necessária para ele. Aplicação cuidadosa, precisa e rápida da mão direita! Por isso temos o símbolo bíblico!

O Pecado Original — vimos — marca a hora em que o homem se pôs em pé e passou assim a dispor da mão direita, podendo competir com Jeová na criação de mundos sem conta.

Nenhum animal constrói mundos a seu gosto.

Em Margarida, com a posição ereta, nascia a liberação da mão direita. Tendo se posto em pé, ela se fazia humana, fazia-se capaz de criar, de decidir, de agir.

A mão direita é o símbolo da ação humana.

ASSOCIAÇÕES DIRIGIDAS

Quando, em psicanálise, se fala em sonhos, o contexto é o das associações livres — ou espontâneas. O pequeno diálogo a seguir demonstra que a ideia que fazemos de um sonho tido por outrem pode ser muito diferente daquilo que foi sonhado.

"Sonhei que caminhava por um lugar difícil, cheio de obstáculos. Adiante, vejo uma construção com as clássicas formas de concreto já solidificado, com hastes de ferro aparecendo. Em um local lamacento e ainda não trabalhado, havia vários carros atolados a profundidades diferentes. Alguém diz que é preciso tomar cuidado, pois outros carros poderiam atolar."

Esse é o relato substancialmente fiel ao original.

O paciente era versado em minhas ideias, inteligente e verbalmente apto; assinalei essas qualidades da pessoa para mostrar que o relato, apesar delas, era precaríssimo. Que o leitor tente imaginar o sonho antes de ler o resto.

— Uma construção?

— Sim.

— Que espécie de construção?

— Bem... Era uma espécie de túnel quadrado, ainda incompleto, ainda não fechado.

— Túnel?

— Sim, algo para passar água, petróleo, alguma coisa líquida.

— Você caminhava ao longo dele?

— Não! Caminhava bem perpendicularmente.

— A construção estava na altura do olhar?

— Não, abaixo, junto do solo, e eu um pouco mais elevado.

— Havia algo dentro do túnel?

— Não.

— Quer dizer que você não sabia em que direção o líquido fluiria?

— Sabia, não sei como; fluiria com certeza da minha esquerda para a minha direita.

— E os automóveis, todos espalhados irregularmente?

— Não! Todos alinhados, em fila.

— Todos voltados para a mesma direção?

— Sim! Curioso, não reparei em nada disso, mas quando o senhor pergunta eu respondo com certeza!

— Em que direção apontavam todos?

— Olhavam todos para a minha direita.

— Como estavam, em relação ao túnel: paralelos, perpendiculares ou oblíquos?

— Perpendiculares!

Creio que não há interesse em comentar.

OPORTUNIDADES DO SUPEREGO!

De cócoras, arrumo copos delicados na divisão baixa do armário. Ponho alguns em arco, à minha direita, com a base em nicho raso de madeira; depois coloco uma jarra no centro do arco e, quando a mão direita volta, esbarra num copo que *fica* oblíquo (não cai nem quebra), encostado em outro. No instante em que o copo oscila, sinto uma tensão brusca bem localizada e bem limitada no abdome; é uma linha à direita do umbigo, começando pouco acima e indo até abaixo dele, oblíqua para baixo e para a direita, com dez a quinze centímetros de extensão. Deve ser, em princípio, uma tensão do músculo oblíquo interno do abdome. Coincidência ou não, a linha de tensão é paralela, estimativamente, ao eixo do copo quando este ficou oblíquo.

Primeira ideia, sempre a mais tola: "identificação"; comportei-me como se eu fosse o copo.

Segunda, mais refletida: na posição em que eu estava — de cócoras —, a tensão faria a espinha ilíaca anterossuperior aproximar-se do umbigo. Isso me desequilibraria, tendendo a fazer-me cair para a esquerda. Seria semelhante a um pequeno empurrão dado no tronco. *Mas, com esse desequilíbrio, o braço direito, que havia tocado o copo e já "vinha" para mim, estendeu-se bruscamente, chegando de novo ao copo.* Se este fosse cair, creio que eu o teria impedido. Ao dizer "eu", nessa última frase, sinto vontade de rir. O que eu fiz foi perceber a tensão abdominal num lampejo — ela foi quase dolorosa. Quando "acordei", minha mão já estava onde "devia"... Aqui há algo também sobre ação *compulsiva adequada*, determinada pela atitude e pelo desequilíbrio.

SUA MAJESTADE SERENA DEMAIS

— Vim procurá-lo porque tenho certo receio de ficar fazendo sempre as mesmas coisas, de não evoluir. Já fiz psicoterapia de grupo durante um bom tempo e ajudou, mas depois não ajudou mais. Parei há alguns meses e sinto que, sem algum estímulo especial, eu não vou pra frente.

Ofélia é uma jovem de 20 e poucos anos, solteira, que trabalha e vive por conta própria.

O que primeiro e mais fortemente me chamou a atenção em Ofélia foi a expressão da fronte e dos olhos. Ofélia parece sempre sonolenta, com a fenda palpebral sempre estreita e um ligeiro arquear de sobrancelhas que lembra desdém. Seus lábios são particularmente soltos, sem nenhuma expressão bem marcada. Parecem lábios de criança.

Na quarta reunião de grupo, Ofélia se manifesta.

— Por meu gosto, eu quereria uma poltroninha num canto onde pudesse ficar apreciando o que acontece.

Providenciamos a poltrona, mas eu proponho que esta seja colocada sobre um estrado, a fim de estar em correspondência com o olhar desdenhoso — isto é, superior — de Ofélia.

Ela se sente um rei — ou uma rainha — e o mostra claramente.

Faço que ela se dê conta de certas contradições implícitas no seu pedido e na cena final — coisa que ela aceitou.

Quem deseja omitir-se e escolhe o canto não pede "uma poltroninha". Mas quem deseja omitir-se tampouco diz que pretende "apreciar o espetáculo".

Enfim, levando em conta o estrado, concluo: quem se sente superior não se põe de canto. O estrado é sempre símbolo de majestade (estar por cima de todos). Mas em nenhuma conjuntura conhecida o trono é posto *no canto* da sala.

Esses comentários não permitem conclusão, e ficamos apenas perplexos.

Assinalo que, em razão de se pôr de lado, por cima e como espectadora, a paciente consegue evitar ou afastar todos os contatos mais íntimos e todas as relações de igual para igual. Daí seus lábios de menina, lábios de quem não viveu, de quem não experimentou a vida, que não tem marcas nem tomou posição.

Comentamos longamente suas atitudes de desprezo, e Ofélia descobre muitas coisas novas para si.

Perto do fim da reunião, a paciente muda de atitude: passa de relatora na defensiva a interrogadora. Toma um livro meu como ponto de partida e, com bastante penetração, assinala várias contradições. Ao se dirigir a mim, ela é clara, incisiva e segura de si, falando como um juiz para o réu (o estrado). Não aponto mais para sua atitude, mas procuro responder às suas dúvidas e acusações.

É claro, porém, que ela assumiu por inteiro sua atitude de superioridade (ou a atitude se apossou dela?).

Na reunião seguinte, ela conta um sonho, na verdade um pesadelo.

— O senhor e eu saíamos do consultório; era noite e descíamos as escadas. Em certo momento, não sei como, tinha um assassino emboscado lá embaixo; não havia trama nem motivo para o assassinato, mas o medo de ser assaltado era grande e subimos depressa as escadas. Eu pensava: também, por que fomos olhar para ele como se ele fosse um facínora? Por isso ele agora nos persegue; devíamos ter passado ao lado, sem encará-lo. Chegamos ao consultório e o senhor tenta abrir a porta com a chave, enquanto eu penso: depressa, se o homem chegar mata primeiro a mim, que estou entre o doutor e a escada...

O sonho não parece ter motivo nem material na vida presente de Ofélia — nem no passado. Parece muito plausível, só por isso, tentar ligar o sonho à reunião prévia, que visivelmente tocara a jovem.

— Ofélia, você não acha quase engraçado o estímulo para o crime? O fato de a pessoa se dispor a assassinar você e a mim somente porque olhamos para ela como se ela fosse um assassino?

— Acho.

— Alguma explicação para o fato?

— Bem, quando eu era pequena, minha mãe dizia que, para a gente não ser mordida por cachorro, precisava passar por ele com toda a calma e quase sem se mexer. Não sei por que esse conselho de mamãe ficou em minha mente; eu muitas vezes fiz assim — e não só com cachorros!

— Ficar sem fazer nada nos protege...

— É isso. Mas é mesmo. Se a gente não se manifesta, o outro não sente nada e não faz nada, não é?

— É assim que você olha para o mundo! Com um olhar parado que faz parar todas as coisas, com um olhar que olha sem direção nítida e para um plano — ou uma distância — difícil de dizer qual seja. Sabe, Bertrand Russell disse que a diferença entre o espaço dos físicos e o espaço da experiência de todos está no centro e na perspectiva. Qualquer espaço concretamente percebido tem perspectiva porque há alguém — alguns olhos — "dentro" dele. O espaço do físico é qualquer espaço percebido quando ninguém está olhando. Você, Ofélia, é o limite da objetividade. Seu olhar não olha para orientar seus movimentos, nem para responder ao que possa estar acontecendo; seus olhos não têm intenção. Por isso você vê como o cientista gostaria de ver — todas as coisas "no seu lugar", isto é, no lugar que elas ocupam quando ninguém está interessado nelas, nem está fazendo nada com elas. Por isso, você se põe num trono — um lugar mais elevado —, apenas para ver. Por isso também, o trono está no cantinho. Para ver, o canto é o melhor mesmo. Para ser o rei da visão... Quando se olha para o mundo sem intenção alguma ou, como no seu caso, com a intenção explícita de não se mexer nem de mexer com nada, as coisas nos aparecem num "espaço puro", que é talvez o espaço do geômetra. Para melhor compreender o que tenho em mente, considere o observador, o aflito e o desconfiado. Os três mostram convergência ocular bem nítida e movem o olhar continuamente, "para ver tudo" — diriam eles. Na verdade, para que não lhes escape nada do que lhes interessa. Veja, observador é o José, aqui ao meu lado; aflita é Alice — lá; desconfiado é o Mateus. Veja como o espaço é rico de direções para os três. O seu espaço, Ofélia, não tem nenhuma direção favorita ou preponderante. Desse modo, você pode estar no mundo sem sentir que nada se refere a você, que nada a ameaça, que nada pode feri-la. Você vive quase sonhando. Aliás, diante do seu rosto sonolento, minha dedução deixa de ser dedução e se faz um fato.

— E o sonho, doutor?

— Não sei compreendê-lo bem, além do que já disse. É claro que você levou um susto da outra vez... Olhe para mim e faça uma expressão de medo.

Ofélia tenta e não consegue. Suas sobrancelhas sobem um pouco, mas suas pálpebras permanecem a meia altura. O resultado final é este: Ofélia parece alguém mais sonolento ainda, pois que luta contra o sono...

— Você se assusta às vezes?

— Difícil.

— Não faz nada para isso, não é?

— Claro.

— Que será que você fez para ter um sonho desses?

— Não sei...

— Será que ocupar a posição que você de fato ocupa — como nós fizemos da última vez — não pôs você em contato conosco, com os pobres mortais?

— Não entendo.

— Sua atitude está em correspondência com a cena que fizemos da última vez, certo?

— Sim.

— Você sabia disso, mas fazer a cena pôs você em pleno contato com sua atitude habitual, com sua posição verdadeira e com as distâncias que costumam vigorar para você. Na verdade, nossa cena é a realidade como você está nela é como você a vê. Que tal?

— Digamos que seja. E daí?

— Daí que você entrou em contato com as coisas, simplesmente. E levou um baita susto. De há muito você percebe as coisas assim, mas não dizia com clareza, nem admitia de todo, que esse era seu modo usual de se defrontar com ou de se pôr diante das coisas. Ofélia, você teve medo porque começou a acordar.

MALTRATADA PELA VIDA

Na entrevista prévia, logo ao entrar, a paciente deixara-se cair sobre a cadeira, desanimada e triste. Imediatamente se pôs a chorar. Após alguns minutos, recompôs-se um pouco e comentou:

— Estou cansada. Vida muito corrida. Depois, me senti horrível no ônibus. Empurrada, apertada, puxada...

Sua frase ficara em minha mente, no intervalo entre duas consultas. Prendia-me uma analogia mecânica de sua descrição. Empurrada, apertada, puxada...

Hoje ela estava melhor. De momento, nada havia por fazer.

Recordo o incidente anterior para ela e continuo:

— Além do que você disse sobre o ônibus, muitas vezes eu vi e lhe disse que você tem a atitude de quem é puxada e empurrada na vida. Você tem o jeito de um condenado que vai para o patíbulo. Meio largada, meio arrastada nos gestos e modos. Queixosa na expressão do rosto e no tom da voz, queixosa como alguém que está sendo obrigada, levada a fazer coisas de que não gosta. Você já ouviu bastante a respeito. Não vou mais insistir. Agora pergunto: você se sente pessoalmente visada pelos puxões e empurrões da vida, ou acha que a vida é assim mesmo para todos ou para a maioria?

Ela pensa:

— Acho que me sinto pessoalmente visada.

— Eu também acho. Mas vejo em você ao mesmo tempo uma certa compreensão de que a vida faz assim com todos. Parece-me, até, que você se esforça para não dar atenção a esse fato, que você luta contra esta compreensão.

— É... pode ser.

— Sabe, há dois modos de referir essas coisas ao corpo. Uma é a realização integral do que você disse sobre o ônibus. Seria assim: você se poria em pé agora e eu a puxaria e empurraria de cá para lá. Sob esse aspecto, nós nos sentimos pessoalmente visados. Mas há outro, que pode ser representado assim: você se põe em pé sobre uma plataforma e eu faço essa plataforma inclinar-se irregularmente para a esquerda e para a direita, para adiante e para trás. Nesse caso, seu corpo se comporta — quanto às tensões musculares — quase como no outro caso. Quase. Mas, sob essa forma, os "empurrões", provenientes do próprio corpo que reage às oscilações do solo, nos parecem impessoais. Claro?

— Muito!

A paciente tem — eu vejo — uma aguda compreensão intuitiva da exposição.

Silenciamos.

Pouco depois, ela comenta:

— Sabe, doutor, sempre que estou deitada sinto que minhas pernas tendem a levantar. É aflitivo. Tento fazê-las descer contra a cama, mas não consigo. É ruim.

— Você poderá corrigir esse sintoma se compreender, no que se refere às pernas, que "embaixo" não é sob elas quando estamos deitados. É na direção da planta dos pés... Da próxima vez, em vez de "baixar" as pernas, procure apoiar as plantas dos pés na guarda da cama, por exemplo.

— Minha cama não tem guarda nos pés...

— Então vamos fazer aqui.

Passamos para outra sala e a paciente deita-se, sem sapatos. Mesmo sob a roupa é clara a tensão dos quadríceps, evidentes responsáveis pela sensação.

Ponho outro livro sob a planta dos pés e faço pressão. Imediatamente, a expressão do rosto se abranda e o corpo se aquieta.

— Melhorou...

Depois, tomo dois cordéis e amarro-os nos tornozelos. A seguir, puxo-os verticalmente para cima.

— É horrível!

A paciente está visivelmente aflita. Largo os cordéis e comento:

— Olhe. Vou repetir com pouca força. Você procurará perceber onde ocorrem as tensões que se opõem ao movimento que vou fazer.

Fazemos. Já com uma tarefa a realizar, a paciente se põe mais tranquila na situação.

Depois de 30 a 40 segundos, largo os cordéis de novo.

— Onde foi?

— Aqui [aponta a face lateral da coxa, no quinto inferior]; no joelho também. E na barriga da perna.

Estranho a descrição. Para baixar a perna nós contraímos os flexores da coxa, que estão na face posterior desta. Em uma cadeira, procuro ver em mim próprio o que acontece; verifico que a descrição da paciente está certa. Há tensão no quadríceps e na barriga da perna, provavelmente ligadas ao enrijecimento necessário do joelho. Mesmo em mim, sabendo o que deveria sentir, tenho dificuldade de perceber concretamente a tensão dos flexores da coxa, tensão alta, logo sob os glúteos. Esclareço o caso para a paciente e repetimos a experiência. Dessa vez ela percebe bem.

Enfim, para dar realismo total à experiência, solicito a ela que se ponha em pé sobre um pano e, pelos cordéis, puxo alternadamente um pé e depois outro pé, fazendo-a andar lentamente, "levando-a" em sentido próprio.

— Agora sinto claramente o lugar que o senhor disse.

Sentamo-nos.

— Então, o que será que arrasta ou puxa você? De uma coisa eu sei: ligar um modo de ser psicológico — "sinto-me arrastada" — a certos grupos musculares sempre traz um alívio. Eu diria que o fantasma se encarna. Não acha?

— Acho.

— E alivia de outro modo também. O fantasma, "sinto-me arrastado", além de não ter forma nem ponta pela qual seja possível agarrá-lo, é também algo inteiramente alheio à vontade. Não sabemos por onde nem como atuar sobre ele. Já quando se localiza e se concretiza num grupo muscular, ele ganha forma e substância e se põe ao alcance da vontade. Já é alguma coisa, não parece?

— Parece. Mas o que é essa vontade?

— É vontade. A vontade clara e direta que me permite fazer qualquer gesto ou movimento. Minha mão faz habitualmente o que eu "quero": pegar um livro, agarrar-se ao braço da poltrona, largar-se no colo etc. Claro?

— Não de todo. Aquela tensão na perna não faz o que eu quero.

— Certo. Mas em princípio poderá fazer. Sua mão não faz o que você quer sem que você aprenda a fazer.

— Sei... E o motivo da tensão?

— Não sei bem ao certo, mas acho que posso dizer alguma coisa útil. Suponhamos que você vá andando pela rua. Suas pernas fazem certa força para carregar você, para levar, dirigir e equilibrar o resto de seu corpo. Certo?

— Certo!

— Digamos que às vezes existam nas pernas, além das tensões mecanicamente necessárias, essas outras que nós isolamos. Como em nossa experiência, você vai sentir que alguma coisa puxa, arrasta ou empurra você pelas pernas. Talvez você não perceba o fato, mas, como há uma tensão muscular, ela desequilibra o conjunto, e você, a fim de se equilibrar de novo, se inclina para a frente. Nesse momento, você assume a atitude da vítima ou da condenada. E começa a sentir-se visada pelo destino e empurrada pela vida. Sabe qual é o jeito? Ombros e cabeça caídos, os dois para a frente, tronco curvo, também inclinado para a frente... Sabe?

— Sei!

— Sente essa atitude?

— Às vezes. Mais ou menos.

— Outras coisas acontecem ao mesmo tempo. Em seu cérebro se formam duas figuras do corpo parcialmente discordantes. É provável que em sua consciência se formem também dois conjuntos divergentes de sentimentos, ideias, recordações... Uma das figuras é dada pela sensação do corpo como ele efetivamente está. A outra, a do corpo, como ele ficaria se as tensões das pernas tivessem força suficiente para vencer as outras, as mecanicamente necessárias. Você se sente dividida, em conflito. De certo modo, aparecem em você duas figuras de si. Quase dois corpos. Qual é o "real"? Ambos são reais. Os dois representam o que existe atualmente. Mas são realidades diferentes. Uma é a realidade de certa posição efetiva, a outra é a realidade de uma posição latente — latente, sim, mas "real" também, pois esse latente existe em função de uma tensão muscular efetiva. Se eu me proponho a levantar um peso maior do que minha força, é claro que não consigo. Mas, ao tentar, a força que eu faço é totalmente real, mesmo que ela não modifique a posição do objeto. Certo?

— Certo.

— Como vê, as duas são reais. Por isso, as duas atuam e nenhuma delas pode ser ignorada ou esquecida. A posição real — exigida pela mecânica —, você a sente como influência perturbadora e não como própria. Esse é o momento em que nós fazemos uma "projeção psicológica": atribuímos a algo fora de nós uma influência que está em nós. É a "vida" que empurra, é o patrão, a colega, a necessidade econômica... Compreenda bem, nós não vemos o que não existe; apenas atribuímos forças, influências e intenções a objetos que não as têm, ou não as têm em tal grau ou em tal sentido.

— O senhor disse que meu "eu" fica onde estão as tensões...?

— Mecanicamente necessárias.

— Isso. Mecanicamente necessárias. Eu não acho. Acho que me sinto nas outras — as que me fazem parecer vítima. É aí que eu estou.

— É... Parece que é aí que você está. Isso é sério, sabe? Desse jeito você põe fora de si o principal, que é o seu peso e seu equilíbrio. Sabe, sua ideia me parece melhor que a minha. E, com a sua ideia, eu entendo melhor um monte de coisas. Muitas vezes eu lhe disse que você parece viver procurando quem a salve, quem a apoie, quem sabe até "alguém que a carregue", porque você parece sempre disposta a largar-se sobre alguma coisa. Lembra-se?

— Sim.

— Aí está. Sua ideia explica o fato. Você, sentindo-se vítima, parece dizer: "Algo me pesa demais — é meu peso; custa-me aguentar-me em pé; me deem um apoio, ajudem-me a equilibrar-me". Que tal?

— É...

— Mas, nesse caso, se você se sente vítima porque se vê obrigada a carregar seu peso — sem reconhecer o fato claramente —, de quem é a culpa? Vê? A projeção subsiste ainda que mude um tanto de forma. Para "explicar" um fato evidente que você não percebe — seu peso e o esforço necessário para carregá-lo —, você começa a ver em torno de si intenções que talvez não existam.

— É possível... Que fazer, doutor?

— Resignar-se a carregar o próprio peso, percebendo antes que ele existe e que é sua substância...

TÁBUA DE SALVAÇÃO

"Sonho sempre este sonho. A primeira vez foi quando eu tinha 16 anos. Estou numa floresta; fechada; queimada; cheia de espinhos. É horrível. Depois vem uma tábua pelo ar, devagar; para perto de mim. Subo nela e ela parte oscilando. Agarro-me às bordas com medo de cair e ela vai longe, longe. Depois chegamos a um lugar lindo, onde tudo é perfeito."

Leila — chamemo-la assim, já que seu sonho faz pensar em tapetes mágicos — é uma mulher de 26 anos, morena, de rosto expressivo, muito séria e concentrada. Parece — já lhe disse — uma pitonisa, sempre a esperar uma mensagem dos deuses. Mas seu deus está fora dela, pois é assim que ela olha para mim e para todos: esperando a salvação. Senta-se bem ereta e bem imóvel na cadeira. Suas mãos gesticulam continuamente, lentas, dramáticas, leves e sofridas. Quando repousam no regaço, os dedos se entrelaçam e as mãos ficam a se espremer fortemente uma contra a outra.

O sonho é fácil. Sentada e imóvel, basta deixá-la tranquila e ela se põe longe, longe — pelos olhos. Para que ela volte, convém chamá-la com cuidado — senão ela se sobressalta.

— Estava bom lá?

— O quê?

— Lá onde você estava. Você estava longe.

— Ah! Não sei. Não estava pensando nada.

— Gosta de fazer castelos no ar?

— Agora não. Quando era mocinha, sim. Muito.

Leila é um tipo introvertido e certamente intuitivo. Até seu sonho faz pensar assim, pelo cunho de lenda ou milagre da figuração. Também os modos de Leila apontam na mesma direção.

A ESTÁTUA E A BAILARINA

Leila sofre de estados de espírito muito penosos, de cunho depressivo-ansioso, durante os quais deseja morrer — ir longe, longe, a um lugar perfeito. Mas o paradoxo é este: Leila já está no Paraíso.

Durante toda a sua infância, os pais lutaram muito entre si e não lhe deram atenção. Aos 17 anos, Leila casou-se, obviamente para sair de casa, e casou-se mal. Desde a lua de mel se desentendeu com o marido; muitas vezes chegou a apanhar. Foi e voltou inúmeras vezes de sua casa para a dos pais, e a última saída de seu lar foi para um sanatório.

O sonho ocorre pela primeira vez aos 16 anos — pouco antes de seu casamento. Prenunciaria ele o evento próximo, a esperança de sair de um lugar ruim e chegar a um bom? Teria o marido ou o próprio casamento parecido a seus olhos uma.... tábua de salvação?

Contudo, em relação ao casamento, a tábua quebrou-se muito depressa e Leila levou um tombo — ou muitos tombos. Por que continuou sonhando, então? Seria o sonho a figura de sua esperança?

Depois de mais três anos cinzentos na casa dos pais, Leila encontrou um homem que a amava bastante, que a cercou de cuidados, de coisas boas e sofria muito com sua doença. Ela encontrara, pois, o Paraíso. Mas, ao invés de melhorar, seu estado piorou! Qual era o mistério?

Quem se acostumou a viver numa floresta árida e espinhosa durante vinte e três anos não sabe como se comportar ao se ver em campina florida forrada de capim macio. Pior que isso: antes de estar na campina, é preciso destruir toda a adaptação feita a fim de viver na floresta. Para Leila, que sempre vivera na floresta hostil, destruir sua adaptação seria como destruir a si mesma — tudo que ela sabia e tudo a que estava acostumada a considerar como ela mesma, seu jeito, seu "eu". Para viver no Paraíso, era preciso morrer primeiro, e o que Leila sentia era precisamente os movimentos da morte dentro de si.

Acostumada a sonhar a fim de suportar melhor a floresta queimada, a paciente não conseguia acordar, agora que podia viver seu sonho. Seu sonho não seria profético? Não seria hora de descer da tábua e sentir de novo sob os pés o chão de verdade de um sonho que estava acontecendo? Mas como distinguir os sonhos se, para Leila, a realidade sempre parecera um sonho ruim, um pesadelo?

É sempre assim. Quem sonha sonhos bons a fim de se proteger de uma realidade má termina percebendo essa realidade como um sonho ela também — um sonho ruim. A verdade é que Leila não conseguia acordar nunca; o mundo era estranho para ela e a assustava. Mesmo que seus pais tivessem cuidado dela e seu casamento não houvesse sido tão ruim, a verdade é que o feitio psicológico de Leila tornava-a pouco apta a sobreviver em nosso mundo racionalista e sensual, enquanto ela era afetiva e intuitiva.

Por isso Leila não acordava. Era preciso pô-la em contato com sua realidade íntima — que era sonho acima de tudo —, a fim de que ela extraísse dos sonhos a força que necessitava para sobreviver, apesar das diferenças entre ela e o mundo. Que ela aprendesse a manejar a força que movia e sustentava a tábua de seus sonhos ou, senão, que aprendesse a se pôr à sombra dessa força: e ei-la capaz de viver! Acordada.

Era preciso trazer Leila do Reino dos Sonhos para o Pesadelo Verdadeiro. Era preciso fazer bruxarias com a fada...

A tábua era muito visivelmente sua coluna vertebral rígida, "aquilo que a mantinha acima das coisas", em uma posição mesclada de orgulho e de medo — ou afastamento. Do alto e de longe, pairando sobre o pesadelo da floresta cheia de espinhos... *Por isso suas mãos se agarravam tão aflitas uma à outra.*

O Barão de Münchausen talvez não fosse tão mentiroso assim quando dizia que, a fim de salvar-se de uma queda, havia puxado a si mesmo pelos cabelos. É possível agarrar-se a si mesmo: basta agarrar uma mão com a outra e vice-versa. Assim não caímos. Mas então nossas mãos não podem fazer mais nada por nós, e toda a nossa esperança repousa em alguém fora de nós — alguém que tenha as mãos livres.

Ter uma realidade é tão importante como ter um sonho. Quem tem os dois pode escolher. Quem tem um só está condenado. Está condenado a viver sempre do mesmo modo, sempre na mesma atitude. Viver assim é insuportável e cada vez se faz mais insuportável, porque, quanto mais outro mundo tenta se propor ou se impor, mais o infeliz reage contra ele e, assim, mais se condena ao mesmo mundo e a uma só vida.

Jung disse lindas coisas a esse respeito. Toynbee também — na história, é claro. A religião, que é sonho de algum modo consciente, foi o começo da liberdade humana.

DERRETIMENTO E FLUTUAÇÃO

Marta estava linda. Séria, tranquila, falando pausadamente com uma bela voz de contralto dramático, fazendo gestos ondulantes, lentos e expressivos; dá gosto vê-la. Outro gosto é compará-la agora com o que ela era dois anos atrás, de feições sombrias, ao mesmo tempo desconfiada e desdenhosa, sendo ou mostrando-se indiferente à sorte de quem quer que fosse; mole por fora — no desdém displicente — e dura por dentro, na crueza com que se referia a todos, mandando cada qual cuidar da própria vida como lhe desse e aprouvesse.

Um longo trabalho psicoterápico de grupo e um longo amor bem conduzido a trouxeram de lá até aqui.

— Mas meu estômago está ruim, doutor. Além de doer, me deixa enjoada o tempo inteiro. Tenho errado o pé a toda hora, e se não me cuido, caio mesmo.

— Sonhou?

— Sim, bastante. Sonhei que íamos em um barco, muito depressa. Sentada na borda, a cada curva eu temia cair, e agarrava-me a alguém que estava ao meu lado, um homem maduro. Às vezes era ele quem me segurava. Depois, sonhei quase igual, mas em um caminhão. Eu estava atrás e o caminhão balançava e virava, e eu tinha medo de cair. Também tinha alguém para me segurar.

— No primeiro, o medo era de cair na água; no segundo, o de cair "no ar", certo?

— O ar não era nada. O chão é que era duro, como costuma ser...

— Para mim importa mais o ar. Antes de chegar ao chão você teria de passar pelo ar, certo?

— Vá lá, que seja. O senhor é quem manda.

— O que significa dependência?

— Precisar do outro.

— Sim. Mas, etimologicamente, o que significa a palavra dependência?

— Não sei.

— Significa estar dependurado. No caso de gente, isso quer dizer estar agarrado com as mãos, como macaco no galho, estar abraçado ao outro, como macaquinho na mãe; estar no colo do outro, se ele aceitar...

— Nossa, doutor, vivo despencando em cima do meu namorado. Ele acha ruim. Basta a gente estar perto e eu me agarro no braço dele, me reclino no seu ombro, sento no seu colo, me penduro pior do que qualquer um dos macacos que o senhor mencionou.

— Então ele é mesmo seu galho.

— Mesmo!

— O mal de quem vive dependurado é ter de andar com as mãos.

— O quê?

— Andar com as mãos. Você não anda com os próprios pés nem sobre as próprias pernas. Você é levada por aquele a quem está agarrada, e só pode ir aonde ele quer, ou para onde ele deixa.

— Não me diga!

— Seu equilíbrio depende do dele. Se ele cair, você cai também.

— Já caí, muitas vezes.

— Você tem medo de flutuar. Apesar da sua pose de indiferente, quando ele disse que não ia mais casar, você sofreu bastante. Como todos, mesmo sabendo mais, você desejava alguma coisa definitiva, certa, fixa. Foi a retirada dele que produziu tanto o seu derretimento como os dois sonhos. Quando ele se negou a casar, você receou desgarrar-se dele e mergulhar em ondas ou ficar solta no ar — nos dois casos, sem nada fixo em torno, sem uma direção fixa sequer. Daí o enjoo e a dor de estômago. Quando estamos em um barco, enjoamos porque no mar não há uma só linha de referência que seja fixa. Seu estômago dói porque você se aperta como uma pessoa que está em um elevador começando a descer rapidamente. Também fazemos assim quando um barco joga muito. Parece que queremos "segurar" o estômago, e o seguramos forte demais.

— Que fazer, doutor?

— Aprender a flutuar — se possível, em um barco de verdade. Apesar de tudo, acho muito bom o que está acontecendo com você.

— Não me faça dizer um palavrão, doutor.

— Você não se vê por fora. Você está linda.

— Obrigada, mas preferia estar feia e me sentir melhor.

— Eu não.

— O senhor ou eu?

— Os dois.

— Olha o palavrão...

— Diga à vontade. Você não está compreendendo. O fato de falhar a promessa amorosa nesse período de vida — durante o qual você tem ido muito bem — fez o que faltava para que você começasse a se derreter de vez. Tendo desistido ou renunciado a tudo que seja segurança social em relação ao seu namoro, você passou a navegar, a flutuar. Ou melhor, ainda está resistindo a isso como o sonho mostra. Faço votos de que você caia na água.

— Obrigado. Desejo-lhe o mesmo, em dobro.

— Não há de quê. Faz tempo que eu vivo no ar — já não estranho mais.

— Doutor, que fazer?

— Aprenda a flutuar mesmo, em um barco, se possível; se não, sobre uma tábua oscilante num apoio. O problema é derreter sem cair, é amolecer mas continuar em pé.

— Como é que é?

— A solução é aprender a andar como baiana...

— Ou malandro, como o senhor.

www.gruposummus.com.br